El Buscón

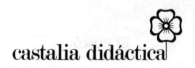

castalia didáctica

Director:
Pedro Álvarez de Miranda

FRANCISCO DE QUEVEDO

La vida del Buscón
llamado don Pablos

*Con cuadros cronológicos,
introducción, bibliografía, notas y
llamadas de atención,
documentos y orientaciones
para el estudio
a cargo de*

Ángel Basanta

Texto fijado por

Fernando Lázaro Carreter

EDITORIAL CASTALIA

© Editorial Castalia, 1989
Zurbano, 39 - 28010 Madrid - Teléf.: 419 89 40
Cubierta de Víctor Sanz
Impreso en España. Printed in Spain
Talleres Gráficos Peñalara. Fuenlabrada (Madrid)
I.S.B.N.: 84-7039-467-3
Depósito legal: M. 36.918-1989

SUMARIO

A mi madre

Año	Acontecimientos históricos	Vida cultural y artística
1580	Caída de Antonio Pérez (1579-1580). Anexión de Portugal a España, después de la batalla de Alcántara.	Mueren H. de Acuña y L. de Camoens. Cervantes es rescatado del cautiverio de Argel. Herrera, *«Anotaciones»* a *Garcilaso*.
1586		L. Barahona de Soto, *Las lágrimas de Angélica*.
1588	Desastre de la Armada Invencible.	Muere Fray Luis de Granada. Santa Teresa, *Libro de la vida* y *Las moradas*.
1591	Motín popular en Zaragoza; liberación y huida de Antonio Pérez. Invasión de Aragón por el ejército real.	Mueren Fray Luis de León y San Juan de la Cruz. Nace el pintor J. de Ribera.
1596	Tratado de Greenwich. Saqueo de Cádiz por W. Raleigh.	Nace Descartes. Pinciano, *Poética*.
1598	Paz de Vervins. Fin de la supremacía de España en Europa. Muere Felipe II y comienza el reinado de Felipe III.	Nacen Zurbarán y Bernini. Lope de Vega, *La Arcadia, La Dragontea*.
1600	Derrota del archiduque Alberto en la batalla de Las Dunas.	Nace Calderón de la Barca. Aparece el *Romancero general*.
1601	Comienza el sitio de Ostende. Expedición española a Irlanda. Felipe III traslada la Corte a Valladolid.	Nacen Gracián y el pintor Alonso Cano. Muere El Broncese. Shakespeare, *Hamlet*.
1604	Paz de Londres con Jacobo I. Toma de Ostende por el general Spínola.	M. Alemán, segunda parte del *Guzmán de Alfarache*.
1605	Nace el futuro Felipe IV.	Cervantes, el *Quijote* (1.ª parte). López de Úbeda, *La pícara Justina*.

Vida y obra de Francisco de Quevedo
Nace en Madrid (en la antigua calle del Niño), el 17 de diciembre; el 26 es bautizado en la parroquia de San Ginés. Su padre, natural de La Montaña, era secretario de la reina Ana de Austria, esposa de Felipe II.
Muere su padre. Él queda bajo la tutela de don Agustín de Villanueva.
Prosigue sus estudios en el madrileño Colegio Imperial de los jesuitas, hasta 1596. Pronto queda sin la protección de su hermano mayor (muerto en 1593).
Estudia en la Universidad de Alcalá lenguas clásicas y modernas, filosofía, matemáticas, física...
Probablemente, comienza su amistad con don Pedro Téllez Girón, futuro duque de Osuna.
Recoge su título de Bachiller. Comienza su fama de escritor satírico, ingenioso y procaz.
Estudia Teología en la Universidad de Valladolid. Comienza la fama de su prestigio poético, y la celebridad de sus relaciones literarias (enemistad con Góngora). Muere su madre.
Comienza su correspondencia con el humanista flamenco Justo Lipsio.
Aparecen 18 composiciones suyas en *Flores de poetas ilustres,* de Pedro de Espinosa.

Año	Acontecimientos históricos	Vida cultural y artística
1606	La Corte vuelve a Madrid.	Nacen Corneille y Rembrandt.
1607	Crisis económica: bancarrota del estado.	Muere Medrano; nace Rojas Zorrilla. Monteverdi, *Orfeo*.
1608	La Unión Protestante establece relaciones con Francia, Inglaterra y Países Bajos.	Nace Milton. Shakespeare, *Coriolano*.
1609	Tregua de los Doce Años en los Países Bajos. Derrota naval de La Goleta. Expulsión de los moriscos.	Lope de Vega, *Arte nuevo de hacer comedias* y *Jerusalén conquistada*.
1610	Conquista de Larache. Asesinato de Enrique IV de Francia. Osuna es nombrado virrey de Sicilia.	Galileo, *Sidereus mundi*. Rubens, *El descendimiento de la cruz*. Monteverdi, *Vísperas*.
1612	Matrimonio de Luis XII con Ana de Austria.	Salas Barbadillo, *La hija de Celestina*.
1613	Subida de los Románov al trono de Rusia.	Cervantes, *Novelas ejemplares*. Se divulgan el *Polifemo* y la *Soledad primera*, de Góngora.
1614		Muere el Greco. Cervantes, *Viaje del Parnaso*. Lope de Vega, *Rimas sacras*. Aparece el *Quijote* de Avellaneda.
1615	Boda de Felipe IV con Isabel de Borbón. Batalla entre las tropas de Carlos Manuel de Saboya y los ejércitos españoles.	Cervantes, el *Quijote* (2.ª parte), y *Ocho comedias y ocho entremeses*.
1616	Osuna es nombrado virrey de Nápoles.	Mueren Cervantes y Shakespeare.

Vida y obra de Francisco de Quevedo
Regresa a Madrid. Comienza la redacción de los *Sueños*.
Se dedica a la redacción de *El alguacil endemoniado*.
Concluye *El sueño del infierno*.
Comienza el pleito de la Torre de Juan Abad. Escribe *España defendida y los tiempos de ahora* y la *Premática de las cotorreras*.
Le es negada la autorización para publicar el *Sueño del Juicio final*, calificado de chabacano e imprudente por el padre Antolín Mantojo.
Obtiene el permiso para publicar los *Sueños*, pero con correcciones y supresiones, aunque luego no se publicaron. Dedica al duque de Osuna *El mundo por dentro*.
Sufre una crisis espiritual que le lleva a un doloroso arrepentimiento, expresado en la serie de poemas *Heráclito cristiano*. Se marcha a Sicilia, invitado por su amigo el duque de Osuna, virrey de Sicilia.
Comienzan los años de actividad diplomática y política como hombre de confianza del duque de Osuna. Viaja a Niza y a Génova; y también a Madrid como encargado de los negocios de Sicilia y, mas tarde, de Nápoles.
El Parlamento siciliano lo elige embajador para llevar al rey los donativos ordinarios y extraordinarios. Viaja encargado de conseguir el virreinato de Nápoles para el duque de Osuna.
Regresa a Italia, a Nápoles, donde Osuna había tomado posesión del virreinato.

Año	Acontecimientos históricos	Vida cultural y artística
1617	Paz de Pavía. Tratado de Praga: Felipe III obtiene Alsacia a cambio de Bohemia.	Cervantes, *Los trabajos de Persiles y Sigismunda* (póstumo). Cascales, *Tablas poéticas*. Góngora, *Panegírico al duque de Lerma*.
1618	Conjuración de Venecia. Comienza la guerra de los Treinta Años.	Nacen Moreto y el pintor Murillo. V. Espinel, *Marcos de Obregón*.
1620	Derrota de los protestantes en la batalla de la Montaña Blanca. El duque de Osuna pierde el favor real y es procesado y encarcelado.	Bernini, *Apolo y Dafne*. J. de Luna, *Segunda parte del Lazarillo de Tormes*.
1621	Muerte de Felipe III. Comienza el reinado de Felipe IV, con el Conde-duque de Olivares como valido.	Nace La Fontaine. Tirso de Molina, *Los cigarrales de Toledo*. Valdivielso, *Doce autos sacramentales*.
1622	España apoya al emperador Fernando II en la guerra.	Muere Villamediana; nace Molière.
1623	Suspensión de la guerra de los Treinta Años.	Nace Pascal. Bernini, *Baldaquino de San Pedro*.
1624	Richelieu, presidente del Consejo Real en Francia. Muere el duque de Osuna en la cárcel.	Lope de Vega, *La Circe*.
1625	Carlos II sube al trono de Inglaterra. Rendición de Breda.	Lope de Vega, *El caballero de Olmedo*. Bernini, *David*. Bacon, *Ensayos*.
1626	Tratado de Monzón. Negativa de las Cortes de Cataluña a contribuir en la Unión de Armas.	Muere F. Bacon.
1627	Gran crisis económica. Nueva bancarrota del estado.	Muere Góngora.

Vida y obra de Francisco de Quevedo
Viaja a Madrid como embajador del Parlamento de Nápoles para llevar los donativos al Rey. Consigue el hábito de Caballero de la Orden de Santiago.
Defiende ante el Consejo de Estado al duque de Osuna de las acusaciones de complicidad en la conjuración de Venecia.
Durante 20 años pasará largas temporadas de estudio y creación literaria en la Torre de Juan Abad (en donde estuvo desterrado varias veces), alternando períodos de soledad y de residencia en Madrid.
Es encarcelado por sus actividades en favor de Osuna. Combina la actividad política y literaria. Completa los *Sueños*, con el remate de *El sueño de la muerte*.
Nuevo destierro a la Torre de Juan Abad. Enferma gravemente.
De nuevo en la Corte, elogia al Rey y al Conde-duque de Olivares.
La Junta de Reforma de las costumbres menciona su amancebamiento con la Ledesma.
Se publican las *Cartas del Caballero de la Tenaza*. Escribe y viaja con la Corte.
Acompaña al rey en un viaje por Aragón. Se publica el tratado político *Política de Dios* (1626 y 1635); acaba el *Cuento de cuentos*. Se publica *El Buscón* en Zaragoza.
Edición de los *Sueños*, en Barcelona, con notable éxito. Escribe la comedia *Cómo ha de ser un privado*.

Año	Acontecimientos históricos	Vida cultural y artística
1628	Derrota naval de Matanzas (Cuba).	Alonso Cano comienza el retablo de la parroquia de Lebrija.
1629	Paz de Lübeck. Nace el príncipe Baltasar Carlos.	Muere Kepler. Calderón, *El príncipe Constante, Casa con dos puertas mala es de guardar*.
1630	Derrota de Ratisbona. Paz anglo-española.	Tirso de Molina, *El burlador de Sevilla*. Velázquez, *La fragua de Vulcano*.
1631	Sublevación de Vizcaya contra la leva de soldados.	Mueren Guillén de Castro y B. L. de Argensola. Castillo Solórzano, *Las arpías de Madrid*.
1632	Viaje de Felipe IV a Barcelona y Valencia.	Nacen Locke y Spinoza. Lope de Vega, *La Dorotea*.
1633	Muere Isabel Clara Eugenia: el Cardenal-Infante, gobernador de Flandes.	Proceso de Galileo ante la Inquisición.
1634	Victoria del Cardenal-Infante contra Suecia en Nördlingen.	Lope de Vega, *Rimas humanas y divinas del licenciado Tomé de Burguillos*. Cascales, *Cartas filológicas*. Corneille, *Medea*.
1635	Intervención directa de Richelieu en la guerra de los Treinta Años. Francia declara la guerra a España.	Muere Lope de Vega. Fundación de la Academia Francesa de las Artes y las Letras. Calderón, *La vida es sueño*. Velázquez, *La rendición de Breda*.
1636	Las tropas del Cardenal-Infante amenazan París.	Salcedo Coronel, *Obras de Góngora comentadas*. Corneille, *El Cid*.
1638	Ofensiva franco-protestante en el Rosellón. Cerco de Fuenterrabía. Batalla naval de Guetaria.	Nacen Malebranche y C. Jansen, fundador del jansenismo.

Vida y obra de Francisco de Quevedo
Nuevo destierro en la Torre de Juan Abad. Participa en la controversia sobre el patronato de España, defendiendo a Santiago frente a Santa Teresa: *Memorial por el patronato de Santiago* y *Su espada por Santiago*.
Dedica al Conde-duque la edición de las obras de Fray Luis de León, que se publicarán en 1631.
Escribe y publica *El chitón de las tarabillas*, en defensa de las medidas económicas del Conde-duque. Rechaza la embajada en Génova.
Edita la poesía de Fray Luis de León y de Francisco de la Torre. Publica los *Sueños*, después de varias ediciones piratas. Sus obras son denunciadas a la Inquisición.
Se le concede el título honorífico de Secretario del Rey.
Se imprime la sátira *La perinola*, contra Pérez de Montalbán.
Se casa en Cetina con la viuda Esperanza de Mendoza, presionado por su protector el duque de Medinaceli. Publica el tratado moral *La cuna y la sepultura*, con gran éxito.
Aparece el tratado moral *Virtud militante* y el tratado político *Carta al serenísimo Rey de Francia*. Aparece el feliz libelo contra Quevedo *El Tribunal de la justa venganza*, que le moteja de «maestro de errores, doctor en desvergüenzas, licenciado en bufonerías, bachiller en suciedades, catedrático de vicios y protodiablo entre los hombres».
Se separa de Esperanza de Mendoza.
Se traslada a Madrid, pero regresa pronto a la Torre. Concluye *La hora de todos*.

Año	Acontecimientos históricos	Vida cultural y artística
1639	Derrota de los ejércitos españoles de Oquendo, en la batalla de Las Dunas, por la escuadra neerlandesa.	Muere Ruiz de Alarcón. Nace Racine.
1640	Rebelión de Cataluña y guerra de Portugal.	Muere Rubens. Gracián, El político. Saavedra Fajardo, *Empresas políticas.*
1641	Revuelta secesionista en Andalucía.	Vélez de Guevara, *El diablo cojuelo.*
1643	Caída de Olivares y privanza de don Luis de Haro. Derrota de los tercios en Rocroi.	Muere Monteverdi.
1644	Muere Isabel de Borbón.	Muere Vélez de Guevara. Se cierran los corrales hasta 1649. Calderón, *El pintor de su deshonra.*
1645	Muere el Conde-duque de Olivares.	Bernini, *La transverberación de Santa Teresa.*

Vida y obra de Francisco de Quevedo
La noche del 7 de diciembre es preso por dos alcaldes de Corte en casa de su amigo el duque de Medinaceli. Llevado a León, es encarcelado en los calabozos del convento de San Marcos, como sospechoso de actividades políticas, y acusado de espía de los franceses. (La novela de E. Alonso, *El insomnio de una noche de invierno* [1984], ofrece una visión novelada de la triste noche de su detención.)
En su período carcelario sufre condiciones rigurosas, incluso crueles, hasta 1643.
Enfermo, sale de la prisión, después de las gestiones de Juan de Chumacero. Se va a residir a Madrid.
En noviembre se traslada a la Torre de Juan Abad; vive en este pueblo o en Villanueva de los Infantes hasta su muerte. Se imprime la primera parte de la *Vida de Marco Bruto*, y la *Vida de San Pablo*.
En enero pasa a Villanueva de los Infantes; escribe la segunda parte del *Marco Bruto*. Muere el 8 de septiembre. En 1648 aparecen publicadas (póstumamente) las poesías de Quevedo, por su amigo González de Salas.

Introducción

> De mi España ¿qué diré que no sea con gemido? Vosotros sois presa de la guerra; nosotros del odio y de la ignorancia. Allá se consumen nuestros soldados y nuestros recursos; aquí somos nosotros los que nos consumimos.
>
> (QUEVEDO: «Carta a Justo Lipsio», escrita a los 24 años.)

1. La España de Quevedo

La vida de don Francisco de Quevedo y Villegas comienza su andadura en los últimos lustros del siglo XVI y asiste a la progresiva decadencia del país durante la primera mitad del siglo XVII. Entre 1580 y 1645, fechas de nacimiento y muerte del escritor, se desencadena la ruina económica y moral de España, con notables muestras de hundimiento a lo largo de los tres reinados que Quevedo conoció: el resquebrajamiento del poderío exterior en los últimos años del reinado de Felipe II (1556-1598), la ruina interior con Felipe III (1598-1621) y el fracaso definitivo de la política imperial con Felipe IV y el Conde-duque de Olivares (1621-1643).

La grandeza del imperio español, fraguada en la política matrimonial de los Reyes Católicos y consolidada en el reinado de Carlos I, se desmorona a partir de 1580, año en que España consigue la anexión de Portugal, y, con ello, la anhelada unidad ibérica. Las señales de la decadencia aparecen ya a finales del siglo

XVI, con la derrota de la Armada Invencible (1588) y la consumación de la secesión de los Países Bajos (1597), con su doble efecto económico (el puerto de Amsterdam sustituye en importancia a Sevilla y Lisboa) y moral (victoria de la Reforma protestante). A ello se añadieron otros agravantes de la crisis interior: la ruina económica y el descenso demográfico, motivados por la sangría económica y humana cobrada por las guerras en el exterior, por la emigración de la juventud a las Américas (o a las ciudades, con el consiguiente aumento de la despoblación rural) y hasta por las pestes de fin de siglo.

La ruina interior se agrava en el siglo XVII, depresivo en toda Europa, pero de auténtica bancarrota económica, política y moral en España. El desastre era ya manifiesto a la muerte de Felipe II; pero la gravedad se acusa más con Felipe III, que, agobiado por la inflación alarmante (en España, país políticamente imperialista pero económicamente dependiente del exterior, lo único barato era el dinero), abandona las guerras y adopta una política de obligado pacifismo, al tiempo que da lugar al sistema de gobierno en manos de validos (el duque de Lerma, el duque de Uceda). Este período de paz no se aprovechó para la recuperación interna y muy pronto se incrementaron las muestras de la depresión y agotamiento: la política de privados en la corte, además de no suplir la incapacidad del monarca, estaba orientada según los intereses de los validos y grandes nobles y provocaba una cuantiosa afluencia de aspirantes a cargos públicos deseosos de refugiarse en la burocracia cortesana, produciéndose con ello una verdadera devastación de todos los cimientos morales de la sociedad, arrastrada a la corrupción en el cohecho y soborno habituales; muchos soldados encontraban el vacío a su regreso; y el hambre y la mendicidad seguían siendo amenazas reales para el pueblo bajo.

Con Felipe IV y la privanza del conde-duque de Olivares como nuevo valido no llegó a producirse el esperado cambio en la realidad española. A pesar de la política ambiciosa y enérgica de Olivares (aspiración al absolutismo y a la recuperación del poder real, enfrentamientos con la nobleza y el clero, lucha contra la corrupción y reanudación de las guerras en el exterior), el resultado final fue bastante negativo: la reactivación económica no fue posible en unas estructuras sociales que siguieron rígidamente estratificadas; las guerras exteriores volvieron a cobrar grandes esfuerzos económicos, determinando mayores presiones fiscales; estas mismas guerras acaban en resultados adversos, con la separación definitiva de Portugal, la consolidación de la independencia de Holanda o el ocaso de la hegemonía española en la Paz de Westfalia (1648); y la situación interior se agravó aún más: revueltas secesionistas como las de Cataluña o Andalucía, empobrecimiento de Castilla, catástrofes demográficas, inflación, presión fiscal, corrupción, venta de cargos, alimentación defectuosa, hambre, mendicidad, etc.

Todo ello dio lugar a la proliferación de la figura del arbitrista, que, con aguda conciencia de crisis y de malestar social, se dedicaba a analizar las causas de tan lamentable situación y a proponer remedios, que nunca llegaban.

En conclusión, el siglo XVII es en España una época de decadencia y hundimiento progresivos. El encumbramiento de la nobleza es un fenómeno regresivo social y económicamente; la misma institucionalización del valido es una garantía de sus posibilidades para utilizar en beneficio propio el poder real, frenando cualquier evolución social y manteniendo en exclusiva la cuna de gobernantes y militares. Con ello disminuyó la fuerza de las clases productivas, la burguesía especialmente: la industria, el trabajo, el comercio eran socialmente menospreciados; muchos labradores ricos abandonan su actividad productiva, aspirando a la nobleza y huyendo de los impuestos; y en el corazón mismo de la sociedad el honor y la pureza de la sangre seguían siendo ideales intocables. El problema de las castas (cristianos viejos frente a cristianos nuevos, procedentes de judíos y moros conversos), mantenido en los estatutos de limpieza de sangre, era una obsesión social que regía múltiples aspectos del vivir cotidiano, desde la envidia de los cristianos viejos —generalmente en situación económica precaria— por el bienestar material de los conversos, los judíos en el ámbito financiero de las ciudades y los moriscos en la agricultura rural, hasta el furibundo antisemitismo de Quevedo, pasando por la tragedia de ser

converso de Mateo Alemán o la siempre humana comprensión
mostrada por Cervantes.

2. Semblanza de Quevedo

Hombre de vida turbulenta y espíritu atormentado, la figura
de Quevedo se muestra especialmente contradictoria y difícil de
escudriñar, tanto en su andadura humana, tan zarandeada por
las veleidades de la fortuna, como en su extensa obra literaria,
tan multiforme en su diversidad abarcadora de muchos aspectos
del vivir.

De una familia de cristianos viejos procedente de La Montaña,
cortesano nacido a la sombra de palacio y educado en sus con-
vencionalismos, Quevedo pertenecía a las capas inferiores de la
nobleza: «hijo de algo, pero no señor», según su propia confesión (por eso puso tanto empeño en conseguir el señorío de la
Torre de Juan Abad). Su enigma psicológico se esconde detrás
de sus dos actividades mayoritarias: su prometedora carrera política, que empezó con los mejores augurios y acabó con él en
el destierro y en la cárcel; y su afortunadísima carrera literaria,
cuyas obras rezuman pesimismo y amargura ya desde su juventud en claro contraste con los éxitos públicos que entonces le
acompañaban. F. Ayala, S. Serrano Poncela y M. Durán han escrito páginas iluminadoras sobre esta personalidad elusiva y fas-
cinante, que llegaría a convertirse en figura legendaria en atri-
buciones de anécdotas y chistes escatológicos, y en personaje popular y temido por sus ingeniosas procacidades y su capacidad
satírico-burlesca, en abierta contradicción con el contenido de
sus obras ascéticas o con la sublime intensidad de su poesía amorosa. (La figura legendaria y hasta folklórica del escritor fue pro-
piciada por su popularidad asombrosa, alimentada por algunos
de sus biógrafos desde P. de Tarsia en el siglo XVII hasta L. Astrana Marín en el XX, e incluso recreada en el teatro en obras
como *El Caballero de las espuelas de oro*, de A. Casona.)

Desde niño, Quevedo fue un alma desprotegida encerrada en
un cuerpo deforme. Bastante desamparado por su madre, huér-

fano de padre a los seis años, huérfano por segunda vez al morir su hermano mayor —que lo protegería de las crueles burlas de colegiales—, Quevedo sería un niño solitario, con los pies deformes hacia dentro y cegato («Pata-coja», «Cuatro ojos», «Antogicoxo» —por su miopía y su cojera— y «Momo de este siglo», le llamarían sus enemigos), que necesitaba amparo y protección para su inseguridad y que acabó refugiando su vergüenza en las procacidades más desvergonzadas, su timidez en los ataques satírico-burlescos más despiadados, y el sentimiento de la miseria de sí mismo en la expresión de la angustia existencial del ser humano.

Políticamente, su alma conservadora buscó la protección de la autoridad constituida e hizo gala de una lealtad no siempre merecida por sus magnates: su lealtad al duque de Osuna, que no siempre se portó bien con él, superó la caída en desgracias del noble; sus amigos, el duque de Medinaceli y el duque del Infantado, lo traicionaron, el primero presionándolo para que se casase, y el segundo acusándolo de espía de los franceses al valido Olivares, a quien Quevedo también había halagado en busca de protección. Su figura rebelde y conflictiva —sus lealtades y rebeldías le llevaron a la cárcel varias veces— llegó a simpatizar con los políticos más brillantes del momento; fue un encendido polemista que supo ver los males de aquella España, pero no tuvo la misma lucidez a la hora de proponer remedios, quizás porque su espíritu conservador y aristocratizante lo arrastraba a la añoranza de tiempos pasados mejores y al rechazo de toda transformación social. En este sentido, el moralista, que fustigaba la corrupción social y moral (en la cual él también participó de forma tan interesada como cualquier oportunista), y el satírico, que se ensañaba en críticas y burlas de situaciones grotescas, pudieron más que el político, con una visión más orientada al pasado que al futuro.

Su amarga visión negativa del mundo empezó a fraguarse en la hostilidad de su niñez desamparada, intensificó su desarrollo en su ingenio satírico fulminante e implacable, y fue sucesivamente alimentada por la íntima vergüenza de su miseria física, por la inseguridad de su carrera política, por su matrimonio tar-

dío y por sus tribulaciones sociales, que van desde su escanda-
loso amancebamiento con la Ledesma hasta su nombramiento
como secretario del rey o su entrada en la prestigiosa Orden de
Santiago, pasando por su celebridad como escritor y sabio, cuyo
retrato pintaron nada menos que Velázquez y Murillo. Su figura contrahecha en un mundo mal hecho, su delicada sensibili-
dad, su extraordinario talento y su lúcida conciencia de la mísera condición humana le arrastraron a una visión nihilista del
mundo y a un ocultamiento de su alma, extremadamente sensi-
ble, cuya vulnerable intimidad defendió con sus furibundos ataques a los demás, impidiendo con ello cualquier acercamiento.

Muy ilustrativo de todo esto puede ser el tratamiento del tema
del amor y la mujer, tema que, mejor que ningún otro, ejem-
plifica ese profundo contraste entre la crueldad exterior de satírico chocarrero, procaz, deslenguado, insolente o cínico, y una
oculta intimidad tierna, tímida, insegura y hasta pudorosa que,
presa de la insatisfacción vital, se entregó al mismo tiempo a su-
blimes aspiraciones inalcanzables y a grotescas visiones defor-
madoras, moviéndose angustiosamente entre «golpes en las nu-
bes y porrazos en los sótanos», en expresiva intuición del Conde
de Villamediana. Quevedo mostró ante la mujer una actitud po-
larmente escindida, de una ambivalencia que va más allá de su
conocida misoginia. Por un lado, su incomparable antifeminis-
mo —practicado en la falta de una relación amorosa duradera
y auténtica— es una intensificación de la literatura misógina anterior *(Sendebar, Corbacho,* por ejemplo) y se dispara en su poesía satírica y en los *Sueños* en crueles visiones grotescas atroz-
mente cómicas y deshumanizadoras de unas figuras de mujer re-
.ducidas a vivientes disparates esperpentizados. Y al mismo
tiempo, es autor de una poesía amorosa llena de pasión y ero-
tismo, concebida dentro de las convenciones del amor platónico
como continuación de la lírica del amor cortés y del sistema poético del petrarquismo.

Hay, pues, una manifiesta oposición de enfoque, de actitud
vital frente a la mujer: como objeto de amor platónico es vista
como una hermosa estatua; un ideal de perfección, inalcanzable, al que se rinde culto y adoración, quizás porque, al no es-

perar correspondencia, la intimidad del amante, sin compromiso con el riesgo de la realidad humana, se siente segura y libre de cualquier peligro. Sin embargo, como objeto de relación sexual, la mujer es vista como algo despreciable, lo cual le llevó a satisfacer sus impulsos con mujeres consideradas indignas, como la Ledesma, y a la sátira cruel y desrealizadora de la figura femenina, en lo cual tampoco adquiría compromiso alguno el satírico.

Bien puede decirse que nuestro escritor ocultó su verdadera intimidad bajo un calculado mecanismo de defensa: el poder satírico-burlesco de su visión deformante y de su lenguaje caricaturesco. Sus implacables ataques a los demás —fue cruel e injusto con sus enemigos; también lo fueron con él— son una defensa de su intimidad, esquiva a todo acercamiento, y una prolongación del sentimiento de la propia miseria; sus procacidades escatológicas y sus provocaciones insolentes parecen un intento de superar su vergüenza propia; y hasta su literatura existencial, nacida del corazón mismo del desengaño barroco, tiene mucho que ver con un desahogo íntimo que proyecta su insatisfacción y su angustia vital en toda la condición humana.

3. Quevedo, escritor del Barroco

En una época de grandes crisis, de depresión y decadencia general, Quevedo, hombre de gran cultura (había sido educado en los mejores colegios y en prestigiosas universidades, era un buen conocedor de las lenguas clásicas y del francés e italiano, poseía una amplia formación humanística), pero no dueño de un pensamiento riguroso y metódico (nada sistemático en sus ideas políticas), fue uno de los españoles más conscientes de la ruina del país, azotado por una larga tragedia de guerras religiosas, raciales o dinásticas, por tensiones políticas peninsulares, como las disgregaciones de Portugal o de Cataluña, y por conflictos sociales tan profundamente arraigados como el de la limpieza de sangre, que constituían verdaderas obsesiones rayanas en la paranoia colectiva.

En todos los sentidos Quevedo fue un hombre barroco hasta la médula. Su inteligencia le permitía una visión clarividente de las realidades negativas ocultas detrás de engañosas apariencias. Su lucidez ante la decadencia, su desasosiego íntimo y su amarga visión del destino le llevaron a situarse en una visión pesimista del mundo, unas veces cifrada en la defensa de un estoicismo teórico, otras en la obsesiva expresión de su angustia existencial o en la visión satírica destructora de la realidad misma en un auténtico frenesí aniquilador de apariencias engañosas y consoladoras. Los contrastes del Barroco y sus secuelas derivadas de la inseguridad vital se manifiestan con suma claridad en la obra quevediana, impregnada de la exaltación intensa de lo sublime en su poesía amorosa, de la cínica negación o visión aniquiladora del mundo en sus escritos satírico-burlescos y de la estoica actitud de entrega al ascetismo en sus obras ascéticas y morales.

Tanto por su experiencia biográfica como por su andadura literaria la figura de Quevedo se encuadra en la primera generación de escritores plenamente barrocos, que suceden cronológicamente al grupo formado por Cervantes (1547-1616), M. Alemán (1547-1614?) o V. Espinel (1550-1624); éstos deben su formación al llamado segundo Renacimiento, y su obra literaria se encuentra a caballo entre los dos siglos; en cambio, aquéllos, los componentes del siguiente grupo, formado por Lope de Vega (1562-1635), Góngora (1561-1627), Quevedo, Tirso de Molina (1579?-1648) o Ruiz de Alarcón (1581-1639), aparecen como los primeros escritores propiamente del Barroco español, cuyo esplendor concluirá con los escritores de la generación siguiente, a la que pertenecen Calderón de la Barca (1600-1681) y Gracián (1601-1658).

Como hombre de su circunstancia Quevedo experimentó la tragedia de su tiempo y le dio su personal expresión literaria. El tema del desengaño, resultante del cansancio, el desánimo, el desencanto, la adversidad o la impotencia humana abocada a la resignación pasiva, es una constante barroca de nuestro escritor, quien, al mismo tiempo, expresó con mayor intensidad que nadie en su época la angustia existencial del hombre, invadido de premuras y congojas, asediado por el incontenible paso del tiempo y atormentado por la eterna presencia de la muerte. Como escritor de su época fue uno de los máximos exponentes de la experimentación literaria del Barroco, junto con Góngora. Ambos escritores fueron precisamente los máximos representantes de los dos grandes movimientos estilísticos del siglo XVII: el conceptismo, basado en la agudeza de ingenio, en el difícil uso de conceptos y en el máximo aprovechamiento de la capacidad expresiva del idioma; y el culteranismo o gongorismo, movimiento de base conceptista caracterizado por la oscura suntuosidad retórica y la audacia de sus transfiguraciones literarias y experimentos gramaticales.

Su obra literaria es extensa y diversa. Prescindiendo de sus intentos teatrales, género al que se acercó de modo circunstancial en la comedia *Cómo ha de ser el privado*, concebida como una interesada adulación al conde-duque de Olivares, o de forma singular en los entremeses, la figura de Quevedo sobresale especialmente en la poesía y en la prosa: como poeta abarcó gran variedad de temas y formas, excluyendo de su musa la poesía épica, propia de la fe en el héroe (que él no tenía); como prosista fue igualmente polifacético en sus temas y en sus formas de expresión. Quevedo fue, en palabras de Borges, «una dilatada y compleja literatura», que, como explica G. Sobejano, excita y sorprende por su genio; aplana y abruma por su capacidad para la deformación caricaturesca, el chiste escatológico o la burla tabernaria, tanto como asombra su admirable vuelo en alas de las más encendidas y angustiadas palabras de la lírica castellana. Escribió sobre casi todo, y con diversidad de actitudes, desde la prosa y el verso más desvergonzado y la sátira más envenenada hasta la poesía más sublime o la obra más elevada y formal de severo moralista.

3.1. *El poeta*

Quevedo es un poeta de primerísima calidad. Ocupa un lugar preeminente en una época de esplendor de la lírica española (apogeo que sólo volvería a producirse en nuestras letras con el grupo poético del 27). De su casi medio siglo de actividad como poeta ha quedado cerca de un millar de composiciones originales de gran diversidad temática y de múltiples variedades formales: desde la encendida poesía amorosa y el desarraigo existencial hasta la sátira más cruel o el chiste más procaz; desde los más perfectos sonetos, liras o quintillas hasta los más diversos romances, jácaras o madrigales.

Su poesía amorosa, enraizada en la tradición del platonismo, del amor cortés y del sistema retórico del petrarquismo —influencias a las que él supo sobreponerse en el personal desgarrón afectivo de su expresión literaria y lingüística tan moderna—, constituye una desgarradora manifestación de afectividad y pasión amorosa. De las varias amadas cantadas bajo nombres convencionales destaca la figura de Lisi, a quien el poeta dedicó un auténtico cancionero formado casi en su totalidad por excelentes sonetos que sitúan a la dama en un lugar suprahumano, inalcanzable para el poeta, que llega a implorar comprensión: «perdona lo que soy por lo que amo» (dice el verso de un terceto), y a afirmar su pasión más allá de la muerte. El desgarrón afectivo de esta lírica amorosa cristaliza en verdaderas obras maestras, como este célebre soneto, «Amor constante más allá de la muerte», ampliamente estudiado por M.ª Rosa Lida, Lázaro Carreter, A. Alonso, Borges, A. Terry y Blanco Aguinaga:

> Cerrar podrá mis ojos la postrera
> sombra que me llevare el blanco día,
> y podrá desatar esta alma mía
> hora a su afán ansioso lisonjera;
>
> mas no, de esotra parte, en la ribera,
> dejará la memoria, en donde ardía:
> nadar sabe mi llama la agua fría,
> y perder el respeto a ley severa.
>
> Alma a quien todo un dios prisión ha sido,
> venas que humor a tanto fuego han dado,
> medulas que han gloriosamente ardido,

su cuerpo dejará, no su cuidado;
serán ceniza, mas tendrá sentido;
polvo serán, mas polvo enamorado.

Otra vertiente personalísima de la lírica quevediana es la problemática metafísica, religiosa y moralizadora. La autenticidad de su poesía metafísica en el planteamiento de los más graves problemas existenciales (la muerte, el tiempo, el desengaño, etc.) alcanza en estos versos una expresión intensamente agónica que varios siglos después continúa estremeciendo el corazón humano, por su modernidad, por su originalidad y por su grito violentamente desgarrado en la inconfundible expresión de una inmensa pesadumbre, de una angustia infinita, tan antigua y tan moderna como la trágica condición humana (Unamuno, C. Vallejo y Blas de Otero pueden ser adecuados ejemplos de parecida problemática en nuestro siglo). Sirva como ejemplo de su incurable pesimismo, de su angustia permanente, otro soneto magistral:

¡Ah de la vida!... ¿Nadie me responde?
¡Aquí de los antaños que he vivido!
La Fortuna mis tiempos ha mordido;
las Horas mi locura las esconde.

¡Que sin poder saber cómo ni adónde
la salud y la edad se hayan huido!
Falta la vida, asiste lo vivido,
y no hay calamidad que no me ronde.

Ayer se fue; mañana no ha llegado;
hoy se está yendo sin parar un punto:
soy un fue, y un será, y un es cansado.

En el hoy y mañana y ayer, junto
pañales y mortaja, y he quedado
presentes sucesiones de difunto.

Inconfundiblemente quevediana es su poesía satírica y burlesca, en cuyos versos el escritor despliega un fabuloso derroche de imaginación y talento literario. Igual que en la prosa del mis-

mo signo, muchas son las figuras y situaciones humanas (dueñas, viejas, cornudos, médicos, alguaciles, jueces, etc., hasta el
mundo mitológico y caballeresco) que reciben el temible dardo
satírico de este brutal espoleador de la realidad, que aquí descubre todo su sarcasmo y cinismo pesimista, recreando su incomparable arsenal lingüístico en busca de las más audaces fórmulas expresivas del idioma, sometido a un intenso y violento
proceso de condensación y estrujamiento que fecunda el significado de las palabras. De los múltiples ejemplos inolvidables
(la letrilla «Poderoso caballero es don Dinero», la sátira «Riesgos del matrimonio en los ruines casados», los furibundos ataques contra Góngora o el autoburlesco romance «Parióme adrede mi madre», etc.) bien puede seleccionarse el célebre soneto
«A un hombre de gran nariz», también estudiado por Lázaro
Carreter:

> Érase un hombre a una nariz pegado,
> érase una nariz superlativa,
> érase una alquitara medio viva,
> érase un peje espada mal barbado;
>
> era un reloj de sol mal encarado,
> érase un elefante boca arriba,
> érase una nariz sayón y escriba,
> un Ovidio Nasón mal narigado.
>
> Érase el espolón de una galera,
> érase una pirámide de Egito,
> los doce tribus de narices era;
>
> érase un naricísimo infinito,
> frisón archinariz, caratulera,
> sabañón garrafal, morado y frito.

3.2. *El prosista*

Mayor diversidad aun que su poesía presenta la extensa obra
en prosa de Quevedo, abarcadora de la gran variedad de intereses y preocupaciones del escritor, que también aquí desplegó su

ingenio, agudeza, sabiduría y dominio idiomático, dueño de múltiples registros estilísticos en unas obras sobre cuestiones ascéticas, religiosas, políticas, morales, etc., sin olvidar su implacable vena satírica.

Prescindiendo ahora de su novela (el *Buscón*), género al que sólo se acercó esta única vez, destacan en primer lugar sus obras satírico-morales, grupo al que pertenecen los *Sueños* y la fantasía moral *La hora de todos y la Fortuna con seso*. Mas el que este conjunto de obras satírico-morales —incluido el *Buscón*— sea lo más celebrado de la prosa quevediana, no debe hacer olvidar otras vetas importantes del escritor madrileño: entre ellas resulta obligado señalar la preocupación política (y aun el patriotismo, cerril en alguna ocasión) en obras como *Política de Dios y gobierno de Cristo,* intento de conciliar el poder de una monarquía fuerte con los principios del evangelio, *Vida de Marco Bruto,* glosa del texto de Plutarco y comentario político-moral del asesinato de Julio César, y *España defendida y los tiempos de ahora,* obra de encendido patriotismo —rayano en el arribismo de quien tantas veces critica las costumbres y vicios españoles— en la que se realzan virtudes españolas y se rechazan las calumnias del extranjero; los tratados ascéticos, como *La cuna y la sepultura* o la *Virtud militante,* en las que la filosofía estoica y el pensamiento cristiano se aúnan en la expresión del desengaño barroco; obras de orientación filosófica, como *De los remedios de cualquier fortuna,* denso comentario del pensamiento de Séneca; las cuestiones relacionadas con la crítica literaria, tratadas más por afán de atacar a otros que por deseo de ofrecer una doctrina sólida, en la *Aguja de navegar cultos* o en *La culta latiniparla,* verdaderas sátiras de culteranos y gongoristas, y en el *Cuento de cuentos,* en favor de la corrección idiomática frente al abuso de frases hechas y muletillas populares; y las obras festivas, de intención generalmente satírico-burlesca y costumbrista, como las *Premáticas* o las *Cartas del Caballero de la Tenaza.*

Si el *Buscón* es la obra más célebre de Quevedo, bien pueden considerarse los *Sueños* como su creación más moderna técnicamente, y *La hora de todos* como su obra más perfecta.

En los *Sueños* Quevedo ofrece un conjunto de cuadros satíricos y estampas caricaturescas que alcanzaron notable celebridad ya antes de ser editadas, difundidos en copias manuscritas. Los cuatro primeros *(El sueño del Juicio final, El alguacil endemoniado, Sueño del infierno* y *El mundo por de dentro)* fueron escritos entre 1605 y 1612, y el último, *Sueño de la muerte,* en 1622. Fue entonces la obra más conocida del autor; también la más editada desde que en 1627 aparece la primera edición en Barcelona; y la que más experimentó los rigores censorios de la Inquisición, a la que los *Sueños* fueron denunciados como irreverentes y sacrílegos (incluso los títulos tuvieron que ser modificados).

Su composición literaria entronca con la fórmula del sueño y la tradición alegórica: el autor-narrador es transportado a un más allá fantástico habitado por tipos o figuras que, en rápida sucesión caótica, son objeto de la sátira y el dicterio moral quevedescos. Entre los modelos literarios anteriores se han destacado los *Diálogos* de Luciano de Samosata, los *Coloquios* de Erasmo de Rotterdam o el mismo *Diálogo de Mercurio y Carón* de Alfonso de Valdés; así como también el modelo alegórico de la *Divina comedia,* de Dante, o el *Laberinto de Fortuna,* de Juan de Mena. Mas con ser importante la raigambre tradicional de los *Sueños,* más interesante aun es su innegable modernidad (que empieza ya en la presencia del mundo coetáneo y su realidad social), pues en su construcción y sentido anticipan motivos y formas del surrealismo contemporáneo y de la literatura onírica en general. En suma, su original combinación de tradición y modernidad hace de los *Sueños* una de las obras más representativas del alma española, y de una parte importante de nuestra cultura: por su reminiscencia —en el contenido y en la estructura— del tema medieval de la *Danza de la muerte;* por su libertad formal, su estrujamiento lingüístico y su visión pesimista, aniquiladora y muñequizadora, que Valle-Inclán volverá a recrear en sus esperpentos; y por su fondo tenebroso, que los emparenta con los cuadros del Bosco («éste solo se atrevió a pintarlo [al hombre] cual es de dentro», como ya dijo F. José de Sigüenza) o la España negra de Goya y de Solana.

El sueño del Juicio final, estructurado en una forma semejante al teatro alegórico-religioso, comienza con una introducción destinada a resaltar la credibilidad de los sueños y presenta el discurso organizado en dos partes (equivalentes a dos actos): la resurrección de los muertos, en que se presenta, en tono apocalíptico, el acercamiento de los ahora resucitados al lugar del Juicio final; y el juicio último, en el que, en revuelta asamblea a modo de danza macabra, desfilan unas figuras despersonalizadas representativas de distintas categorías sociales.

En *El alguacil endemoniado* se recoge en forma de coloquio burlesco entre el autor, el licenciado Calabrés y el demonio, identificado con el alguacil, el informe sobre el infierno y las mismas figuras del sueño anterior con que el demonio satisface la curiosidad del autor al tiempo que escandaliza al hipócrita licenciado.

No suficientemente satisfecho el autor con la anterior relación del espíritu demoníaco, busca conocer por sí mismo el infierno, empeño referido en el *Sueño del infierno,* construido sobre una base alegórica, con notorio despliegue de cultura humanística y literaria, y con un desarrollo establecido en perfecta gradación: arranca de la quietud de un paisaje utópico, pasa por el indeciso encuentro de la doble vía simbólica del bien y del mal, y se precipita por el camino del mal en el infierno, donde, en laberíntica sucesión de cuadros van apareciendo atormentadas figuras de condenados, desde las ya conocidas en sueños anteriores hasta largas listas de astrólogos, herejes, nigromantes, etc., entre los que aparecen Mahoma o el mismo Lutero.

El mundo por de dentro es uno de los sueños más perfectos, a la vez que el más amargo de todos. En su visión del mundo «por de dentro» aparece quintaesenciado el tema tan barroco y quevediano del desengaño en un recorrido mundano alegórico y realista al mismo tiempo: perdido el autor en el laberinto del mundo, se encuentra con el Desengaño, personificado en un venerable anciano, que le conduce a la calle mayor del mundo, la de la Hipocresía; allí se contemplan motivos y figuras reales desde una doble perspectiva, estableciéndose un extremado contraste entre la ingenua visión del autor-narrador, que no alcanza más allá de las apariencias en la comedia del mundo, y la negativa visión autentificadora de las verdades ocultas por las apariencias engañosas, que el Desengaño va descubriendo en aquellos motivos y figuras de la realidad cotidiana.

Finalmente, el *Sueño de la muerte*, escrito en plena madurez creadora del autor, con un Quevedo dueño de una depuración técnica y estilística extraordinaria, constituye un imaginario desfile dramático de la comitiva social de la muerte. Ante el trono de la muerte, y por la imaginación del autor, van pasando en grotesco desfile diversas figuras ya conocidas, distintas ficciones proverbiales tomadas del folklore y de la literatura. Pero Grullo, don Diego de Noche, Juan del Encina, Enrique de Villena o la dueña Quintañona son espléndidos ejemplos de caracterizaciones hiperbólicamente desrealizadas. He aquí un fragmento de la última:

> Con una cara hecha de un orejón, los ojos en dos cuévanos de vendimiar, la frente con tantas rayas y de tal color y hechura que parecía planta de pie; la nariz, en conversación con la barbilla, que casi juntándose hacían garra, y una cara de la impresión del grifo; la boca, a la sombra de la nariz, de hechura de lamprea, sin diente ni muela, con sus pliegues de bolsa a lo jimio, y apuntándole ya el bozo de las calaveras en un mostacho erizado; la cabeza, con temblor de sonajas, y la habla danzante; unas tocas muy largas sobre el monjil negro esmaltando de mortaja la tumba; con un rosario muy largo colgando, y ella corva, que parecía, con las muertecillas que colgaban dél, que venía pescando calaverillas chicas. Yo, que vi semejante abreviación del otro mundo, dije a grandes voces, pensando que sería sorda:
> —¡Ah, señora! ¡Ah, madre! ¡Ah, tía! ¿Quién sois? ¿Queréis algo?
> Ella, entonces, levantando el *ab initio et ante saecula* de la cara, y parándose, dijo:
> —No soy sorda, ni madre ni tía; nombre tengo y trabajos, y vuestras sinrazones me tienen acabada.
> ¡Quien creyera que en el otro mundo hubiera presunción de mocedad, y en una cecina como ésta! Llegóse más cerca, y tenía

los ojos haciendo aguas, y en el pico de la nariz columpiándose una moquita, por donde echaba un tufo de cimenterio.

En conjunto, los *Sueños* recrean temas y motivos de los satíricos latinos y ofrecen la visión de un espectáculo desolador, de una comedia del mundo en que todo es engaño y mentira. En su composición los cinco sueños responden a una deliberada acumulación de escenas con gran cantidad de figuras y episodios que se suceden con gran rapidez. Tal desorden, si exceptuamos *El mundo por de dentro* (porque su composición fue interrumpida y continuada años más tarde con el episodio del paso por «debajo de la cuerda»), no estorba, sin embargo, la semejanza constructiva de los tratados, que siempre arrancan con una presentación, continúan con el rápido desfile de figuras en escenas cortas y concluyen en una alocución moral o una deprecación del autor. Y en su conjunto, los cinco sueños forman una composición unitaria: el primero *(Juicio)*, tercero *(Infierno)* y quinto *(Muerte)* remiten a las postrimerías de la muerte, el juicio y el infierno o la gloria; en el medio quedan el segundo *(Alguacil)*, que constituye una variación sobre el tema del *Sueño del infierno*, y el cuarto *(Mundo)*, anticipación a su vez del *Sueño de la muerte*.

Por último, *La hora de todos y la Fortuna con seso*, es otra de las piezas maestras del arte literario de Quevedo, seguramente la más ambiciosa, de mayor enjundia temática, de más complejidad estructural y de suma integración de todo su artificio verbal. Tanto, que esta obra maestra ha llegado a ser considerada como una prolongación y síntesis última de los *Sueños*.

Subtitulada «Fantasía moral», apareció publicada póstumamente, en 1650, pero había sido escrita en sucesivas etapas a partir de 1628-1630 hasta poco antes de la muerte de Quevedo, como se deduce del cuadro 39 (La isla de los monopantos), que parece haber sido escrito en 1639 y revisado en 1643-1644, o el 17 (Arbitrista en Dinamarca), escrito o, al menos, revisado después de 1640.

En esta obra Quevedo, tan dado a la concepción del mundo como algo absurdo, recrea el motivo clásico del «mundo al revés» y despliega toda su imaginación barroca en su genial presentación del caos resultante de la repentina decisión de los dioses de sorprender a los hombres en el mismo día y a la misma hora en la pura instantaneidad de su situación presente. La obra comienza con una fantasía mitológica: Júpiter, cansado de las lamentaciones de los mortales sobre la arbitrariedad de la Fortuna, convoca una asamblea de los dioses en el Olimpo y decide poner remedio a la tragedia del mundo ordenando a la Fortuna que reparta sus bienes de acuerdo con los merecimientos de cada uno. Seguidamente, todo el cuerpo central de la obra está formado por cuarenta cuadros, de diferente extensión, en los que, durante una hora (de cuatro a cinco de la tarde del día veinte de junio de 1635), aparecen los mortales en las más extrañas situaciones de la fauna quevedesca, sorprendidos en la confusión cósmica de la huracanada rueda de la Fortuna. Semejante cambio de fortuna muestra al azotado y al alguacil sorprendidos por la *hora* con los papeles trocados, al médico sorprendido en el papel de verdugo, a los funcionarios de prisión ocupando el lugar de los encarcelados, a la basura metida en las boticas y a los botes y redomas en los basureros, o a motivos y anécdotas de política española y europea, sobre todo en los cuadros de la segunda mitad del libro (ya en el 23 aparecen motivos de política española, italiana y francesa, hasta los dos últimos, con una asamblea de judíos en Salónica y una reunión de súbditos, príncipes y monarcas en Lieja). Al final, el experimento resulta un fracaso entre los mortales, como era lógico esperar del pesimismo y desengaño del autor: la situación no ha mejorado; sólo se han cambiado los papeles (hombres de bien, en pícaros y golfos; y éstos en aquéllos).

De la sátira quevedesca no se libran ni siquiera los dioses, también sometidos a un enfoque desmitificador en sus figuras grotescas, con el mismo Olimpo degradado en taberna prostibularia.

En suma, es ésta una obra de madurez, en la cual la multiplicidad de perspectivas, la segmentación formal del texto, estructuralmente fragmentado en cuadros independientes, y el uso de procedimientos retóricos degradantes y desrealizadores constituyen una adecuada envoltura formal de la dislocada visión cósmica del mundo como algo absurdo. Sirva de muestra el magistral cuadro del «adinerado ladrón de hidalguía postiza» (núm. 4).

Había hecho un bellaco una muchísima casa de grande ostentación, con resabios de palacio y portada sobre escrita de grandes genealogías de piedra. Su dueño era un ladrón que por debajo de su oficio había hurtado el caudal con que la edificó; estaba dentro y tenía cédula a la puerta para alquilar tres cuartos. Cogióle la *Hora* —¡oh inmenso Dios!— ¿quién podrá referir tal portento?; pues piedra por piedra, ladrillo por ladrillo, se empezó a deshacer y las tejas, unas saltaban a unos tejados y otras a otros; veíanse vigas, puertas y ventanas entrar por diferentes casas con espanto de sus dueños, que la restitución tuvieron a terremoto y al fin del mundo: iban las rejas y las celosías buscando sus dueños de calle en calle; las armas de la portalada partieron como rayos a restituirse a la montaña, a una casa de solar, a quien este maldito había achacado su ascendencia. El pícaro quedó desnudo de paredes y en cueros de edificio y sólo en una esquina quedó la cédula de alquiler que tenía puesta, tan mudada por la fuerza de la *Hora* que, donde decía: «Quien quisiere alquilar esta casa vacía, entre que dentro vive su dueño», se leía: «Quien quisiere alquilar este ladrón, que está vacío de su casa, entre sin llamar, pues la casa no lo estorba.»

4. El estilo de Quevedo

Mucho más que en la originalidad de su pensamiento, en el rigor y profundidad de sus ideas o en la creación de personajes densos —aspectos en los que el escritor no destacó especialmente—, el formidable esfuerzo literario de Quevedo dio sus mejores frutos en su estilo, en su portentoso dominio del lenguaje y en su incomparable capacidad para manejar el inmenso caudal lingüístico en todos los sentidos, hasta sus últimas posibilidades expresivas. En este sentido, el genio literario de Quevedo, uno de nuestros mejores poetas y seguramente nuestro prosista más completo, sólo encontraría campo abonado para su legado en el único heredero que se le puede comparar: Valle-Inclán y su prodigioso talento para fecundar el significado de las palabras.

4.1. *El conceptismo*

Un denominador común en todas las manifestaciones del Barroco es la extremosidad de actitudes. En relación con el Renacimiento del siglo XVI y sus características de arte selectivo, por su sobriedad, equilibrio, mesura y estatismo, el arte barroco se afianza a finales del siglo XVI y en el XVII como un arte acumulativo, con una abierta tendencia a la originalidad hiperbólica, a lo exagerado y desmedido, con una tensión que se traduce en continuo movimiento y dinamismo, y con un constante rebuscamiento de formas que tanto puede llevar a la deformación caricaturesca como a la idealización estilizada, siempre con enfrentamiento de contrarios, contrastes violentos y el artificio de la oscuridad o la dificultad en la misma raíz de sus expresiones.

En literatura el Barroco fue extremando procedimientos y hallazgos estilísticos progresivamente ensayados y consolidados en el Renacimiento y en el Manierismo (desde Garcilaso hasta Herrera, pasando por Fray Luis de León, entre otros) hasta culminar en las dos tendencias literarias (distintas, pero no opuestas) cifradas en el conceptismo y el culteranismo. Ambos movimientos tienen una base común en la lengua enriquecida y embellecida por una tradición literaria ya entonces muy importante. El conceptismo está en la raíz misma del Barroco (del español y del europeo: poetas metafísicos ingleses, poetas italianos y franceses del momento); es un arte de relaciones y metamorfosis basado en el ingenio y en la agudeza del concepto, y caracterizado por el máximo aprovechamiento intelectual de la concentración de significados; estas palabras de Gracián ilustran el ideal conceptista: «Preñado ha de ser el verbo, no hinchado; que signifique, no que resuene», porque, como dice también el teorizador del conceptismo, «la verdad cuanto más dificultosa, es más agradable, y el conocimiento que cuesta es más estimado». Frente a esta dificultad conceptista, el culteranismo es una revolución literaria, una aventura hacia lo bello, caracterizada por el hermetismo formal y la oscuridad derivadas del estilo suntuoso, del lenguaje latinizante y de la frecuencia de alusiones mitológicas. Pero si la oscuridad culterana llega a su cima con Góngora, y la dificultad conceptista con Quevedo y Gracián, no es menos cierto que, salvo algunas peculiaridades muy concretas (el abuso del hipérbaton en Góngora, por ejemplo), los procedimientos estilísticos son parecidos, y que Góngora también es conceptista (el mismo Gracián le llamó «águila de los conceptos»), como también lo fueron con frecuencia Cervantes o Lope de Vega; y que en todos los poetas del XVII se perciben rasgos culteranos.

Quevedo, escritor por encima de todo y con una apasionada vivencia de la literatura, fue (con Gracián) el máximo representante del conceptismo barroco. Brilló como nadie en el uso del concepto, ya definido por Gracián (en su *Agudeza y arte de ingenio)* como «un acto del entendimiento que exprime la correspondencia que se halla entre los objetos», derrochando ingenio en la búsqueda de tales correspondencias y aplicando su agudeza verbal no ya sobre los objetos sino sobre sus mismas imágenes lingüísticas. Su prodigio de ingenio verbal —tan difícil de reducir a fórmulas retóricas—, su preocupación artística y hasta científica por el lenguaje, la precisión y el rigor expresivo de sus palabras hinchadas de significado hacen de su estilo uno de sus valores supremos y permanentes, tanto, que A. Castro lo consideraría «el único grande e inconfesado amor de Quevedo».

El conceptismo de nuestro escritor continúa lo ya alcanzado en el conceptismo ambiente de su época y añade la personal aportación de su intensificación cuantitativa y cualitativa: la extremada acumulación de sus recursos formales y la superior calidad de su literatura. Aprovecha al máximo la capacidad expresiva del idioma; exprime y estruja los valores potenciales de las palabras; y al mismo tiempo que remueve los cimientos mismos del idioma mantiene un extraordinario respeto por su sistema: siempre mostró su aversión tanto a los arcaísmos y vulgarismos (el *Cuento de cuentos* es una sátira ridiculizadora de insulsos modismos y vulgarismos populares) como a los cultismos y neologismos gongorinos. Quizás por ello se afanó en el logro de la densidad, la concisión y aun el laconismo lapidario en sus escritos más graves; y reservó su talento en la creación de palabras y en los más atrevidos experimentos lingüísticos casi exclusivamente para las obras satíricas, burlescas o festivas, en las cuales parece verificarse esta afirmación de R. Gómez de la Serna: donde él llega las cosas se ponen patas arriba, espectáculo caótico que su literatura extrema apurando los juegos verbales hasta el límite.

4.2. *Procedimientos técnicos*

Si se atiende especialmente a la obra satírico-burlesca, pronto se comprueba que los recursos técnicos fundamentales en la literatura quevediana responden al efecto de la intensificación, como también podrá comprobarse en sus recursos estilísticos más queridos. Su arte es fuertemente intelectual, derivado de su visión deformante del hombre y del mundo; sus creaciones grotescas son así fieles reflejos de su interpretación caricaturesca de un mundo grotesco; y su modernidad es tal, que lo convierte en un claro precursor del arte expresionista contemporáneo, de la técnica de la descomposición cubista de las figuras, de la visión grotesca de los esperpentos de Valle-Inclán y de la literatura del absurdo.

Entre los pilares básicos de la técnica literaria de distorsión grotesca quevediana destacan primordialmente el distanciamiento y la actitud irónica, la deformación y la anamorfosis transformista, la concentración y la acumulación, la enumeración caótica o los enlaces imprevistos y sorprendentes.

Uno de sus máximos secretos es la actitud de distanciamiento, que le empuja a ver a sus figuras desde fuera, situado por encima de ellas (desde el aire, como diría Valle-Inclán) y a pintarlas desde lejos, sin interesarse para nada por su intimidad. El extrañamiento que de tal proceder se deriva se entronca con una permanente visión irónica cuyo juego se formaliza en un verdadero placer de la escritura —y de la lectura— al que el lector es invitado desde el comienzo mismo. Unas citas del *Buscón* bastarán para ilustrar el efecto humorístico de la visión corrosiva que salta por encima de todo eufemismo o apariencia ennoblecedora:

Comieron una comida eterna, sin principio ni fin *(Buscón,* I, 3).

Al fin, yo salí tan bienquisto del pueblo, que dejé con mi ausencia a la mitad dél llorando, y a la otra mitad riéndose de los que lloraban [por las deudas que dejaba sin pagar] *(Buscón,* II, 1).

A éstos [al Jayán y a Robledo en la cárcel] se llegaban otros cuatro hombres, rapantes como leones de armas, todos agrillados y condenados al hermano de Rómulo [al remo, a galeras]. Decían ellos que presto podrían decir que habían servido a su rey por mar y por tierra *(Buscón,* III, 4).

El extrañamiento conduce también a la visión deformante, técnica caricaturesca por la cual las figuras se deshumanizan y aún se cosifican, sometidas a un proceso de deformación degradante que todo lo desrealiza y desvaloriza. La deformación grotesca es habitual en las descripciones del *Buscón,* los *Sueños* y *La hora de todos;* en este proceso de degradación las figuras aparecen sometidas a una operación doble: la descomposición de la figura en planos inconexos y con frecuencia desde ángulos de visión insólitos o absurdos posibilita su ulterior recomposición con los elementos más variados, de modo que la figura recreada no parece completa sino recompuesta por acumulación yuxtapuesta de imágenes independientes que contrastan entre sí por su referencia a campos heterogéneos y que parecen emanciparse del conjunto adquiriendo entidad propia. Tal descomposición y reconstrucción por acumulación de elementos superpuestos se apoya en la anamorfosis, técnica pictórica especialmente adecuada para la visión del mundo caótico y absurdo, formalizado en unas caricaturas de impresión irreal y en unos cuadros abigarrados, con suma de figuras en actitudes y situaciones extrañas, en los cuales se manifiesta la imaginación plástica de su creador. Excelentes ejemplos ilustrativos se encuentran en la ya citada descripción de la dueña Quintañona del *Sueño de la muerte,* en la figura del licenciado Cabra *(Buscón,* I, 3) o en el cuadro de los amigos de don Toribio *(Buscón,* III, 1).

Otro procedimiento característico de la literatura satírica de Quevedo es la deliberada concentración temática y formal. En el contenido, porque el tema se agota pronto; y en la forma, porque la concentración lingüística exige agudeza de entendimiento y refuerza la intensidad satírica o burlesca, por la condensación conceptista de la sintaxis elíptica. A esto mismo responde con igual eficacia literaria el frecuentísimo empleo de la alusión, procedimiento por el cual se remite apenas a unas circunstancias esenciales de obligado conocimiento para la comprensión de la sátira. En este texto del *Sueño del Juicio final*:

> Riérame si no me lastimara a otra parte el afán con que una gran chusma de escribanos andaba huyendo de sus orejas, deseando no las llevar por no oír lo que esperaban; mas solos fueron sin ellas los que acá las habían perdido por ladrones, que por descuido no fueron todos,

se supone conocido el pecado profesional de los escribanos: pecan con las orejas, por no oír bien adrede y alterar las declaraciones de los testigos. Procedimiento solidario de la concentración es el de la acumulación, de gran eficacia caricaturesca por su intenso y reiterado asedio radial a la figura u objeto descrito. Dicho procedimiento se manifiesta en rápidas y prolongadas cadenas de enumeraciones o de múltiples transformaciones del referente, descrito mediante un torrente retórico de metáforas, hipérboles o equívocos, cuya superposición alcanza sus mejores ejemplos en el citado soneto «A un hombre de gran nariz», en el retrato de Cabra *(Buscón*, I, 3) o en el del licenciado Calabrés del *Sueño del alguacil endemoniado*.

La técnica quevediana de distorsión grotesca se completa con otros recursos caricaturizadores como la visión yuxtapuesta del ser y el parecer, y el prolongado contraste entre la amarga verdad disimulada y la apariencia engañosa *(El mundo por de dentro* es una obra maestra en este aspecto: por su yuxtaposición de imágenes positivas en la ingenua visión del autor-narrador, y sórdidas verdades desenmascaradas por el Desengaño); la cómica animación de lo inerte (procedimiento contrario —y complementario— de la ya citada degradación animalizadora y cosificadora), la vertiginosa sucesión de elementos enlazados de modo imprevisto y sorprendente —algunas asociaciones llegan a rozar la sinestesia—, el vertiginoso dinamismo expresivo e incluso el deliberado aplebeyamiento lingüístico. Todos son recursos destinados a explorar cada elemento en todas sus posibilidades asociativas, aun a costa del conjunto, cuya dispersión exige del lector un esfuerzo de interpretación tan difícil como intelectualmente gratificante.

4.3. *Recursos estilísticos*

Ya queda dicho que la intensificación está en la base misma de la técnica de deformación grotesca del arte de Quevedo. Y a ello responde el uso y abuso de los recursos estilísticos más utilizados en su literatura satírico-burlesca, entre los cuales exigen mención especial la audacia metafórica, la tendencia a la hipérbole y la profusión de paradojas, antítesis, juegos de palabras, dilogías, calambures, paronomasias, retruécanos, junto con atrevidas creaciones lingüísticas grotescas que alcanzan la misma parodia idiomática.

La metáfora es madre y fuente de conceptos en la poética barroca. Con su inesperado hallazgo de extrañas correspondencias entre dos referentes sin conexión inmediatamente reconocible se convierte en recurso conceptista primordial. Quevedo lo utilizó para dar entidad corpórea a sus intuiciones literarias, y de modo muy especial en su obra satírico-burlesca, siguiendo la corriente satírica de la época y logrando con frecuencia verdaderos hallazgos personales. L. Schwartz ofrece un análisis exhaustivo de su empleo en la sátira quevedesca: con frecuencia el resultado grotesco es consecuencia de la incompatibilidad de dos referentes con cuya asociación se produce una reducción descategorizadora que animaliza a la figura humana denotada, como se advierte en esta cómica e hiperbólica transustanciación de la familia del carcelero:

Tenía una ballena por mujer *(Buscón*, III, 4);

en otras ocasiones la capacidad idiomática del escritor revitaliza fórmulas metafóricas ya lexicalizadas, que recobran su fuerza original sometidas a una leve modificación en inesperados contextos, como ocurre con esta identificación de los médicos:

> No digo eso porque fuese menor el batallón de los doctores, a quien nueva elocuencia llama ponzoñas graduadas, pues se sabe que en sus universidades se estudia para tósigos *(Sueño del infierno)*;

y lo mismo sucede en otros textos con las predicaciones metafóricas de «polillas graduadas», atribuida a los embusteros, o esta otra de «sanguijuelas», predicada de la influencia financiera de los genoveses y continuada en sucesivas expansiones generadas a partir de la imagen primera (banqueros genoveses = *sanguijuelas-restañar-venas-a chupones*):

> No han descaecido las flotas de las Indias; aunque Génova ha hecho unas sanguijuelas desde España al cerro del Potosí, con que se van restañando las venas, y a chupones empiezan a secar las minas *(Sueño de la muerte)*.

Igualmente degradante es la metáfora cosificadora del sujeto animado, con el resultado grotesco de una descategorización antinatural que reduce lo animado a materia inferior. Uno de los mejores ejemplos es la grotesca reducción hiperbólica del caballo de Pablos en la batalla «nabal» del *Buscón* (I, 2) finalmente transformado en materia inerte. También con la operación inversa se consiguen efectos igualmente humorísticos y burlescos, de modo que la transformación de lo humano en bestia, y la de lo animal en objeto inerte, se complementa con la inversión de los objetos grotescamente personificados, como ocurre con la frecuente animación y humanización burlesca del dinero, o de otros objetos tan cotidianos como las ropas en esta consideración de don Toribio sobre la economía indumentaria de los caballeros chanflones:

> No hay cosa en todos nuestros cuerpos que no haya sido otra cosa y no tenga historia. *Verbi gratia:* bien ve v. m. —dijo— esta

> ropilla; pues primero fue gregüescos, nieta de una capa y bisnie-
> ta de un capuz, que fue en su principio, y ahora espera salir para
> soletas y otras cosas *(Buscón, II, 6).*

La metáfora es, por tanto, junto con la tendencia a la hipérbole y el máximo aprovechamiento de la dilogía, el recurso
fundamental en la retórica de la obra satírico-burlesca. La acumulación intensa de los tres recursos favorece la creación de
descripciones realmente irrepetibles en el retrato del licenciado
Cabra *(Buscón,* I, 3) o en el soneto «A un hombre de gran nariz», cuya intensa deformación queda aún más potenciada por
la insistente reiteración anafórica de «érase».

En esta literatura, en que se abandona la imitación de la na-
turaleza y se re-crean nuevas realidades ensañándose con la
apariencia ridícula de unos seres degradados, la hipérbole es recurso eficacísimo en la exageración de aspectos grotescos y aun
de figuras aberrantes. Esta exageración hiperbólica contribuye a
delinear un mundo caricaturesco, grotesco y fantasmal creando
realidades excepcionales o resaltando su comicidad. Se encuentra en toda la obra satírica de Quevedo, desde *El sueño del Juicio final,* en donde aparece un boticario que se alió con la peste
y despobló dos lugares, hasta *La hora de todos,* en que la basura llega a sentir asco de los frascos de una farmacia; y se encuentra generalizada en sus páginas, pues siempre los médicos
matan, las enfermedades huyen de la medicina, los escribanos
falsean declaraciones, las viejas arden en deseos amorosos y en
aparentar juventud (pretendiendo incluso gustar a los demonios
en el infierno). Su presencia se acumula en comparaciones des-
proporcionadas (el Jayán, con sus cadenas carcelarias en el *Buscón,* III, 4, «Traía más hierro que Vizcaya»), en intensificacio-
nes con *tal, tan* o *tanto* que concluyen en consecutivas sorprendentes (en el *Buscón,* I, 3, los ojos de Cabra están «tan hundidos
y escuros, que era buen sitio el suyo para tiendas de mercaderes»), en metáforas (en muchos versos del soneto «A un hombre
de gran nariz»; en el *Sueño de la muerte* don Diego de Noche
trae «un soportal por sombrero»). Cuando las hipérboles se acumulan en cadena, combinadas con la dilogía en inusitadas com-

paraciones, el resultado es la intensificación ridiculizadora de todos los sumandos en una imagen fuertemente grotesca, como la de don Toribio sorprendido por un estudiantón:

> ¡Miren el todo trapos, como muñeca de niños, más triste que pastelería en Cuaresma, con más agujeros que una flauta, y más remiendos que una pía, y más manchas que un jaspe, y más puntos que un libro de música *(Buscón,* III, 2).

El juego de palabras es otra prueba de ingenio verbal y dominio del idioma a la vez que una inagotable cantera de comicidad. Entre los recursos basados en la disparidad de significados de palabras fonéticamente iguales o muy parecidas, destaca especialmente el equívoco o dilogía, otro de los recursos más fértiles del conceptismo, de una extraordinaria eficacia en los textos satírico-burlescos; y Quevedo fue un consumado maestro en el arte de jugar con el significado de las palabras: ya Gracián lo consideró el «primero en este modo de composición». Ejemplos ilustrativos pueden encontrarse con facilidad en las obras quevedianas: en el soneto «A un hombre de gran nariz», en las prosas del *Buscón* (descripción del caballo de la batalla «nabal», retrato del licenciado Cabra, o en esta afirmación de don Toribio: «Un caballero de nosotros ha de tener más faltas que una preñada de nueve meses»), de los *Sueños,* de *La hora de todos* o en las páginas festivas. Igualmente frecuente, y con parecidos efectos humorísticos, es el uso de paradojas, recurso efectivo y violento que obliga a una lectura reflexiva sobre los términos antagónicos e irreconciliables que encierra; de retruécanos, cuyos efectos más espectaculares se producen en las expresiones ambiguas y polivalentes de los chistes y de las páginas festivas en general; y de paronomasias, zeugmas, calambures, etc.

Otros recursos frecuentes en sus páginas son el contraste, la antítesis (con su oposición de valores, ideas o realidades son recursos básicos en el tratamiento del tema amoroso y la inquietud metafísica) y el oxímoron (con la unión de dos palabras mutuamente contradictorias en el mismo sintagma es recurso creador de tensión y de fuertes contradicciones). Estos efectos de intensificación quedan aún más resaltados con la profusión de reiteraciones anafóricas (en las páginas satírico-burlescas se convierten en repetidos ataques obsesivos de los que parece imposible liberarse) y de prolongadas series enumerativas, en las cuales el escritor despliega su imaginación verbal hasta llegar a una atmósfera de pesadilla creada por el frensí torrencial de las palabras. El siguiente polisilogismo es indicativo de ese movimiento frenético del discurso arrastrado por imágenes cada vez más delirantes que expresan en su misma sucesión un mundo desencajado hasta concluir en el disparate:

> Y los pleitos no son sobre si lo que deben a uno se lo han de pagar a él, que eso no tiene necesidad de preguntas y respuestas; los pleitos son sobre que el dinero sea de letrados y del procurador sin justicia, sin dineros, de las partes. ¿Queréis ver qué tan malos son los letrados? Que si no hubiera letrados, no hubiera porfías; y si no hubiera porfías, no hubiera pleitos; y si no hubiera pleitos, no hubiera procuradores; y si no hubiera procuradores, no hubiera enredos; y si no hubiera enredos, no hubiera delitos; y si no hubiera delitos, no hubiera alguaciles; y si no hubiera alguaciles, no hubiera cárcel; y si no hubiera cárcel, no hubiera jueces; y si no hubiera jueces, no hubiera pasión; y si no hubiera pasión, no hubiera cohecho. Mirad la retahíla de infernales sabandijas que se producen de un licenciadito, lo que disimula una barbaza y lo que autoriza una gorra *(Sueño de la muerte)*.

Por último, el ingenio verbal de Quevedo, multiplicador de equívocos y alusiones, encuentra un vehículo eficacísimo para su incomparable potencia satírica en la parodia idiomática misma, en la que, como ya explicó Alarcos García, despliega una asombrosa pirotecnia verbal: en la creación de neologismos, parodiando una palabra (de quintaesencia crea *quintainfamia*, *quintacuerna;* sobre mariposa, *marivinos*, *diabliposa;* sobre quiromántico, *nalguimántico;* sobre verbigracia, *cultigracia;* sobre misacantano, *cornicantano);* parodiando un esquema común a varias palabras y creando neologismos por composición o derivación para dar interpretaciones imaginarias a objetos reales que ya tenían una formulación en la lengua, pero que ahora quedan transformadas en nuevas imaginaciones lingüísticas exprimiendo todos los procedimientos morfológicos del sistema (con los prefijos *proto-* y *archi-* se forman voces como *archidiablo, protovieja, protocornudo, archipobre* y *protomiseria;* con los sufijos *-ismo, -ería* se crean *adanismo, dinerismo, maridería, cornudería;* con los esquemas gramaticales usuales se forman derivaciones como *cornudar, maridear, desnoviar, desendueñarse,* etc.). En la creación de asociaciones inusitadas, tanto de elementos nominales *(maridos calzadores, maridos linternas, maridos jeringas, buscona piramidal, palabras con barriga)* como de verbo y complementos, especialmente en la distorsión de las frases hechas para llegar a un final mediante la sorprendente sustitución de un elemento por otra asociación (sobre condenar a galeras, *condenar a dueñas;* sobre andar de puntillas, *mentir de puntillas,* etc.). Indicativo de la imaginación lingüística de Quevedo es igualmente el uso de sustantivos como adjetivos, hipóstasis que además de contribuir a la eliminación del adjetivo ocioso o simplemente decorativo permite la creación de asociaciones insólitas mediante la fusión violenta de conceptos dispares en una sola imagen *(caballero visión, caballero almanaque, clérigo cerbatana);* la tendencia a convertir en transitivos verbos que no lo son, los desplazamientos calificativos *(zambo de ojos y bizco de piernas),* la espectacular proliferación de variantes de una palabra hasta llegar al extremo grotesco que destruye la base de partida *(arbitristas, arbitristes, arbatristes, armachismes)* o la intertextualidad derivada de la mezcla de lenguajes de procedencia diversa (jergas profesionales, habla popular, voces de germanía, vulgarismos deliberados, refranes, etc.).

La intención satírica alcanza, pues, al lenguaje mismo en las obras satírico-burlescas, en las cuales el escritor ofrece una verdadera lección de ingenio alimentada por su talento lingüístico. En estos textos no se persigue el halago de los sentidos, sino el estímulo sorprendente para la imaginación y la inteligencia, pues sus creaciones lingüísticas, formadas sobre la parodia de los mecanismos del idioma, responden a exigencias expresivas de efectos humorísticos en un lenguaje conceptual, con las palabras «preñadas de significado», con las cuales la fantasía deformadora de Quevedo desrealiza actitudes, figuras, objetos y aun el idioma. Son, en fin, acrobacias estilísticas que remueven los cimientos del idioma (rompiendo palabras y creando otras con la recombinación de los destrozos que a su vez destruyen hasta los mitos), y que, con sus violencias gramaticales expresan audazmente la imagen de un mundo dislocado, caótico o absurdo. En esto su talento sólo admite comparación con Rabelais, Joyce o Valle-Inclán, verdaderos genios de la literatura universal. Por ello Quevedo es uno de nuestros clásicos más modernos, porque el mundo contemporáneo se ha vuelto quevedesco, tanto en la angustia existencial del ser humano como en la experimentación lingüística de la literatura contemporánea, que en la obra satírico-burlesca de Quevedo encuentra una clara anticipación, incluso en la faceta de creador cuyas innovaciones requieren la participación cómplice del lector.

5. Presentación del *Buscón*

El *Buscón* es la única novela de Quevedo. Se publicó por primera vez, sin permiso ni intervención de su autor, en 1626, en Zaragoza, con el título de *Historia de la vida del Buscón, llamado don Pablos, ejemplo de vagamundos y espejo de tacaños*, y tuvo un éxito enorme entre los lectores. Antes de 1626 la obra era ampliamente conocida, pues había circulado en copias manuscritas, de las que aún hoy se conservan tres, ninguna de ellas autógrafa, con notables variantes. Quevedo la escribió en plena juventud (a los 23-24 años): en una primera redacción en 1603-1604 y en una segunda revisión llevada a cabo entre 1609 y 1614, como ha explicado Lázaro Carreter.

El éxito del *Buscón* fue impresionante: después de su aparición en 1626 volvió a imprimirse nueve veces más en vida de Quevedo, siempre en ediciones piratas, sin autorización de su autor; y fue traducida muy pronto al francés (veinte ediciones en el siglo XVII), al italiano, al holandés y al inglés.

Durante más de tres siglos y medio desde su redacción, la no-

vela tuvo que ser leída en ediciones adulteradas, hasta que el trabajo de edición del texto (emprendido, entre otros, por A. Castro, R. Foulché-Delbosc, R. Selden Rose y Astrana Marín) llegó
a su culminación con la magistral investigación filológica de F.
Lázaro Carreter, quien en su edición crítica de 1965 fijó definitivamente el texto de la obra. Con lo cual se produce el resultado paradójico de que, excepto los amigos de Quevedo que conocieron directamente la copia de su novela, somos los lectores
del siglo XX (desde 1965) los primeros a quienes ha sido dado el
privilegio de la lectura de un texto fidedigno.

Literariamente, el *Buscón* se sitúa en la línea de la novela picaresca, subgénero narrativo consagrado en su nivel constitu-
yente cuando M. Alemán recrea en su *Guzmán de Alfarache*
(1599-1604) los elementos estructurales del *Lazarillo de Tormes*
(1554). A partir de entonces sobreviene la segunda etapa del género, en la cual se repiten, combinan y aun modifican sus elementos constructivos: desde el *Buscón* hasta la *Vida y hechos de
Estebanillo González* (1646), de autor desconocido, pasando por
La pícara Justina (1605), de F. López de Úbeda o *La vida del
escudero Marcos de Obregón* (1618), de V. Espinel.

Con todo, la singularidad del *Buscón* dentro del género picaresco plantea graves problemas: deshumanización cómica del
personaje del narrador-protagonista, dudoso compromiso moral, manifestación de una concepción social aristocrática, final
abierto de la narración, abandono del sistema de servicio a varios amos e incoherencia formal del punto de vista autobiográfico. Tal singularidad ha favorecido las más diversas interpretaciones y valoraciones e incluso su discutible encasillamiento
en la picaresca. Sólo anticiparé aquí dos muestras bien significativas: «libro genial... y pésima novela picaresca» (F. Rico);
«narración defectuosa e incoherente como tal, pero una excelente "novela" picaresca» (Rey Hazas).

En suma, no deja de ser paradójico que cuando Cervantes inventaba en España la novela moderna con su *Quijote*
(1605-1615), Quevedo, en cuya literatura todo se transforma, se
esquematiza y se intensifica (incluso el género literario mismo),
con sus experimentos en prosa (*Buscón, Sueños, La hora de to-*

dos) contribuye precisamente a la destrucción de las formas cervantinas de novelar, que tampoco encontraron seguidores en los novelistas del siglo XVII, generalmente propensos al cultivo de la novela corta, cuya explosión editorial venía motivada quizás por el estímulo de las *Novelas ejemplares* (1613), con las cuales Cervantes dignificó el género; pero tampoco sus seguidores supieron retomar sus mejores virtudes: lo desplegaron en mil variedades hasta que los ingredientes narrativos por excelencia acabaron subordinados a otros intereses (morales o costumbristas, por ejemplo). Con lo cual la narrativa española del seiscientos, cuya floración posterior a Cervantes llevaba en sí misma los gérmenes de su desintegración, acabaría en estrepitosa ruina, curiosamente por los mismos años en que se consumaba la decadencia definitiva de la nación.

Bibliografía

Ayala, Francisco: *Cervantes y Quevedo*, Barcelona, Seix-Barral, 1974 («Biblioteca Breve»). En las pp. 219-282 se destaca el ingenio verbal de Quevedo (espléndido comentario de la batalla «nabal») y se expone una lúcida semblanza de su persona.

Bartolomé Pons, Esther: *Quevedo*, Barcelona, Barcanova, 1984. Buena síntesis panorámica de la vida y obra de Quevedo en 151 páginas.

Cros, Edmond: *Ideología y genética textual. El caso del «Buscón»*, Madrid, Cupsa, 1980. Interesante interpretación de la obra como manifestación de la estética carnavalesca con intención paródica y significado parabólico.

Díaz Migoyo, Gonzalo: *Estructura de la novela. Anatomía del «Buscón»*, Madrid, Fundamentos, 1978. Constituye un intento, no plenamente logrado, de afirmar la coherencia estructural de la novela.

Durán, Manuel: *Quevedo*, Madrid, Edaf, 1978. Lograda síntesis de la vida y obra de Quevedo, y acertada selección de textos de su obra.

Lázaro Carreter, Fernando: «Originalidad del *Buscón*» (véase en Sobejano).

Lida, Raimundo: *Prosas de Quevedo*, Barcelona, Crítica, 1981. Libro fundamental sobre la prosa de Quevedo. En las pp. 241-304 se refunden en dos capítulos los mejores estudios de R. Lida sobre el *Buscón*.

Molho, Mauricio: *Semántica y poética (Góngora y Quevedo)*, Barcelona, Crítica, 1978. En las pp. 89-131 se incluyen las conocidas «Cinco lecciones sobre el *Buscón*» de este gran conocedor de la picaresca española.

Navarro Durán, Rosa: *«La vida del Buscón llamado don Pablos». Francisco de Quevedo*, Barcelona, Laia, 1983 («Guías Laia de Literatura», núm. 6). Detallada guía de lectura del *Buscón*. Muy útil para su estudio en trabajos escolares.

Rico, Francisco: *La novela picaresca y el punto de vista,* Barcelona, Seix-Barral, 1973, 2.ª ed. («Biblioteca Breve»). Estudio ya clásico en el análisis formal de la novela picaresca. Sobre el *Buscón,* especialmente las pp. 114-129.

Rico, Francisco (ed.): *Historia y crítica de la literatura española.* Vol. III, *Siglos de Oro: Barroco,* coordinado por B. W. Wardropper, Barcelona, Crítica, 1983. En las pp. 448-480, además de la correcta presentación actualizadora de Carlos Vaíllo, se incluye una selección de las mejores páginas sobre la picaresca en el siglo XVII. Sobre el *Buscón,* en las pp. 493-508 se incluyen textos de Lázaro Carreter, M. Molho, L. Spitzer y R. Lida.

Sobejano, Gonzalo (ed.): *Francisco de Quevedo,* Madrid, Taurus, 1978 («El Escritor y la Crítica», núm. 108). Selección utilísima de los mejores trabajos publicados en revistas sobre la personalidad y la obra de Quevedo. En las pp. 123-217 se incluyen tres estudios fundamentales sobre el *Buscón:* los aquí citados de L. Spitzer y F. Lázaro Carreter, y «Pablos de Segovia y su agudeza», de R. Lida.

Spitzer, Leo: «Sobre el arte de Quevedo en el *Buscón*» (véase en Sobejano).

Schwartz Lener, Lia: *Metáfora y sátira en la obra de Quevedo,* Madrid, Taurus, 1983 («Persiles»). Estudio muy completo sobre la metáfora como principal recurso generador de conceptos en la obra satírica de Quevedo.

Grabado de Quevedo, por R. Ximeno.

Brueghel: Vista de Nápoles.

Autógrafo de Quevedo.

Portada de la primera edición de *El Buscón* (Zaragoza, 1626.)

Uno de los tres manuscritos (el B) de *El Buscón*.

S. Vraux: Sitio de Ostende (Museo del Prado.)

Grabado de *El Buscón* en la edición de Amberes, 1699.

Brouwer: Jugadores de cartas.

Nota previa

El texto del *Buscón* aquí editado reproduce fielmente el fijado por don Fernando Lázaro Carreter en su magistral edición crítica de la novela en Ácta Salmanticensia, Universidad de Salamanca, 1965; 2.ª ed. en 1980.

La anotación del texto pretende ser breve, clara y exenta de cuestiones eruditas. Si en alguna ocasión aparecen notas algo más largas —son muy pocas—, ello es debido al deseo de clarificación de la extrema complejidad del conceptismo de Quevedo. Para ello, en todo momento he manejado las anotaciones más documentadas: las ediciones de A. Castro, D. Ynduráin, C. Vaíllo, C. Alonso, A. Gargano y A. Rey Hazas, además de las de carácter escolar de S. Gili Gaya y E. Gutiérrez Díaz-Bernardo. Con todas ellas, así como con los estudios citados en la selección bibliográfica, guardo una deuda sustancial, aquí gustosamente reconocida.

LA VIDA DEL BUSCÓN LLAMADO
DON PABLOS

CARTA DEDICATORIA[1]

Habiendo sabido el deseo que v. m. tiene de entender los varios discursos de mi vida, por no dar lugar a que otro (como en ajenos casos) mienta, he querido enviarle esta relación, que no le será pequeño alivio para los ratos tristes. Y porque pienso ser largo en contar cuán corto he sido de ventura, dejaré de serlo ahora. [1]

---

[1] Prescindo de los preliminares de la primera edición (Zaragoza, 1626), porque tanto las Aprobaciones como la Licencia del ordinario o el Privilegio real son documentos ajenos a la novela. Tampoco incluyo los preliminares que guardan alguna relación con la obra (Prólogo «Al lector», versos del fingido «Luciano su amigo»), porque parece definitivamente probado que son ajenos al autor. Sin embargo, incluyo esta *Carta dedicatoria*, que aparece en los manuscritos de Córdoba y Santander, y que sí parece ser de Quevedo. (Véase, no obstante, el citado prólogo «Al lector» en el apartado de Documentos y juicios críticos.)

(1) Teniendo en cuenta que la novela picaresca sigue el esquema constructivo de una relación autobiográfica que de su vida el pícaro envía a un destinatario, llamado *Vuestra Merced* (o simplemente *lector* en sentido genérico, como hacen el narrador del *Guzmán de Alfarache* y de *La pícara Justina),* obsérvese cómo estos constituyentes estructurales se manifiestan ya en esta Dedicatoria. Conviene incluso establecer su comparación con el *Prólogo* del *Lazarillo,* con el que guarda semejanzas y diferencias notables: semejanzas de forma, aparentes; y diferencias constructivas y de sentido, porque ya se verá que el *vuestra merced,* el destinatario, de la autobiografía de Pablos no pasa de ser un mero pretexto, pues no alcanza una auténtica integración en el sentido y estructura de la novela. Véase documento número 8.

LIBRO PRIMERO

CAPÍTULO I

En que cuenta quién es y de dónde.

Yo, señor, soy de Segovia.[(2)] Mi padre se llamó Clemente Pablo, natural del mismo pueblo; Dios le tenga en el cielo. Fue, tal como todos dicen, de oficio barbero; aunque eran tan altos sus pensamientos, que se corría[1] de que le llamasen así, diciendo que él era tundidor[2] de mejillas y sastre de barbas. Dicen que era de muy buena cepa,[3] y, según él bebía, es cosa para creer.

---

[1] *se corría:* se avergonzaba.   [2] *tundidor:* artesano especializado en cortar e igualar el pelo de los paños; *tundidor de mejillas y sastre de barbas* es aquí denominación engolada (relacionada con la hipocresía del mundo, incluso en los nombres de las cosas) del oficio de barbero: a la vez que ironía ridiculizadora de los «altos pensamientos» del padre, es una alusión anticipadora a su faceta de ladrón (a menudo llamado *sastre o tundidor de bolsas*).   [3] *de muy buena cepa:* de muy buen linaje; y también: de muy buen beber (chiste conceptista basado en la dilogía: *cepa:* linaje; vid).

---

(2) Téngase en cuenta lo anticipado en 1. En lo que respecta al comienzo del relato propiamente dicho importa ahora destacar que, mientras en el *Lazarillo* el relato autobiográfico tenía su comienzo «humilde —quizá hipócrita—» en su elusión del *yo* enfático *(Pues sepa v. m., ante todas cosas, que a mí llaman...),* la relación de Pablos se inicia con «el restallante pronombre de primera persona» con todo el énfasis de su autoafirmación personal, ya indicativo de su afán de imposición. Véase documento número 11.

Estuvo casado con Aldonza de San Pedro, hija de Diego de San Juan y nieta de Andrés de San Cristóbal. Sospechábase en el pueblo que no era cristiana vieja,[4] aunque ella, por los nombres y sobrenombres[5] de sus pasados, quiso esforzar que era decendiente[6] de la letanía. Tuvo muy buen parecer, y fue tan celebrada, que, en el tiempo que ella vivió, casi todos los copleros de España hacían cosas sobre ella.[7]

Padeció grandes trabajos recién casada, y aun después, porque malas lenguas daban en decir que mi padre metía el dos de bastos para sacar el as de oros.[8] Probósele que, a todos los que hacía la barba a navaja, mientras les daba con el agua, levantándoles la cara para el lavatorio, un mi hermanico de siete años les sacaba muy a su salvo[9] los tuétanos de las faldriqueras. Murió el angelico[(3)] de unos azotes que le dieron en la cárcel. Sintiólo mucho mi padre, por ser tal que robaba a todos las voluntades.[10]

Por estas y otras niñerías, estuvo preso; aunque, según a mí me han dicho después, salió de la cárcel con tanta honra, que le acompañaron docientos cardenales, sino que a ninguno lla-

---

[4] *que no era cristiana vieja:* que procedía de cristianos nuevos (judíos y moros conversos). [5] *sobrenombres:* apellidos. De hecho, los apellidos antes citados eran conocidos como de judíos conversos. [6] *decendiente:* descendiente (vacilación del grupo consonántico *sc*, como después *docientos...*). [7] *casi todos [...] cosas sobre ella:* casi todos los copleros hacían coplas sobre su deshonra; y también: «hacían fornicación encima de ella» (chiste malicioso basado en el doble sentido de *hacían cosas sobre*). [8] *metía el dos de bastos para sacar el as de oros:* metía dos dedos para robar monedas (A. Castro); también puede haber una maliciosa alusión a que el padre prostituía a su mujer *(metía el dos de bastos)* para ganar dinero. De este modo el sintagma *grandes trabajos* se carga de connotaciones sexuales (Rey Hazas). [9] *a su salvo:* sin riesgo. [10] *robaba a todos las voluntades:* se hacía con la simpatía de todos; y les robaba todo (juego conceptista).

(3) El uso del diminutivo (frecuente en la novela, en momentos de sentido opuesto a toda actitud de ternura o intimidad) es característico de una «actitud maliciosamente desengañante» de Quevedo (Spitzer). Tanto este *angelico* como el anterior *hermanico* (y otros diminutivos que aparecen en capítulos posteriores: *honrilla, prisioncilla, soguilla, retacillos, dormidillos...*) contribuyen a realzar, con intencionado matiz irónico, la mentira del hipócrita en sus propias palabras.

maban «señoría».[11] Las damas diz[12] que salían por verle a las ventanas, que siempre pareció bien mi padre a pie y a caballo.[13] No lo digo por vanagloria, que bien saben todos cuán ajeno soy della.[14]

Mi madre, pues, no tuvo calamidades. Un día, alabándomela una vieja que me crio, decía que era tal su agrado, que hechizaba a cuantos la trataban. Sólo diz que se dijo no sé qué de un cabrón y volar, lo cual la puso cerca de que la diesen plumas con que lo hiciese en público.[15] Hubo fama que reedificaba doncellas,[16] resucitaba cabellos encubriendo canas. Unos la llamaban zurcidora de gustos;[17] otros, algebrista de voluntades desconcertadas,[18] y por el mal nombre alcagüeta. Para unos era tercera, primera para otros, y flux para los dineros de todos.[19] Ver, pues, con la cara de risa que ella oía esto de todos, era para dar mil gracias a Dios.(4)

---

[11] Otro ejemplo de chiste dilógico basado en la disemia de *cardenales:* «moretones»; «altas dignidades eclesiásticas».   [12] *diz:* se dice, dicen.   [13] Otro ejemplo de ironía burlesca: los reos eran paseados por un recorrido urbano fijo, montados en asno, al tiempo que el pregonero aireaba sus delitos y el verdugo los azotaba.   [14] *della:* de ella (era aún frecuente la contracción de preposición + pronombre: *déstos*).   [15] Acumulación de alusiones a su condición de bruja (por lo que se dice después, a medio camino, según Caro Baroja, entre bruja vasca y celestina castellana): *cabrón:* macho cabrío; *volar; plumas* (a las alcahuetas se castigaba desnudándolas y sembrando su cuerpo con plumas). Por tanto, *hechizaba:* seducía, y embrujaba (dilogía); y *volar:* volar realmente, como bruja, y «volar en público», pasear emplumada y públicamente avergonzada (zeugma dilógico).   [16] *reedificaba doncellas:* rehacía virgos.   [17] *zurcidora de gustos:* alcahueta.   [18] *algebrista de voluntades desconcertadas:* celestina de amores desconcertados *(algebrista:* cirujano que compone huesos rotos o dislocados).   [19] Otro ejemplo de polisemia conceptista basada en la asociación erotismo-juego de naipes *(primera-tercera, primera-flux:* jugada máxima): «Para unos era alcahueta» *(tercera)*, «prostituta *(primera)* para otros», y, de este modo, «siempre era la ganadora *(flux)* de los dineros de todos tanto en lo económico como en el placer sexual» (Rey Hazas).

---

(4) El comienzo de una novela es siempre importante en su estructura y significado. En la picaresca esta relevancia es capital: resume la inmediata genealogía del pícaro, hijo de padres viles y deshonrados (padre ladrón, madre alcahueta, bruja y prostituta), con un claro determinismo sobre su educación y sobre su destino social y humano. Obsérvense también los constituyentes narrativos (autobiografía, destinatario: *se-*

No me detendré en decir la penitencia que hacía. Tenía su aposento —donde sola ella entraba y algunas veces yo, que, como era chico, podía—, todo rodeado de calaveras que ella decía eran para memorias de la muerte, y otros, por vituperarla, que para voluntades de la vida. Su cama estaba armada sobre sogas de ahorcado,[20] y decíame a mí: —«¿Qué piensas? Estas tengo por reliquias, porque los más déstos se salvan.»[21]

Hubo grandes diferencias entre mis padres sobre a quién había de imitar en el oficio, mas yo, que siempre tuve pensamientos de caballero desde chiquito, nunca me apliqué a uno ni a otro. Decíame mi padre: —«Hijo, esto de ser ladrón no es arte mecánica sino liberal.»[22] Y de allí a un rato, habiendo suspirado, decía de manos:[23] ««Quién no hurta en el mundo, no vive. ¿Por qué piensas que los alguaciles y jueces nos aborrecen tanto? Unas veces nos destierran, otras nos azotan y otras nos cuelgan,[24] aunque nunca haya llegado el día de nuestro santo. No lo puedo decir sin lágrimas» —lloraba como un niño el buen viejo, acordándose de las veces que le habían bataneado[25] las costillas—; «porque no querrían que, adonde están, hubiese otros ladrones sino ellos y sus ministros.[26] Mas de todo nos libró la buena astucia. En mi mocedad, siempre andaba por las iglesias, y no de puro buen cristiano.[27] Muchas veces me hubieran llorado

---

[20] Era frecuente el uso de estos materiales (de poderes «benéficos») entre las hechiceras.   [21] Ironía irreverente en el juego verbal que afirma la salvación de los condenados por la justicia.   [22] Parodia alusiva al desprecio que la nobleza tenía por el trabajo manual.   [23] *decía de manos:* decía juntando las manos (o, quizás, «decía gesticulando con las manos»).   [24] *cuelgan:* dilogía, en el doble significado: «ahorcar» y «hacer un regalo» (una cadena, por ejemplo) por el día del santo, que solía coincidir con el del cumpleaños.   [25] *bataneado:* golpeado, apaleado.   [26] *ministros:* servidores (de la justicia).   [27] Era costumbre de ladrones o delincuentes acogerse al refugio sagrado de las iglesias, donde no podía entrar la justicia.

ñor), la relación de oídas al referir el pícaro sus primeros años (y la vida de sus padres) por lo que le han dicho; de ahí la frecuencia de fórmulas como *diz, diz que se dijo;* y la capacidad idiomática de Quevedo para la creación conceptista: por ejemplo, en la designación de alcahueta.

en el asno, si hubiera cantado en el potro.[28] Nunca confesé sino cuando lo mandaba la Santa Madre Iglesia. Y así, con esto y mi oficio, he sustentado a tu madre lo más honradamente que he podido».

—«¡Cómo a mí sustentado!» —dijo ella con grande cólera, que le pesaba que yo no me aplicase a brujo—; «yo os he sustentado a vos, y sacádoos de las cárceles con industria,[29] y mantenídoos en ellas con dinero. Si no confesábades,[30] ¿era por vuestro ánimo o por las bebidas que yo os daba? ¡Gracias a mis botes![31] Y si no temiera que me habían de oír en la calle, yo dijera lo de cuando entré por la chimenea y os saqué por el tejado».

Más dijera, según se había encolerizado, si con los golpes que daba no se le desensartara un rosario de muelas de difuntos[32] que tenía. Metílos en paz, diciendo que yo quería aprender virtud resueltamente, y ir con mis buenos pensamientos adelante. Y así, que me pusiesen a la escuela, pues sin leer ni escribir, no se podía hacer nada. Parecióles bien lo que yo decía, aunque lo gruñeron un rato entre los dos. Mi madre tornó a ocuparse en ensartar las muelas, y mi padre fue a rapar a uno —así lo dijo él— no sé si la barba o la bolsa. Yo me quedé solo, dando gracias a Dios porque me hizo hijo de padres tan hábiles y celosos de mi bien.[(5)]

---

[28] Juego conceptista basado en la doble antítesis *hubieran llorado/hubiera cantado, asno/potro,* y en el uso de voces de germanía *(cantar en el potro):* muchas veces me hubieran llorando en el asno (por los azotes recibidos en el burro en que se paseaba a los reos; véase nota 13), si hubiera confesado los delitos en la tortura *(potro).* El juego verbal disémico prosigue en *Nunca confesé...* y la consiguiente burla irónica del precepto religioso.   [29] *industria:* ingenio, astucia.   [30] *confesábades:* confesabais.   [31] *botes:* redomas en que las brujas guardan sus pócimas para hechizos.   [32] El rosario de muelas de difuntos, especialmente de ahorcados, es otro elemento caracterizador de la condición de hechicera.

~~~~~~

(5) Aquí concluye la prehistoria narrativa del pícaro. En este resumen narrativo se esboza su origen familiar, con referencias más concretadas en sus padres que en él mismo. En adelante, salvo en algunos capítulos que se indicarán en su momento, ya será Pablos el verdadero protagonista de su autobiografía novelesca, iniciada ya en el irónico propósito inicial de *aprender virtud.*

CAPÍTULO II

De cómo fui a la escuela y lo que en ella me sucedió.

A otro día,[1] ya estaba comprada cartilla y hablado el maestro. Fui, señor, a la escuela; recibióme muy alegre, diciendo que tenía cara de hombre agudo y de buen entendimiento. Yo, con esto, por no desmentirle, di muy bien la lición[2] aquella mañana. Sentábame el maestro junto a sí, ganaba la palmatoria[3] los más días por venir antes, y íbame el postrero por hacer algunos recados de «señora», que así llamábamos la mujer del maestro. Teníalos a todos con semejantes caricias obligados. Favorecíanme demasiado, y con esto creció la envidia en los demás niños. Llegábame,[4] de todos, a los hijos de caballeros y personas principales, y particularmente a un hijo de don Alonso Coronel de Zúñiga, con el cual juntaba meriendas.[5] Íbame a su casa a jugar los días de fiesta, y acompañábale cada día. Los otros, o que porque no les hablaba o que porque les parecía demasiado punto[6] el mío, siempre andaban poniéndome nombres tocantes al oficio de mi padre. Unos me llamaban don Navaja, otros don Ventosa;[7] cuál decía, por disculpar la invidia,[8] que me quería mal porque mi madre le había chupado dos hermanitas pequeñas,[9] de noche; otro decía que a mi padre le habían llevado a su casa para que la limpiase de ratones, por llamarle gato.[10] Unos me

---

[1] *A otro día:* al día siguiente.　　[2] *lición:* lección.　　[3] *ganaba la palmatoria:* llegaba primero a la escuela. La expresión se refiere a la costumbre según la cual «el muchacho que llegaba primero a la escuela gozaba del bárbaro privilegio de usar la palmeta para aplicar los castigos impuestos por el maestro» (A. Castro).　　[4] *llegábame:* me acercaba.　　[5] *juntaba meriendas:* juntaba los intereses (no sólo los de comida).　　[6] *punto:* orgullo, presunción.　　[7] *don Ventosa,* porque los barberos también sangraban a los enfermos por medio de ventosas.　　[8] *invidia:* envidia (vacilación vocálica, como, más adelante, *inviar:* enviar; *escuros:* oscuros; *previlegiado:* privilegiado; *azutea:* azotea, etc.　　[9] Nueva alusión a la condición de bruja de la madre: se creía que las brujas chupaban la sangre a los niños.　　[10] *gato:* ladrón (ratero). *Zape, miz,* son voces onomatopéyicas usadas, respectivamente, para espantar o atraer a los gatos; también significan ladrón.

decían «zape» cuando pasaba, y otros «miz». Cuál decía: —«Yo
le tiré dos berenjenas a su madre cuando fue obispa.»[11]

Al fin, con todo cuanto andaban royéndome los zancajos,[12]
nunca me faltaron,[13] gloria a Dios. Y aunque yo me corría, di-
simulábalo. Todo lo sufría, hasta que un día un muchacho se
atrevió a decirme a voces hijo de una puta y hechicera; lo cual,
como me lo dijo tan claro —que aún si lo dijera turbio no me
pesara— agarré una piedra y descalabréle. Fuime a mi madre corriendo que me escondiese, y contéla el caso todo, a lo cual me
dijo: —«Muy bien hiciste: bien muestras quién eres; sólo andu-
viste errado en no preguntarle quién se lo dijo.» Cuando yo oí
esto, como siempre tuve altos pensamientos, volvíme a ella y
dije: —«Ah, madre, pésame sólo que ha sido más misa que pendencia la mía.» Preguntóme que por qué, y díjela que porque
había tenido dos evangelios.[14] Roguéla que me declarase si le
podía desmentir con verdad: o que me dijese si me había concebido a escote entre muchos, o si era hijo de mi padre. Rióse y
dijo: —«Ah, noramaza,[15] ¿eso sabes decir? No serás bobo: gracia
tienes. Muy bien hiciste en quebrarle la cabeza, que esas cosas,
aunque sean verdad, no se han de decir.» Yo, con esto, quedé
como muerto, determinado de coger lo que pudiese en breves
días, y salirme de casa de mi padre: tanto pudo conmigo la vergüenza. Disimulé, fue mi padre, curó al muchacho, apaciguólo
y volvióme a la escuela, adonde el maestro me recibió con ira,
hasta que, oyendo la causa de la riña, se le aplacó el enojo, considerando la razón que había tenido.[(6)]

---

[11] *cuando fue obispa:* cuando la pasearon con la coroza de bruja. Alude al pa-
seo al que la Inquisición forzaba a los condenados (en este caso por bruja o por
alcahueta), cubiertos con una coroza o capirote semejante a una mitra de obispo.
La gente solía arrojarles hortalizas y legumbres.   [12] *royéndome los zancajos:* fas-
tidiándome, murmurando de mí.   [13] *faltaron:* ofendieron.   [14] *había tenido dos
evangelios:* había dicho dos verdades (las de *puta y hechicera;* por eso Pablos afirma en tono burlesco que *ha sido más misa que pendencia,* porque, ante los *dos
evangelios,* se quedó callado, sin réplica verbal, como en misa).   [15] *noramaza:* no-
ramala, en hora mala.

---

(6) El resumen narrativo con que termina este párrafo, con acumulación de oraciones yuxtapuestas y formas verbales en pretérito indefinido

En todo esto, siempre me visitaba aquel hijo de don Alonso de Zúñiga, que se llamaba don Diego, porque me quería bien naturalmente, que yo trocaba con él los peones[16] si eran mejores los míos, dábale de lo que almorzaba y no le pedía de lo que él comía, comprábale estampas, enseñábale a luchar, jugaba con él al toro, y entreteníale siempre. Así que, los más días, sus padres del caballerito, viendo cuánto le regocijaba mi compañía, rogaban a los míos que me dejasen con él a comer y cenar y aun a dormir los más días.

Sucedió, pues, uno de los primeros que hubo escuela por Navidad, que viniendo por la calle un hombre que se llamaba Poncio de Aguirre, el cual tenía fama de confeso,[17] que el don Diaguito me dijo: —«Hola,[18] llámale Poncio Pilato y echa a correr.» Yo, por darle gusto a mi amigo, lláméle Poncio Pilato. Corrióse tanto el hombre, que dio a correr tras mí con un cuchillo desnudo para matarme, de suerte que fue forzoso meterme huyendo en casa de mi maestro, dando gritos. Entró el hombre tras mí, y defendióme el maestro de que no me matase, asegurándole de castigarme. Y así luego[19] —aunque señora[20] le rogó por mí, movida de lo que yo la servía, no aprovechó—, mandóme desatacar,[21] y, azotándome, decía tras cada azote: —«¿Diréis más Poncio Pilato?» Yo respondía: —«No, señor»; y respondílo veinte veces, a otros tantos azotes que me dio. Quedé tan escarmentado de decir Poncio Pilato, y con tal miedo, que mandándome el día siguiente decir, como solía, las oraciones a los otros, llegando al Credo —advierta v. m. la inocente malicia—, al tiempo de decir «padeció so[22] el poder de Poncio Pilato», acordándome que no había de decir más Pilatos, dije: «pa-

---

[16] *peones:* peonzas.   [17] *confeso:* judío converso; cristiano nuevo, descendiente de judíos.   [18] *Hola:* interjección empleada para llamar (no como saludo): ¡eh!, ¡ea!   [19] *luego:* inmediatamente.   [20] *señora:* la mujer del maestro.   [21] *desatacar:* desatar los calzones («calzas atacadas»).   [22] *so:* bajo, debajo de.

(a las que se añaden construcciones en gerundio o subordinadas temporales) es buen ejemplo de una de las características estilísticas de Quevedo: el período condensado y de ritmo acelerado. (A continuación sigue otra enumeración, sólo que con los verbos en pretérito imperfecto, de acción durativa.)

deció so el poder de Poncio de Aguirre». [7] Diole al maestro tanta risa de oír mi simplicidad y de ver el miedo que le había tenido, que me abrazó y dio una firma [23] en que me perdonaba de azotes las dos primeras veces que los mereciese. Con esto fui yo muy contento.

Llegó —por no enfadar— el tiempo de las Carnestolendas, [24] y, trazando el maestro de que se holgasen sus muchachos, ordenó que hubiese rey de gallos. [25] Echamos suertes entre doce señalados por él, y cúpome [26] a mí. Avisé a mis padres que me buscasen galas.

Llegó el día, y salí en un caballo ético [27] y mustio, el cual, más de manco que de bien criado, iba haciendo reverencias. [28] Las ancas eran de mona, muy sin cola; el pescuezo, de camello y más largo; tuerto de un ojo y ciego del otro; en cuanto a edad, no le faltaba para cerrar sino los ojos; [29] al fin, él más parecía caballete de tejado [30] que caballo, pues, a tener una guadaña, [31] pareciera la muerte de los rocines. Demostraba abstinencia en su aspecto y echábansele de ver las penitencias y ayunos: sin duda ninguna, no había llegado a su noticia la cebada ni la paja. Lo que más le hacía digno de risa eran las muchas calvas

---

[23] *dio una firma:* se comprometió *(firma:* papel firmado). [24] *Carnestolendas:* Carnaval. [25] *rey de gallos:* jefe del juego de correr gallos, diversión de Carnaval, propia de escolares, consistente en cortar la cabeza de un gallo colgado de una cuerda. [26] *cúpome:* tocóme (en suerte). [27] *ético:* tísico. [28] *iba haciendo reverencias:* cojeaba (por tanto —burlescamente— «hacía reverencias»). [29] *no le faltaba para cerrar sino los ojos:* zeugma dilógico: no le faltaba para completar su dentadura *(cerrar:* tener todos los dientes) sino (cerrar) los ojos (morirse, pues estos animales completan su dentadura ya viejos, y por ello se les calcula su edad). [30] *caballete de tejado:* línea de un tejado en la que se juntan sus dos vertientes (comparación degradante, cosificadora, del perfil esquelético del caballo). [31] La muerte humana solía representarse mediante un esqueleto portador de una guadaña (segadora de la vida).

~~~~~~~~~~

(7)   Abundan en múltiples episodios de las novelas picarescas los chistes populares o cuentecillos tradicionales, folklóricos. Éste es un buen ejemplo. Su carácter folklórico bien puede servir de introducción a uno de los episodios más celebres, la batalla *nabal,* localizada en los carnavales. Véase documento número 1. (Más adelante, en el episodio del licenciado Cabra, aparecen algunos más.)

que tenía en el pellejo, pues, a tener una cerradura, pareciera un cofre vivo. [32]

Yendo, pues, en él, dando vuelcos a un lado y otro como fariseo en paso, [33] y los demás niños todos aderezados tras mí —que, con suma majestad, iba a la jineta sobre el dicho pasadizo con pies—, [34] pasamos por la plaza (aun de acordarme tengo miedo), [8] y llegando cerca de las mesas de las verduras (Dios nos libre), agarró mi caballo un repollo a una, y ni fue visto ni oído cuando lo despachó a las tripas, a las cuales, como iba rodando por el gaznate, no llegó en mucho tiempo. [35]

La bercera —que siempre son desvergonzadas— empezó a dar voces; llegáronse otras y, con ellas, pícaros, y alzando zanorias garrofales, [36] nabos frisones, [37] berenjenas y otras legumbres, empiezan a dar tras el pobre rey. Yo, viendo que era batalla nabal, [38] y que no se había de hacer a caballo, comencé a apearme; mas tal golpe me le dieron al caballo en la cara, que, yendo a

---

[32] Otra identificación cosificadora: los cofres solían forrarse de piel, que, al gastarse, hacía calvas. [33] *como fariseo en paso:* como figura de fariseo en paso de procesión. [34] Metáfora degradante y cosificadora: el caballo se transforma en pasadizo andante. [35] La contradicción en el motivo de si el repollo llegó en poco tiempo (*ni fue visto ni oído*) o *en mucho tiempo* es sólo aparente: el caballo agarró un repollo, y rápidamente lo envió a las tripas, pero, como iba rodando por el gaznate (al ser el trayecto muy grande: *el pescuezo* era *de camello y más largo*) tardó mucho tiempo en llegar (D. Ynduráin). [36] *zanorias garrofales:* zanahorias de gran tamaño (garrafales). [37] *frisones:* de gran tamaño (el término se aplicaba a los caballos de Frisia, célebres por su gran envergadura). [38] *batalla nabal:* batalla realizada con nabos (y, también, de *naves,* equívoco apoyado por *no se había de hacer a caballo*).

---

(8) Obsérvese que el inciso entre paréntesis (más adelante aparecen de pasada otros) implica una referencia temporal a un tiempo diferente al del episodio referido. Porque la narración es una autobiografía contada en visión analéptica, retrospectiva, del pasado, desde un momento temporal posterior, que constituye el presente narrativo de Pablos narrador. Sin embargo, una vez más, Quevedo se despreocupó de un aspecto fundamental en la estructura de la novela: ya se verá que el presente de Pablos narrador es tan impreciso y vago, que resulta imposible averiguar desde qué momento escribe ni por qué lo hace. Véase documento número 8.

empinarse, cayó conmigo en una —hablando con perdón— privada.[39] Púseme cual v. m. puede imaginar. Ya mis muchachos se habían armado de piedras, y daban tras las revendederas, y descalabraron dos.[9]

Yo, a todo esto, después que caí en la privada, era la persona más necesaria[40] de la riña. Vino la justicia, comenzó a hacer información, prendió a berceras y muchachos, mirando a todos qué armas tenían y quitándoselas, porque habían sacado algunos dagas de las que traían por gala, y otros espadas pequeñas. Llegó a mí, y, viendo que no tenía ningunas, porque me las habían quitado y metídolas en una casa a secar con la capa y sombrero, pidióme como digo las armas, al cual respondí, todo sucio, que, si no eran ofensivas contra las narices, que yo no tenía otras. Y de paso quiero confesar a v. m. que, cuando me empezaron a tirar las berenjenas, nabos, etcétera, que, como yo llevaba plumas en el sombrero, entendí que me habían tenido por mi madre y que la tiraban, como habían hecho otras veces;[41] y así, como necio y muchacho, empecé a decir: —«Hermanas, aunque llevo plumas, no soy Aldonza de San Pedro, mi madre», como si ellas no lo echaran de ver por el talle y rostro. El miedo me disculpa la ignorancia, y el sucederme la desgracia tan de repente.[10]

---

[39] *privada*: charco de lodo y excrementos.　　[40] *necesaria*: letrina, privada; y también: necesitada.　　[41] Véase nota 15 de I, 1.

[9] Es éste uno de los episodios más indicativos del arte verbal de Quevedo, de su poderosa capacidad idiomática para descoyuntar la realidad y desrealizar los objetos que la forman, como puede verse en la descripción del caballo y en la narración de la batalla *nabal*. Dicha capacidad verbal metamorfoseadora se basa en la técnica de acumulación de metáforas, hipérboles, contrastes, dilogías..., de intención frecuentemente cosificadora. Véase el análisis de F. Ayala: «La batalla nabal», en *Cervantes y Quevedo*, pp. 273-282.

[10] Buena prueba de que el autor no respeta el punto de vista de Pablos narrador y que, como explica F. Rico, no desperdicia ningún momento para desplegar su ingenio, es este ejemplo estridente por su antiverosimilitud poética: «Absurdo. Más o menos divertido, pero increí-

Pero, volviendo al alguacil, quísome llevar a la cárcel, y no
me llevó porque no hallaba por dónde asirme:[42] tal me había
puesto del lodo. Unos se fueron por una parte y otros por otra,
y yo me vine a mi casa desde la plaza, martirizando cuantas narices topaba en el camino. Entré en ella, conté a mis padres el
suceso, y corriéronse tanto de verme de la manera que venía, que
me quisieron maltratar. Yo echaba la culpa a las dos leguas de
rocín esprimido[43] que me dieron. Procuraba satisfacerlos, y,
viendo que no bastaba, salíme de su casa y fuime a ver a mi amigo don Diego, al cual hallé en la suya descalabrado, y a sus padres resueltos por ello de no le inviar más a la escuela. Allí tuve
nuevas de cómo mi rocín, viéndose en aprieto, se esforzó a tirar
dos coces, y, de puro flaco, se le desgajaron las ancas, y se quedó
en el lodo bien cerca de acabar.[44]

Viéndome, pues, con una fiesta revuelta, un pueblo escanda-
lizado, los padres corridos, mi amigo descalabrado y el caballo
muerto, determinéme de no volver más a la escuela ni a casa de
mis padres, sino de quedarme a servir a don Diego o, por mejor
decir, en su compañía, y esto con gran gusto de sus padres, por
el[45] que daba mi amistad al niño. Escribí a mi casa que yo no
había menester más ir a la escuela porque, aunque no sabía bien
escribir, para mi intento de ser caballero lo que se requería era

---

[42] *asirme:* cogerme. [43] *dos leguas de rocín esprimido:* otro ejemplo de hipérbole degradante. [44] *acabar:* morir. [45] *el:* el (gusto).

ble. Nadie diría cosa parecida en tal ocasión, y Pablos, menos que nadie. Aquí no se oye sino la voz de su amo», de su autor, quien, super-
poniendo su visión sobre la del personaje narrador llega a convertirlo
en sujeto y objeto de burla autorridiculizadora. Contradicción insalva-
ble en la perspectiva del personaje narrador, frecuentemente dispersa
por la intromisión del autor. Además, como ha puntualizado Lázaro Carreter, narrador y autor tienen mala memoria, como revela esta contradicción: en el capítulo 1 se indica que la madre nunca fue emplumada
(cerca de que la diesen plumas); en el capítulo 2 hemos visto que un
muchacho le tiró dos berenjenas *cuando fue obispa* (fue emplumada,
pues, al menos una vez); y ahora acabamos de oír que *la tiraban como
habían hecho en otras ocasiones.*

escribir mal,[46] y que así, desde luego,[47] renunciaba[48] la escuela
por no darles gasto, y su casa para ahorrarlos de pesadumbre.
Avisé de dónde y cómo quedaba, y que hasta que me diesen licencia no los vería.

CAPÍTULO III

De cómo fui a un pupilaje[1] *por criado de don Diego Coronel.*

Determinó, pues, don Alonso de poner a su hijo en pupilaje,
lo uno por apartarle de su regalo, y lo otro por ahorrar de cuidado. Supo que había en Segovia un licenciado Cabra, que tenía por oficio el criar hijos de caballeros, y envió allá el suyo,
y a mí para que le acompañase y sirviese.

Entramos, primer domingo después de Cuaresma, en poder
de la hambre viva, porque tal lacería[2] no admite encarecimiento. Él era un clérigo cerbatana,[3] largo sólo[4] en el talle, una cabeza pequeña, pelo bermejo (no hay más que decir para quien
sabe el refrán),[5] los ojos avecindados en el cogote,[6] que parecía
que miraba por cuévanos,[7] tan hundidos y escuros, que era buen
sitio el suyo para tiendas de mercaderes;[8] la nariz, entre Roma
y Francia,[9] porque se le había comido de unas búas de resfriado, que aun no fueron de vicio porque cuestan dinero; las bar-

---

[46] Nótese la doble alusión: a la emulación social de Pablos, decidido ya a ini-
ciar sus intereses creados; y la crítica al desprecio de la nobleza por la cultura, im-
plícito en la alusión a su letra defectuosa.   [47] *desde luego:* desde ya, sin más di-
lación.   [48] *renunciaba:* abandonaba.
[1] *pupilaje:* internado para menores.   [2] *lacería:* miseria.   [3] *cerbatana:* culebri-
na de poco calibre. En esta inusitada asociación idiomática: hueco, acanutado y
estrecho.   [4] *largo:* en el doble significado de «estirado, alto», y de «liberal, gene-
roso» (que aquí se niega).   [5] El refrán era: «ni gato ni perro de aquella color»
(era frecuente la creencia popular sobre la condición maliciosa de los pelirro-
jos).   [6] *cogote:* parte superior y posterior del cuello.   [7] *cuévanos:* cestos grandes
y hondos para la vendimia.   [8] Por su tópica oscuridad, propiciadora del engaño.   [9] *entre Roma y Francia:* juego verbal: de los nombres geográficos se pasa al
sentido de: «nariz chata (roma) y desfigurada como si hubiese padecido la sífilis»
(el mal francés). Aunque después habla de bubas de resfriado (también llamado
romadizo), y no de vicio, por el dinero que le hubiera costado.

bas descoloridas de miedo de la boca vecina, que, de pura hambre, parecía que amenazaba a comérselas; los dientes, le faltaban no sé cuántos, y pienso que por holgazanes y vagamundos se los habían desterrado;[10] el gaznate largo como de avestruz, con una nuez tan salida, que parecía se iba a buscar de comer forzada de la necesidad; los brazos secos, las manos como un manojo de sarmientos cada una. Mirado de medio abajo, parecía tenedor o compás, con dos piernas largas y flacas. Su andar muy espacioso; si se descomponía algo, le sonaban los güesos como tablillas de San Lázaro.[11] La habla ética; la barba grande, que nunca se la cortaba por no gastar, y él decía que era tanto el asco que le daba ver la mano del barbero por su cara, que antes se dejaría matar que tal permitiese; cortábanle los cabellos un muchacho de nosotros. Traía un bonete[12] los días de sol, ratonado[13] con mil gateras y guarniciones[14] de grasa; era de cosa que fue paño, con los fondos en caspa. La sotana, según decían algunos, era milagrosa, porque no se sabía de qué color era. Unos, viéndola tan sin pelo, la tenían por de cuero de rana; otros decían que era ilusión; desde cerca parecía negra, y desde lejos entre azul. Llevábala sin ceñidor; no traía cuello ni puños. Parecía, con los cabellos largos y la sotana mísera y corta, lacayuelo de la muerte. Cada zapato podía ser tumba de un filisteo.[15] Pues su aposento, aun arañas no había en él. Conjuraba los ratones de miedo que no le royesen algunos mendrugos que guardaba. La cama tenía en el suelo, y dormía siempre de un lado por no gastar las sábanas. Al fin, él era archipobre y protomiseria.(11)

---

[10] Eran frecuentes las disposiciones que desterraban de las ciudades a los vagabundos.   [11] Las *tablillas de San Lázaro* eran tres tablillas unidas por un cordel, las cuales los leprosos hacían sonar para advertir de su presencia o pedir limosna.   [12] *bonete:* gorro cuadrangular de los clérigos.   [13] *ratonado:* roído de ratones.   [14] *gateras y guarniciones:* agujeros y adornos.   [15] *filisteo:* palabra que designaba al hombre de estatura desmesurada.

(11) En el célebre retrato del licenciado Cabra vuelven a conjugarse con gran maestría y suma eficacia estilística todos los recursos del arte caricaturesco de Quevedo, desde la técnica de acumulación, la metáfora y la hipérbole degradantes, hasta la ingeniosa creación de palabras por medio de procedimientos gramaticales (*archipobre* y *protomiseria*).

A poder déste, pues, vine, y en su poder estuve con don Diego, y la noche que llegamos nos señaló nuestro aposento y nos hizo una plática[16] corta, que aun por no gastar tiempo no duró más; díjonos lo que habíamos de hacer. Estuvimos ocupados en esto hasta la hora comer. Fuimos allá. Comían los amos primero, y servíamos los criados.

El refitorio[17] era un aposento como un medio celemín.[18] Sentábanse a una mesa hasta cinco caballeros. Yo miré lo primero por los gatos, y, como no los vi, pregunté que cómo no los había a un criado antiguo, el cual, de flaco, estaba ya con la marca del pupilaje. Comenzó a enternecerse, y dijo: —«¿Cómo gatos? Pues ¿quién os ha dicho a vos que los gatos son amigos de ayunos y penitencias? En lo gordo se os echa de ver que sois nuevo.»

Yo, con esto, me comencé a afligir; y más me susté[19] cuando advertí que todos los que vivían en el pupilaje de antes, estaban como leznas, con unas caras que parecía se afeitaban con diaquilón.[20] Sentóse el licenciado Cabra y echó la bendición. Comieron una comida eterna, sin principio ni fin. Trajeron caldo en unas escudillas de madera, tan claro, que en comer una dellas peligrara Narciso más que en la fuente.[21] Noté con la ansia que los macilentos[22] dedos se echaban a nado tras un garbanzo

---

[16] *plática:* charla.   [17] *refitorio:* refectorio, comedor comunitario.   [18] *como un medio celemín:* muy pequeño (*celemín:* medida de capacidad usada para cereales).   [19] *susté:* asusté.   [20] *se afeitaban con diaquilón:* se maquillaban con ungüento antiinflamatorio (de propiedades desecativas).   [21] Referencia al personaje mitológico Narciso, que, enamorado de su propia imagen reflejada en el agua de una fuente, intentó abrazarla y acabó muriendo ahogado.   [22] *macilentos:* flacos y descoloridos.

Todo ello produce el ya comentado descoyuntamiento de la realidad y su desrealización, ya desde el inicial *la hambre viva* (síntesis anticipadora del fantasmagórico retrato) hasta la visión ridiculizadora desde un insólito ángulo de perspectiva y el admirable cerrojazo final del retrato. Véase **9** y los análisis de L. Spitzer: «Sobre el arte de Quevedo en el *Buscón*» (sobre todo las pp. 143 y ss.), en G. Sobejano: *Francisco de Quevedo;* A. Parker: *Los pícaros en la literatura,* Madrid, Gredos, 1975, pp. 104-105, y F. Lázaro Carreter: *Estilo barroco y personalidad creadora,* Madrid, Cátedra, 1977, 3.ª ed., pp. 110-113. Nótese que el proceso continúa en todo el capítulo: *comieron una comida eterna,* etc.

güérfano y solo que estaba en el suelo.[23] Decía Cabra a cada sorbo: —«Cierto que no hay tal cosa como la olla, digan lo que dijeren; todo lo demás es vicio y gula.»

Acabando de decirlo, echóse su escudilla a pechos, diciendo: —«Todo esto es salud, y otro tanto ingenio.» ¡Mal ingenio te acabe!, decía yo entre mí, cuando vi un mozo medio espíritu y tan flaco, con un plato de carne en las manos, que parecía que la había quitado de sí mismo. Venía un nabo aventurero a vueltas, y dijo el maestro en viéndole: —«¿Nabo hay? No hay perdiz para mí que se le iguale. Coman, que me huelgo de verlos comer.»

Repartió a cada uno tan poco carnero, que, entre lo que se les pegó a las uñas y se les quedó entre los dientes, pienso que se consumió todo, dejando descomulgadas las tripas de participantes.[24] Cabra los miraba y decía: —«Coman, que mozos son y me huelgo de ver sus buenas ganas.» ¡Mire v. m. qué aliño para los que bostezaban de hambre!

Acabaron de comer y quedaron unos mendrugos en la mesa y, en el plato, dos pellejos y unos güesos; y dijo el pupilero: —«Quede esto para los criados, que también han de comer; no lo queramos todo.» ¡Mal te haga Dios y lo que has comido, lacerado[25] —decía yo—, que tal amenaza has hecho a mis tripas! Echó la bendición, y dijo: —«Ea, demos lugar a los criados, y váyanse hasta las dos a hacer ejercicio, no les haga mal lo que han comido.» Entonces yo no pude tener la risa, abriendo toda la boca. Enojóse mucho, y díjome que aprendiese modestia, y tres o cuatro sentencias viejas, y fuese.

Sentámonos nosotros, y yo, que vi el negocio malparado y que mis tripas pedían justicia, como más sano y más fuerte que los otros, arremetí al plato, como arremetieron todos, y embo-

---

[23] *suelo:* fondo de la escudilla.   [24] Chiste conceptista basado en la terminología inquisitorial. Los *participantes* (individuos que trataban con excomulgados) eran castigados con la excomunión. En el texto, lo que se comía era tan poco que no llegaba a las tripas, y éstas quedaban castigadas por el solo delito de estar en comunicación con la boca, donde quedaba la poca carne que se servía. Estaban castigadas, pues, a no comer *(descomulgadas* de la comida), no habiendo comido (A. Castro).   [25] *lacerado:* miserable.

quéme de tres mendrugos los dos, y el un pellejo. Comenzaron
los otros a gruñir; al ruido entró Cabra diciendo: —«Coman
como hermanos, pues Dios les da con qué. No riñan, que para
todos hay.»[12] Volvióse al sol y dejónos solos.

Certifico a v. m. que vi a uno dellos, al más flaco, que se llamaba Jurre, vizcaíno,[26] tan olvidado ya de cómo y por dónde se
comía, que una cortecilla que le cupo la llevó dos veces a los
ojos, y entre tres no le acertaban a encaminar las manos a la
boca. Pedí yo de beber, que los otros, por estar casi en ayunas,
no lo hacían, y diéronme un vaso con agua; y no le hube bien
llegado a la boca, cuando, como si fuera lavatorio de comunión,
me le quitó el mozo espiritado[27] que dije. Levantéme con grande dolor de mi alma, viendo que estaba en casa donde se brin-
daba a las tripas y no hacían la razón.[28] Diome gana de desco-
mer[13] aunque no había comido, digo, de proveerme,[29] y pregunté por las necesarias[30] a un antiguo, y díjome: —«Como no
lo[31] son en esta casa, no las hay. Para una vez que os proveeréis
mientras aquí estuviéredes,[32] dondequiera podréis; que aquí estoy dos meses ha,[33] y no he hecho tal cosa sino el día que entré,

---

[26] *vizcaíno:* vasco.   [27] *espiritado:* espirituado, flaco.   [28] *no hacían la razón:* no
correspondían al brindis (porque no les llegaba nada).   [29] *proveerme:* defe-
car.   [30] *necesarias:* letrinas.   [31] Zeugma dilógico: como no son *necesarias...* no
hay *necesarias* (letrinas).   [32] *estuviéredes:* estuviéreis (como antes *confesábades,* y,
más adelante, *hiciéredes,* etc.).   [33] *ha:* hace.

---

(12) Nótese el efecto cómico producido por el contraste entre las al-
tisonantes palabras de Cabra y la pobreza de alimentos. Compárense las
palabras de Cabra en este episodio con las pronunciadas por el clérigo
de Maqueda en otra situación similar del *Lazarillo* (cap. II).

(13) El juego conceptista es tal —archiconceptismo le llama R.
Lida—, que, a veces, el lector corre peligro de no enterarse. Segura mente, Quevedo era consciente de ello, y por eso, para contrarrestarlo, es frecuente la ayuda tendida al lector, como consecuencia de la necesidad
que el autor siente de explicar la alusión o el chiste conceptista. Buen
ejemplo de estas explicaciones sencillas de lo dicho antes con agudeza
es este *descomer-proveerme;* o el anterior *Comieron una comida eterna,
sin principio ni fin.*

como agora vos, de lo que cené en mi casa la noche antes.»
¿Cómo encareceré yo mi tristeza y pena? Fue tanta, que, considerando lo poco que había de entrar en mi cuerpo, no osé, aunque tenía gana, echar nada dél.

Entretuvímonos hasta la noche. Decíame don Diego que qué haría él para persuadir a las tripas que habían comido, porque no lo querían creer. Andaban váguidos[34] en aquella casa como en otras ahítos.[35] Llegó la hora del cenar (pasóse la merienda en blanco); cenamos mucho menos, y no carnero, sino un poco del nombre del maestro: cabra asada. Mire v. m. si inventara el diablo tal cosa. —«Es cosa saludable» —decía— «cenar poco, para tener el estómago desocupado»; y citaba una retahíla de médicos infernales. Decía alabanzas de la dieta, y que se ahorraba[36] un hombre de sueños pesados, sabiendo que, en su casa, no se podía soñar otra cosa sino que comían. Cenaron y cenamos todos, y no cenó ninguno. [14]

Fuímonos a acostar, y en toda la noche pudimos yo ni don Diego dormir, él trazando de quejarse a su padre y pedir que le sacase de allí, y yo aconsejándole que lo hiciese; aunque últimamente le dije: —«Señor, ¿sabéis de cierto si estamos vivos? Porque yo imagino que, en la pendencia de las berceras, nos mataron, y que somos ánimas que estamos en el purgatorio. Y así, es por demás decir que nos saque vuestro padre, si alguno no nos reza en alguna cuenta de perdones[37] y nos saca de penas con alguna misa en altar previlegiado.»

Entre estas pláticas, y un poco que dormimos, se llegó la hora de levantar. Dieron las seis, y llamó Cabra a lición; fuimos y oí-

---

[34] *váguidos:* vahídos, desvanecimientos.   [35] *ahítos:* indigestiones.   [36] *se ahorraba:* se libraba.   [37] *cuenta de perdones:* especie de cuenta, parecida a las del rosario y favorecida con indulgencias del Papa, en pro de las ánimas del Purgatorio.

(14) Es esta una excelente muestra de transformación de un acorde en la más estridente discordancia: ya Spitzer indicó que la triple repetición del concepto de *cenar* constituye otro espléndido cerrojazo final, en una situación en que las ganas de cenar es un verdadero *leitmotiv* precisamente cuando no podía hablarse en absoluto de tal cosa.

mosla todos. Ya mis espaldas y ijadas[38] nadaban en el jubón,[39] y las piernas daban lugar a otras siete calzas;[40] los dientes sacaba con tobas,[41] amarillos, vestidos de desesperación.[42] Mandáronme leer el primer nominativo a los otros, y era de manera mi hambre, que me desayuné con la mitad de las razones, comiéndomelas.[43] Y todo esto creerá quien supiere lo que me contó el mozo de Cabra, diciendo que él había visto meter en casa, recién venido, dos frisones y que, a dos días, salieron caballos ligeros que volaban por los aires; y que vio meter mastines pesados y, a tres horas, salir galgos corredores; y que, una Cuaresma, topó muchos hombres, unos metiendo los pies, otros las manos y otros todo el cuerpo, en el portal de su casa, y esto por muy gran rato, y mucha gente que venía a sólo aquello de fuera; y preguntando a uno un día que qué sería —porque Cabra se enojó de que se lo preguntase— respondió que los unos tenían sarna y los otros sabañones, y que, en metiéndolos en aquella casa, morían de hambre, de manera que no comían[44] desde allí adelante. Certificóme que era verdad, y yo, que conocí la casa, lo creo. Dígolo porque no parezca encarecimiento lo que dije.

Y volviendo a la lición, diola y decorámosla.[45] Y prosiguió siempre en aquel modo de vivir que he contado. Sólo añadió a la comida tocino en la olla, por no sé qué que le dijeron, un día, de hidalguía, allá fuera.[46] Y así, tenía una caja de yerro, toda agujereada como salvadera;[47] abríala, y metía un pedazo de tocino en ella, que la llenase, y tornábala a cerrar, y metíala colgando de un cordel en la olla, para que la diese algún zumo por los agujeros, y quedase para otro día el tocino. Parecióle des-

---

[38] *ijadas:* cavidades situadas entre las costillas falsas y los huesos de las caderas.   [39] *jubón:* vestidura, ceñida y ajustada, que cubre desde los hombros hasta la cintura.   [40] *calzas:* prendas que podían cubrir muslos y piernas.   [41] *tobas:* sarro, suciedad de los dientes.   [42] El amarillo era el color de la desesperación (vestían de amarillo los penitenciados por la Inquisición).   [43] *comiéndomelas:* en el doble significado de «comiendo» y «atropellando las palabras».   [44] *no comían:* en el doble sentido de «no comían» y «no picaban o escocían».   [45] *decorámosla:* aprendímosla de memoria (de coro).   [46] Alusión a la condición de converso del licenciado Cabra (los judíos no podían comer carne de cerdo).   [47] *salvadera:* vaso cerrado y con agujeros en la parte superior.

pués que, en esto, se gastaba mucho, y dio en sólo asomar el tocino a la olla.

Pasábamoslo con estas cosas como se puede imaginar. Don
Diego y yo nos vimos tan al cabo, que, ya que para comer, al
cabo de un mes, no hallábamos remedio, le buscamos para no
levantarnos de mañana; y así, trazamos de decir que teníamos
algún mal. No osamos decir calentura porque, no la teniendo,
era fácil de conocer el enredo. Dolor de cabeza o muelas era poco
estorbo. Dijimos, al fin, que nos dolían las tripas, y que estábamos muy malos de achaque de no haber hecho de nuestras personas en tres días, fiados en que, a trueque de[48] no gastar dos
cuartos en una melecina,[49] no buscaría el remedio. Mas ordenó-
lo el diablo de otra suerte, porque tenía una que había heredado de su padre, que fue boticario. Supo el mal, y tomóla y ade-
rezó una melecina, y haciendo llamar una vieja de setenta años,
tía suya, que le servía de enfermera, dijo que nos echase sendas
gaitas.[50]

Empezaron por don Diego; el desventurado atajóse,[51] y la vieja, en vez de echársela dentro, disparósela por entre la camisa y
el espinazo, diole con ella en el cogote, y vino a servir por defuera de guarnición la que dentro había de ser aforro.[52] Quedó
el mozo dando gritos; vino Cabra y, viéndolo, dijo que me echa-
sen a mí la otra, que luego tornarían a don Diego. Yo me resis-
tía, pero no me valió, porque, teniéndome Cabra y otros, me la
echó la vieja, a la cual, de retorno, di con ella en toda la cara.
Enojóse Cabra conmigo, y dijo que él me echaría de su casa,
que bien se echaba de ver que era bellaquería todo. Yo rogaba
a Dios que se enojase tanto que me despidiese, mas no lo quiso
mi ventura.

Quejábamonos nosotros a don Alonso, y el Cabra le hacía
creer que lo hacíamos por no asistir al estudio. Con esto, no nos
valían plegarias. Metió en casa la vieja por ama, para que gui-
sase de comer y sirviese a los pupilos, y despidió al criado porque le halló, un viernes a la mañana, con unas migajas de pan

---

[48] *a trueque de:* a condición de, a cambio de.   [49] *melecina:* lavativa.   [50] *sendas gaitas:* una lavativa a cada uno.   [51] *atajóse:* se quedó cortado.   [52] *aforro:* forro, refuerzo interior.

en la ropilla.[53] Lo que pasamos con la vieja, Dios lo sabe. Era
tan sorda, que no oía nada; entendía por señas; ciega, y tan re-
zadora que un día se le desensartó el rosario sobre la olla y nos
la trujo[54] con el caldo más devoto que he comido. Unos decían:
—«¡Garbanzos negros! Sin duda son de Etiopia.»[55] Otros decían: —«¡Garbanzos con luto! ¿Quién se les habrá muerto?» Mi
amo fue el primero que se encajó una cuenta, y al mascarla se
quebró un diente. Los viernes solía enviar unos güevos, con tantas barbas a fuerza de pelos y canas suyas, que pudieran preten-
der corregimiento o abogacía.[56] Pues meter el badil[57] por el
cucharón, y inviar una escudilla de caldo empedrada, era ordinario. Mil veces topé yo sabandijas, palos y estopa de la que hi-
laba, en la olla, y todo lo metía para que hiciese presencia en
las tripas y abultase.

Pasamos en este trabajo[58] hasta la Cuaresma. Vino, y a la entrada della estuvo malo un compañero. Cabra, por no gastar, de-
tuvo el llamar médico hasta que ya él pedía confesión más que
otra cosa. Llamó entonces un platicante,[59] el cual le tomó el pul-
so y dijo que la hambre le había ganado por la mano en matar
aquel hombre.[60] Diéronle el Sacramento, y el pobre, cuando le
vio —que había un día que no hablaba—, dijo: —«Señor mío
Jesucristo, necesario ha sido el veros entrar en esta casa para per-
suadirme que no es el infierno.» Imprimiéronseme estas razones
en el corazón. Murió el pobre mozo, enterrámosle muy pobremente por ser forastero, y quedamos todos asombrados. Divul-
góse por el pueblo el caso atroz, llegó a oídos de don Alonso Coronel y, como no tenía otro hijo, desengañóse de los embustes
de Cabra, y comenzó a dar más crédito a las razones de dos sombras, que ya estábamos reducidos a tan miserable estado. Vino
a sacarnos del pupilaje y, teniéndonos delante, nos preguntaba
por nosotros; y tales nos vio, que, sin aguardar a más, tratando

---

[53] *ropilla:* vestidura corta.   [54] *trujo:* trajo.   [55] *Etiopia:* Etiopía (palabra llena
entonces, con el acento de intensidad en la o).   [56] Alude al hábito (satirizado por
Quevedo, entre otros) de que los letrados llevaran barba.   [57] *badil:* paleta para re-
mover la lumbre.   [58] *trabajo:* estrechez, sufrimiento.   [59] *platicante:* practican-
te.   [60] Adviértase la intención satírica, de la que el autor usó y abusó contra los
médicos.

muy mal de palabra al licenciado Vigilia,[61] nos mandó llevar
en dos sillas a casa. Despedímonos de los compañeros, que nos
seguían con los deseos y con los ojos, haciendo las lástimas que
hace el que queda en Argel, viendo venir rescatados por la Trinidad sus compañeros.[62]

CAPÍTULO IV

De la convalecencia y ida a estudiar a Alcalá de Henares.

Entramos en casa de don Alonso, y echáronnos en dos camas
con mucho tiento, porque no se nos desparramasen los huesos
de puro roídos de la hambre. Trujeron esploradores[1] que nos buscasen los ojos por toda la cara, y a mí, como había sido mi trabajo mayor y la hambre imperial,[2] que al fin me trataban como
a criado, en buen rato no me los hallaron. Trajeron médicos y
mandaron que nos limpiasen con zorras[3] el polvo de las bocas,
como a retablos, y bien lo éramos de duelos.[4] Ordenaron que
nos diesen sustancias y pistos.[5] ¿Quién podrá contar, a la primera almendrada[6] y a la primera ave, las luminarias que pusieron las tripas de contento? Todo les hacía novedad. Mandaron
los doctores que, por nueve días, no hablase nadie recio en nuestro aposento porque, como estaban güecos[7] los estómagos, sonaba en ellos el eco de cualquiera palabra.

Con estas y otras prevenciones, comenzamos a volver y cobrar
algún aliento, pero nunca podían las quijadas desdoblarse, que
estaban magras y alforzadas;[8] y así, se dio orden que cada día
nos las ahormasen con la mano del almirez.

---

[61] *Vigilia:* apelativo ridiculizador de Cabra, en el sentido de «ayuno y abstinencia».   [62] Se refiere a la orden religiosa de los frailes Trinitarios, conocida por su
dedicación al rescate de cautivos en tierras de moros (uno de ellos fue Cervantes).

[1] *trujeron esploradores:* trajeron exploradores.   [2] *imperial:* enorme.   [3] *zorras:*
zorros, cepillos.   [4] *lo éramos de duelos:* éramos retablos de duelos (expresión apli-
cada a quien tiene muchos sufrimientos). Zeugma dilógico.   [5] *pistos:* jugos de
ave.   [6] *almendrada:* leche de almendras.   [7] *güecos:* huecos (como *güérfanos, güeros, güevos,* etc.).   [8] *alforzadas:* plegadas, rígidas *(alforzas:* dobladuras en la parte
inferior de las faldas).

Levantámonos a hacer pinicos[9] dentro de cuarenta días, y aún parecíamos sombras de otros hombres y, en lo amarillo y flaco, simiente de los Padres del yermo.[10] Todo el día gastábamos en dar gracias a Dios por habernos rescatado de la captividad[11] del fierísimo Cabra, y rogábamos al Señor que ningún cristiano cayese en sus manos crueles. Si acaso, comiendo, alguna vez, nos acordábamos de las mesas del mal pupilero, se nos aumentaba la hambre tanto, que acrecentábamos la cosa aquel día. Solíamos contar a don Alonso cómo, al sentarse a la mesa, nos decía males de la gula, no habiéndola él conocido en su vida. Y reíase mucho cuando le contábamos que, en el mandamiento de *No matarás*, metía perdices y capones, gallinas y todas las cosas que no quería darnos, y, por el consiguiente, la hambre, pues parecía que tenía por pecado el matarla, y aun el herirla, según regateaba el comer.

Pasáronsenos tres meses en esto, y, al cabo, trató don Alonso de inviar a su hijo a Alcalá, a estudiar lo que le faltaba de la Gramática. Díjome a mí si quería ir, y yo, que no deseaba otra cosa sino salir de tierra donde se oyese el nombre de aquel malvado perseguidor de estómagos, ofrecí de servir a su hijo como vería. Y, con esto, diole un criado para mayordomo, que le gobernase la casa y tuviese cuenta del dinero del gasto, que nos daba remitido en cédulas para un hombre que se llamaba Julián Merluza. Pusimos el hato en el carro de un Diego Monje; era una media camita, y otra de cordeles con ruedas (para meterla debajo de la otra mía y del mayordomo, que se llamaba Baranda),[(15)] cinco colchones, ocho sábanas, ocho almohadas, cua-

---

[9] *pinicos:* primeros pasos de un convaleciente.   [10] *Padres del yermo:* ermitaños, anacoretas.   [11] *captividad:* cautividad, prisión.

(15) Muchos nombres de personajes del *Buscón* son verdaderos elementos funcionales, caracterizadores del personaje respectivo. Ya hemos visto al pupilero, llamado *Cabra* y apodado licenciado *Vigilia*. Vemos ahora a Julián *Merluza,* apellido que sugiere la rapacidad de los mercaderes; y este mayordomo (jefe) se llama *Baranda,* nombre procedente del caló *barandar:* azotar. Son todos ellos nombres elocuentes, que plantean coincidencias con el portador de los mismos. A veces, el nombre es

tro tapices, un cofre con ropa blanca, y las demás zarandajas de casa. Nosotros nos metimos en un coche, salimos a la tardecica, una hora antes de anochecer, y llegamos a la media noche, poco más, a la siempre maldita venta de Viveros.[12]

El ventero era morisco y ladrón, que en mi vida vi perro y gato juntos con la paz que aquel día.[13] Hízonos gran fiesta, y, como él y los ministros del carretero iban horros[14] —que ya había llegado también con el hato antes, porque nosotros veníamos de espacio—,[15] pegóse al coche, diome a mí la mano para salir del estribo, y díjome si iba a estudiar. Yo le respondí que sí. Metióme adentro, y estaban dos rufianes con unas mujercillas,[16] un cura rezando al olor, un viejo mercader y avariento procurando olvidarse de cenar, y dos estudiantes fregones, de los de mantellina,[17] buscando trazas para engullir. Mi amo, pues, como más nuevo en la venta y muchacho, dijo: —«Señor huésped, déme lo que hubiere para mí y mis criados». —«Todos lo somos de v. m.» —dijeron al punto los rufianes—, «y le hemos de servir. Hola, huésped, mirad que este caballero os agradecerá lo que hiciéredes. Vaciad la dispensa». Y, diciendo esto, llegóse el uno y quitóle la capa, y dijo: —«Descanse v. m., mi señor»; y púsola en un poyo.

Estaba yo con esto desvanecido[18] y hecho dueño de la venta. Dijo una de las ninfas:[19] —«¡Qué buen talle de caballero! ¿Y va a estudiar? ¿Es v. m. su criado?» Yo respondí, creyendo que era

---

[12] La Venta de Viveros estaba situada entre Madrid y Alcalá de Henares. Era lugar frecuentado en la ruta de los estudiantes. [13] Juego de palabras basado en que *perro* se les llamaba a los moriscos, y *gato* a los ladrones. [14] *iban horros:* estaban de acuerdo. [15] *de espacio:* despacio. [16] *mujercillas:* prostitutas. [17] *de los de mantellina:* pobres *(mantellina:* capa corta; solía llamarse *mantellinas* a las criadas fregonas). [18] *desvanecido:* vanidoso, envanecido. [19] *ninfas:* aquí, prostitutas.

incluso un título que apoya la descripción, que cimenta un rasgo esencial del carácter. En sucesivos capítulos aparecerán otros, como el *Mellado* (falso soldado con muchas marcas), *Flechilla, Lobrezno,* Alonso *Ramplón* (verdugos), *tal de la Guía* (una alcahueta), etc.; igualmente caracterizadores son los apodos de *Don Navaja* y *Don Ventosa,* dados a Pablos en el capítulo 2.

así como lo decían, que yo y el otro lo éramos. Preguntáronme
su nombre, y no bien lo dije, cuando el uno de los estudiantes
se llegó a él medio llorando, y, dándole un abrazo apretadísimo,
dijo: —«Oh, mi señor don Diego, ¿quién me dijera a mí, agora
diez años, que había de ver yo a v. m. desta manera? ¡Desdicha-
do de mí, que estoy tal que no me conocerá v. m.!» Él se quedó
admirado, y yo también, que juramos entrambos no haberle visto en nuestra vida. El otro compañero andaba mirando a don
Diego a la cara, y dijo a su amigo: —«¿Es este señor de cuyo padre me dijistes[20] vos tantas cosas? ¡Gran dicha ha sido nuestra
conocelle[21] según está de grande! Dios le guarde»; y empezó a
santiguarse. ¿Quién no creyera que se habían criado con nosotros? Don Diego se le ofreció mucho, y, preguntándole su nombre, salió el ventero y puso los manteles, y, oliendo la estafa,
dijo: —«Dejen eso, que después de cenar se hablará, que se
enfría.»
    Llegó un rufián y puso asientos para todos y una silla para
don Diego, y el otro trujo un plato. Los estudiantes dijeron:
—«Cene v. m., que, entre tanto que a nosotros nos aderezan lo
que hubiere, le serviremos a la mesa.» —«¡Jesús!» —dijo don
Diego—; «vs. ms. se sienten,[22] si son servidos». Y a esto respondieron los rufianes —no hablando con ellos—: «Luego, mi señor, que aún no está todo a punto.»
    Yo, cuando vi a los unos convidados y a los otros que se con-
vidaban, afligíme, y temí lo que sucedió. Porque los estudiantes
tomaron la ensalada, que era un razonable plato, y, mirando a
mi amo, dijeron: —«No es razón que, donde está un caballero
tan principal, se queden estas damas sin comer. Mande v. m.
que alcancen un bocado.» Él, haciendo del galán, convidólas.
Sentáronse, y, entre los dos estudiantes y ellas no dejaron sino
un cogollo, en cuatro bocados, el cual se comió don Diego. Y,
al dársele, aquel maldito estudiante le dijo: —«Un agüelo tuvo
v. m., tío de mi padre, que en viendo lechugas se desmayaba;
¡qué hombre era tan cabal!» Y diciendo esto, sepultó un pane-

---

[20] *dijistes:* dijisteis.   [21] *conocelle:* conocerle (asimilación del pronombre enclí-
tico al infinitivo).   [22] *se sienten:* siéntense (era habitual la proclisis del pronombre).

cillo, y el otro, otro. ¿Pues las ninfas? Ya daban cuenta de un pan, y el que más comía era el cura, con el mirar sólo. Sentáronse los rufianes con medio cabrito asado y dos lonjas de tocino y un par de palomas cocidas, y dijeron: —«Pues padre, ¿ahí se está? Llegue y alcance, que mi señor don Diego nos hace merced a todos.» No bien se lo dijeron, cuando se sentó.

Ya, cuando vio mi amo que todos se le habían encajado, comenzóse a afligir. Repartiéronlo todo, y a don Diego dieron no sé qué huesos y alones; lo demás se engulleron el cura y los otros.

Decían los rufianes: —«No cene mucho, señor, que le hará mal»; y replicaba el maldito estudiante: —«Y más, que es menester hacerse a comer poco para la vida de Alcalá.» Yo y el otro criado estábamos rogando a Dios que les pusiese en corazón que dejasen algo. Y ya que lo hubieron comido todo, y que el cura repasaba los huesos de los otros, volvió el un rufián y dijo: —«Oh, pecador de mí, no habemos dejado nada a los criados. Vengan aquí vs. ms. Ah, señor huésped, déles todo lo que hubiere; vea aquí un doblón.»[23] Tan presto saltó el descomulgado pariente de mi amo —digo el escolar— y dijo: —«Aunque v. m. me perdone, señor hidalgo, debe de saber poco de cortesía. ¿Conoce, por dicha, a mi señor primo? El dará a sus criados, y aun a los nuestros si los tuviéramos, como nos ha dado a nosotros.»

Y volviéndose a don Diego, que estaba pasmado, dijo: —«No se enoje v. m., que no le conocían.» Maldiciones le eché cuando vi tan gran disimulación, que no pensé acabar.

Levantaron las mesas, y todos dijeron a don Diego que se acostase. El quería pagar la cena, y replicáronle que no lo hiciese, que a la mañana habría lugar. Estuviéronse un rato parlando;[24] preguntóle su nombre al estudiante, y él dijo que se llamaba tal Coronel. (En malos infierno arda, dondequiera que está).[(16)] Vio al avariento que dormía, y dijo: —«¿V. m. quiere reír? Pues hagamos alguna burla a este mal viejo, que no ha comido sino un

---

[23] *doblón:* moneda de oro, equivalente a dos escudos.   [24] *parlando:* hablando por hablar.

(16) *Véase* 8.

pero en todo el camino, y es riquísimo.» Los rufianes dijeron:
—«Bien haya el licenciado; hágalo, que es razón.» Con esto, se
llegó y sacó al pobre viejo, que dormía, de debajo de los pies
unas alforjas, y, desenvolviéndolas, halló una caja, y, como si
fuera de guerra,[25] hizo gente.[26] Llegáronse todos, y, abriéndola,
vio ser de alcorzas.[27] Sacó todas cuantas había y, en su lugar,
puso piedras, palos y lo que halló: luego se proveyó[28] sobre lo
dicho, y encima de la suciedad puso hasta una docena de yesones.[29] Cerró la caja y dijo: —«Pues aún no basta, que bota tiene
el viejo.» Sacóla el vino y, desenfundando una almohada de
nuestro coche, después de haber echado un poco de vino debajo,
se la llenó de lana y estopa, y la cerró. Con esto, se fueron todos
a acostar para una hora que quedaba o media, y el estudiante lo
puso todo en las alforjas, y en la capilla[30] del gabán echó una
gran piedra, y fuese a dormir.

Llegó la hora del caminar; despertaron todos, y el viejo todavía dormía. Llamáronle, y, al levantarse, no podía levantar la
capilla del gabán. Miró lo que era, y el mesonero adrede le
riñó, diciendo: —«Cuerpo de Dios, ¿no halló otra cosa que llevarse, padre, sino esa piedra? ¿Qué les parece a vs. ms., si yo no
lo hubiera visto? Cosa es que estimo en más de cien ducados,
porque es contra el dolor de estómago.» Juraba y perjuraba, diciendo que no había metido él tal en la capilla.

Los rufianes hicieron la cuenta, y vino a montar[31] sesenta reales, que no entendiera Juan de Leganés[32] la suma. Decían los
estudiantes: —«Como hemos de servir a v. m. en Alcalá, quedamos ajustados en el gasto.»

Almorzamos un bocado, y el viejo tomó sus alforjas y, porque
no viésemos lo que sacaba y no partir con nadie, desatólas a escuras debajo del gabán; y agarrando un yesón untado, echósele
en la boca y fuele a hincar una muela y medio diente que tenía,
y por poco los perdiera. Comenzó a escupir y hacer gestos de
asco y de dolor; llegamos todos a él, y el cura el primero, dicién-

---

[25] *caja* [...] *de guerra:* tambor militar.   [26] *hizo gente:* reunió a la gente.   [27] *alcorzas:* tortas.   [28] *se proveyó:* defecó.   [29] *yesones:* cascotes de yeso.   [30] *capilla:* ca-
pucha.   [31] *montar:* sumar.   [32] Juan de Leganés fue un aldeano analfabeto que
gozó de una cierta fama, efímera, por su facilidad y rapidez en el cálculo.

dole que qué tenía. Empezóse a ofrecer a Satanás; dejó caer las
alforjas; llegóse a él el estudiante, y dijo: —«Arriedro vayas, Satán, cata la cruz»;[33] otro abrió un breviario; hiciéronle creer que
estaba endemoniado, hasta que él mismo dijo lo que era, y pidió que le dejasen enjaguar[34] la boca con un poco de vino, que
él traía bota. Dejáronle y, sacándola, abrióla; y, echando en un
vaso un poco de vino, salió con la lana y estopa un vino salvaje,
tan barbado y velloso,[35] que no se podía beber ni colar. Entonces acabó de perder la paciencia el viejo, pero, viendo las des-
compuestas carcajadas de risa, tuvo por bien el callar y subir en
el carro con los rufianes y las mujeres. Los estudiantes y el cura
se ensartaron en un borrico, y nosotros nos subimos en el coche;
y no bien comenzó a caminar, cuando unos y otros nos comenzaron a dar vaya,[36] declarando la burla. El ventero decía: —«Señor nuevo, a pocas estrenas[37] como ésta, envejecerá.» El cura decía: —«Sacerdote soy; allá se lo dirán de misas.» Y el estudiante
maldito voceaba: —«Señor primo, otra vez rásquese cuando le
coman y no después.»[38] El otro decía: —«Sarna de v. m., señor
don Diego.» Nosotros dimos en no hacer caso; Dios sabe cuán
corridos íbamos.

   Con estas y otras cosas, llegamos a la villa; apeámonos en un
mesón, y en todo el día —que llegamos a las nueve— acabamos
de contar la cena pasada, y nunca pudimos sacar en limpio el
gasto.

---

   [33] *Arriedro vayas, Satán, cata la cruz*: Vade retro (vuelve atrás), Satán, mira la
cruz.   [34] *enjaguar*: enjuagar.   [35] Era frecuente representar al hombre salvaje cubierto de mucho vello.   [36] *dar vaya*: burlarse, hacer novatadas.   [37] *estrenas*: novatadas.   [38] *y no después* de que coman a costa de V. M. (zeugma dilógico).

CAPÍTULO V

De la entrada de Alcalá, patente[1] y burlas que me hicieron por nuevo.

Antes que anocheciese, salimos del mesón a la casa que nos tenían alquilada, que estaba fuera la puerta de Santiago,[2] patio de estudiantes[3] donde hay muchos juntos, aunque ésta teníamos entre tres moradores diferentes no más.

Era el dueño y huésped de los que creen en Dios por cortesía o sobre falso;[4] moriscos los llaman en el pueblo, que hay muy grande cosecha desta gente, **(17)** y de la que tiene sobradas narices y sólo les faltan para oler tocino;[5] digo esto confesando la mucha nobleza que hay entre la gente principal, que cierto es mucha. Recibióme, pues, el huésped con peor cara que si yo fuera el Santísimo Sacramento.[6] Ni sé si lo hizo porque le comenzásemos a tener respeto, o por ser natural suyo dellos, que no es mucho que tenga mala condición quien no tiene buena ley.[7] Pusimos nuestro hatillo, acomodamos las camas y lo demás, y dormimos aquella noche.

Amaneció, y helos aquí en camisa a todos los estudiantes de la posada a pedir la patente a mi amo. El, que no sabía lo que era, preguntóme que qué querían, y yo, entre tanto, por lo que

---

[1] *patente:* contribución que los más antiguos hacían pagar a los estudiantes nuevos. [2] La puerta de Santiago, hoy desaparecida, estaba cerca de la iglesia de Santiago, al Norte de la ciudad. [3] *patio de estudiantes:* patio de casa de vecindad habitada por estudiantes. [4] Alude a la desconfianza que los cristianos viejos tenían acerca de la sinceridad de la conversión de judíos y moriscos (cristianos nuevos o conversos). [5] Es decir, judíos (conocidos por la forma y tamaño de sus narices, y por su prohibición de comer carne de cerdo). [6] Alude al sacramento de la Extremaunción. [7] *buena ley:* En el doble significado de «buen carácter», y «buena ley divina» (religión falsa).

(17) Para la comprensión de la importancia de estas palabras en la datación de la novela, véase documento número 7.

podía suceder, me acomodé entre dos colchones, y sólo tenía la
media cabeza fuera, que parecía tortuga. Pidieron dos docenas
de reales; diéronselos, y con tanto comenzaron una grita[8] del diablo, diciendo: —«Viva el compañero, y sea admitido en nuestra
amistad. Goce de las preeminencias de antiguo. Pueda tener sarna, andar manchado y padecer la hambre que todos.» Y con esto
—¡mire v. m. qué previlegios!— volaron por la escalera, y al momento nos vestimos nosotros y tomamos el camino para escuelas.

A mi amo, apadrináronle unos colegiales conocidos de su padre y entró en su general;[9] pero yo, que había de entrar en otro
diferente y fui solo, comencé a temblar. Entré en el patio, y no
hube metido bien el pie, cuando me encararon y empezaron a
decir: —«¡Nuevo!». Yo, por disimular, di en reír, como que no
hacía caso; mas no bastó, porque, llegándose a mí ocho o nueve, comenzaron a reírse. Púseme colorado; nunca Dios lo per-
mitiera, pues, al instante, se puso uno que estaba a mi lado las
manos en las narices y, apartándose, dijo: —«Por resucitar está
este Lázaro, según hiede.» Y con esto todos se apartaron tapán-
dose las narices. Yo, que me pensé escapar, puse las manos también y dije: —«Vs. ms. tienen razón, que huele muy mal.» Dioles mucha risa y, apartándose, ya estaban juntos hasta ciento.
Comenzaron a escarbar y tocar al arma,[10] y en las toses y abrir
y cerrar de las bocas, vi que se me aparejaban gargajos.[11] En
esto, un manchegazo acatarrado hízome alarde de uno terrible,
diciendo: —«Esto hago.» Yo entonces, que me vi perdido, dije:
—«¡Juro a Dios que ma...!» Iba a decir *te*, pero fue tal la batería
y lluvia que cayó sobre mí, que no pude acabar la razón.[12] Yo
estaba cubierto el rostro con la capa, y tan blanco, que todos tiraban a mí; y era de ver cómo tomaban la puntería.

Estaba ya nevado de pies a cabeza, pero un bellaco, viéndome
cubierto y que no tenía en la cara cosa, arrancó hacia mí diciendo con gran cólera: —«¡Basta, no le matéis!»; que yo, según me
trataban, creí dellos que lo harían. Destapéme por ver lo que

---

    [8] *grita:* griterío.   [9] *general:* aula.   [10] *tocar al arma:* advertir de la presencia de
enemigos (la expresión era frecuente entre los encargados de la defensa de las cos-
tas).   [11] *gargajos:* flemas que se expelen de la garganta.   [12] *razón:* palabra.

era, y, al mismo tiempo, el que daba las voces me enclavó un gargajo en los dos ojos. Aquí se han de considerar mis angustias. Levantó la infernal gente una grita que me aturdieron. Y yo, según lo que echaron sobre mí de sus estómagos, pensé que por ahorrar de médicos y boticas aguardan nuevos para purgarse.

Quisieron tras esto darme de pescozones, pero no había dónde sin llevarse en las manos la mitad del afeite de mi negra[13] capa, ya blanca por mis pecados.[14] Dejáronme, y iba hecho zufaina[15] de viejo a pura saliva. Fuime a casa, que apenas acerté, y fue ventura el ser de mañana, pues sólo topé dos o tres muchachos, que debían de ser bien inclinados, porque no me tiraron más de cuatro o seis trapajos,[16] y luego me dejaron.

Entré en casa, y el morisco que me vio, comenzóse a reír y a hacer como que quería escupirme. Yo, que temí que lo hiciese, dije: —«Tened, huésped, que no soy *Ecce-Homo*.»[17] Nunca lo dijera, porque me dio dos libras de porrazos, dándome sobre los hombros con las pesas que tenía. Con esta ayuda de costa,[18] medio derrengado, subí arriba; y en buscar por dónde asir la sotana y el manteo para quitármelos, se pasó mucho rato. Al fin, le quité y me eché en la cama, y colguélo en una azutea.[18]

---

[13] *negra:* maldita.   [14] *por mis pecados:* para mi desgracia.   [15] *zufaina:* jofaina.   [16] *trapajos:* trapos (despectivo).   [17] *Tened, huésped, que no soy «Ecce-Homo»:* Quieto, huésped, que no soy Cristo. (La expresión era frecuente en las burlas para motejar de converso a alguien. Adviértase que el ventero era morisco, y que el autor asocia por igual a judíos y moriscos, pues *Ecce-Homo* remite a la Pasión de Cristo entre los judíos.)   [18] *ayuda de costa:* dieta, sobresueldo para el camino.

(18) El episodio de las burlas de Alcalá, como la novela en su totalidad, ha sido objeto de diversas interpretaciones (y también de algunas interpolaciones por parte de copistas que se regodearon en nuevos detalles de la misma escena). A. Parker ofrece una interpretación simbólica: una recreación irónica de la Pasión de Cristo (véase su comentario en *Los pícaros en la literatura,* pp. 119-121), y F. Lázaro Carreter, defensor de la tesis de novela esteticista, obra de ingenio, rechaza frontalmente la lectura del hispanista inglés (véase su argumentación en *Estilo barroco y personalidad creadora,* pp. 120-126).

Vino mi amo y, como me halló durmiendo y no sabía la asquerosa aventura, enojóse y comenzó a darme repelones, con tanta priesa, que, a dos más, despierto calvo.

Levantéme dando voces y quejándome, y él, con más cólera, dijo: —«¿Es buen modo de servir ése, Pablos? Ya es otra vida.» Yo, cuando oí decir «otra vida», entendí que era ya muerto,[19] y dije: —«Bien me anima v. m. en mis trabajos. Vea cuál está aquella sotana y manteo, que ha servido de pañizuelo a las mayores narices que se han visto jamás en paso,[20] y mire estas costillas.» Y con esto, empecé a llorar. El, viendo mi llanto, creyólo, y, buscando la sotana y viéndola, compadecióse de mí, y dijo: —«Pablo, abre el ojo que asan carne.[21] Mira por ti, que aquí no tienes otro padre ni madre.» Contéle todo lo que había pasado, y mandóme desnudar y llevar a mi aposento, que era donde dormían cuatro criados de los huéspedes de casa.

Acostéme y dormí; y con esto, a la noche, después de haber comido y cenado bien, me hallé fuerte y ya como si no hubiera pasado nada por mí. Pero, cuando comienzan desgracias en uno, parece que nunca se han de acabar, que andan encadenadas, y unas traen a otras. Viniéronse a acostar los otros criados y, saludándome todos, me preguntaron si estaba malo y cómo estaba en la cama. Yo les conté el caso y, al punto, como si en ellos no hubiera mal ninguno, se empezaron a santiguar, diciendo: —«No se hiciera entre luteranos.[22] ¿Hay tal maldad?» Otro decía: —«El retor[23] tiene la culpa en no poner remedio. ¿Conocerá los que eran?» Yo respondí que no, y agradecíles la merced que me mostraban hacer. Con esto, se acabaron de desnudar, acostáronse, mataron[24] la luz, y dormíme yo, que me parecía que estaba con mi padre y mis hermanos.

Debían de ser las doce, cuando el uno dellos me despertó a puros gritos, diciendo: —«¡Ay, que me matan! ¡Ladrones!» So-

---

[19] Nótese la reacción ingenua de Pablos, tan convencional como otras del Lazarillo en el episodio del entierro, durante su estancia con el hidalgo.   [20] Se refiere al tamaño de las narices de los judíos representados en los pasos de Semana Santa.   [21] Expresión proverbial empleada para advertir a alguien de que esté prevenido.   [22] *luteranos:* protestantes, seguidores de Lutero.   [23] *retor:* rector (vacilación en la restitución culta del grupo consonántico *ct*).   [24] *mataron:* apagaron.

naban en su cama, entre estas voces, unos golpazos de látigo. Yo levanté la cabeza y dije: —«¿Qué es eso?» Y apenas la descubrí, cuando con una maroma[25] me asentaron un azote con hijos[26] en todas las espaldas. Comencé a quejarme; quíseme levantar; quejábase el otro también, y dábanme a mí sólo. Yo comencé a decir: —«¡Justicia de Dios!» Pero menudeaban tanto los azotes sobre mí, que ya no me quedó —por haberme tirado las frazadas[27] abajo— otro remedio sino el de meterme debajo de la cama. Hícelo así, y, al punto, los tres que dormían empezaron a dar gritos también. Y como sonaban los azotes, yo creí que alguno de fuera nos daba a todos.

Entre tanto, aquel maldito que estaba junto a mí se pasó a mi cama y proveyó en ella, y cubrióla. Y, pasándose a la suya, cesaron los azotes, y levantáronse con grandes gritos todos cuatro, diciendo: —«¡Es gran bellaquería, y no ha de quedar así!» Yo todavía me estaba debajo de la cama, quejándome como perro cogido entre puertas, tan encogido que parecía galgo con calambre. Hicieron los otros que cerraban la puerta, y yo entonces salí de donde estaba, y subíme a mi cama, preguntando si acaso[28] les habían hecho mal. Todos se quejaban de muerte.

Acostéme y cubríme y torné a dormir; y como, entre sueños, me revolcase, cuando desperté halléme sucio hasta las trencas.[29] Levantáronse todos, y yo tomé por achaque los azotes para no vestirme. No había diablos que me moviesen de un lado. Estaba confuso, considerando si acaso, con el miedo y la turbación, sin sentirlo, había hecho aquella vileza, o si entre sueños. Al fin, yo me hallaba inocente y culpado, y no sabía cómo disculparme.

Los compañeros se llegaron a mí quejándose y muy disimulados, a preguntarme cómo estaba; yo les dije que muy malo, porque me habían dado muchos azotes. Preguntábales yo que qué podía haber sido, y ellos decían: —«A fe que no se escape, que el matemático[30] nos lo dirá. pero, dejando esto, veamos si

---

[25] *maroma:* cuerda gruesa de esparto o cáñamo.　[26] *azote con hijos:* azote de varios ramales gruesos y retorcidos.　[27] *frazadas:* mantas.　[28] *acaso:* por casualidad.　[29] *hasta las trencas:* hasta el pecho (la expresión se aplicaba a alguien que se había metido en un lodazal hasta los pechos).　[30] *matemático:* adivino, astrólogo.

estáis herido, que os quejábades mucho.» Y diciendo esto, fueron a levantar la ropa con deseo de afrentarme.

En esto, mi amo entró diciendo: —«¿Es posible, Pablos, que
no he de poder contigo? Son las ocho ¿y estáste en la cama? ¡Le-
vántate enhoramala!» Los otros, por asegurarme, contaron a don
Diego el caso todo, y pidiéronle que me dejase dormir. Y decía
uno: —«Y si v. m. no lo cree, levantá,[31] amigo»; y agarraba de
la ropa. Yo la tenía asida con los dientes por no mostrar la caca.
Y cuando ellos vieron que no había remedio por aquel camino,
dijo uno: —«¡Cuerpo de Dios, y cómo hiede!» Don Diego dijo
lo mismo, porque era verdad, y luego, tras él, todos comenzaron
a mirar si había en el aposento algún servicio.[32] Decían que no
se podía estar allí. Dijo uno: —«¡Pues es muy bueno esto para
haber de estudiar!» Miraron las camas, y quitáronlas para ver
debajo, y dijeron: —«Sin duda debajo de la de Pablos hay algo;
pasémosle a una de las nuestras, y miremos debajo della.»

Yo, que veía poco remedio en el negocio y que me iban a
echar la garra, fingí que me había dado mal de corazón: aga-
rréme a los palos, hice visajes...[33] Ellos, que sabían el misterio,
apretaron conmigo, diciendo: —«¡Gran lástima!» Don Diego me
tomó el dedo del corazón[34] y, al fin, entre los cinco me levantaron. Y al alzar las sábanas, fue tanta la risa de todos, viendo los
recientes no ya palominos[35] sino palomos grandes, que se hundía el aposento. —«¡Pobre dél!»—decían los bellacos (yo hacía
del desmayado)—; «tírele v. m. mucho de ese dedo del corazón».
Y mi amo, entendiendo hacerme bien, tanto tiró que me le
desconcertó.

Los otros trataron de darme un garrote[36] en los muslos, y decían: —«El pobrecito agora sin duda se ensució, cuando le dio
el mal.» ¡Quién dirá lo que yo pasaba entre mí, lo uno con la
vergüenza, descoyuntado un dedo, y a peligro de que me diesen
garrote! Al fin, de miedo de que me le diesen —que ya me te-

---

[31] *levantá:* levantad (más adelante, *callá:* callad).   [32] *servicio:* orinal.   [33] *visajes:* muecas con el rostro.   [34] *el dedo del corazón:* el dedo mayor de la mano (llamado así por creer que está directamente comunicado con el corazón).   [35] *palominos:* manchas de excrementos en la ropa interior.   [36] *darme un garrote:* apre-
tarme con una ligadura.

nían los cordeles en los muslos— hice que había vuelto, y por presto que lo hice, como los bellacos iban con malicia, ya me habían hecho dos dedos de señal en cada pierna. Dejáronme diciendo: —«¡Jesús, y qué flaco sois!» Yo lloraba de enojo, y ellos decían adrede: —«Más va en vuestra salud que en haberos ensuciado. Callá.» Y con esto me pusieron en la cama, después de haberme lavado, y se fueron.

Yo no hacía a solas sino considerar cómo casi era peor lo que había pasado en Alcalá en un día, que todo lo que me sucedió con Cabra. A mediodía me vestí, limpié la sotana lo mejor que pude, lavándola como gualdrapa,[37] y aguardé a mi amo que, en llegando, me preguntó cómo estaba. Comieron todos los de casa y yo, aunque poco y de mala gana. Y después, juntándonos todos a parlar en el corredor, los otros criados, después de darme vaya,[38] declararon la burla. Riéronla todos, doblóse mi afrenta, y dije entre mí: —«Avisón,[39] Pablos, alerta.» Propuse de hacer nueva vida, y con esto, hechos amigos, vivimos de allí adelante todos los de la casa como hermanos, y en las escuelas y patios nadie me inquietó más.

CAPÍTULO VI

De las crueldades de la ama, y travesuras que yo hice.

«Haz como vieres» dice el refrán, y dice bien. De puro considerar en él, vine a resolverme de[1] ser bellaco con los bellacos, y más, si pudiese, que todos. No sé si salí con ello, pero yo aseguro a v. m. que hice todas las diligencias posibles. [19]

---

[37] *lavándola como gualdrapa:* lavándola sin ningún cuidado *(gualdrapa:* andrajo que se ponía a las caballerías para protegerse del lodo).   [38] *darme vaya:* hacerme burla. Véase nota 36 de I, 4.   [39] *Avisón:* ¡ojo!
[1] *resolverme de:* decidir.

[19] Se consuma aquí (viene anunciado ya en el final del capítulo anterior) el motivo del despertar del pícaro, con el paso de la ingenuidad

Lo primero, yo puse pena de la vida[2] a todos los cochinos que se entrasen en casa, y a los pollos del ama que del corral pasasen a mi aposento. Sucedió que, un día, entraron dos puercos del mejor garbo que vi en mi vida. Yo estaba jugando con los otros criados, y oílos gruñir, y dije al uno: —«Vaya y vea quién gruñe en nuestra casa.» Fue, y dijo que dos marranos. [3] Yo que lo oí, me enojé tanto que salí allá diciendo que era mucha bellaquería y atrevimiento venir a gruñir a casas ajenas. Y diciendo esto, envásole a cada uno a puerta cerrada la espada por los pechos, y luego los acogotamos. [4] Porque no se oyese el ruido que hacían, todos a la par dábamos grandísimos gritos como que cantábamos, y así espiraron[5] en nuestras manos.

Sacamos los vientres, recogimos la sangre, y a puros jergones[6] los medio chamuscamos en el corral, de suerte que, cuando vinieron los amos, ya estaba todo hecho aunque mal, si no eran los vientres, que aún no estaban acabadas de hacer las morcillas. Y no por falta de prisa, en verdad, que, por no detenernos, las habíamos dejado la mitad de lo que ellas se tenían dentro.

---

[2] *pena de la vida:* pena de muerte. [3] Juego de palabras en el doble significado de *marranos:* «cerdos», y «judíos conversos». [4] *acogotamos:* golpeamos en el cogote. [5] *espiraron:* expiraron, murieron (más adelante, *escusar:* excusar; *estrañas:* extrañas). [6] *a puros jergones:* a fuerza de jergones (fundas llenas de paja puestas debajo de los colchones en la cama).

---

infantil a la astucia y a la lucha por la vida. Este despertar, que es un elemento estructural común en la novela picaresca, se produce en el *Buscón* más tarde que en otras novelas del género (en el *Lazarillo* se refiere ya en el capítulo I), seguramente porque Quevedo, nada preocupado por la construcción de la narrativa picaresca, quiso aprovechar al máximo el período de burlas sufridas por el pícaro, con el objeto de desplegar ampliamente su ingenio verbal y su capacidad burlesca. Por ello, esta fase inicial de la autobiografía picaresca se prolonga desmesuradamente: como ha señalado Rey Hazas, la fase del pícaro aún no totalmente independizado de su familia alcanza a la casi totalidad de los dos primeros libros y sólo se consuma con la despedida de su tío el verdugo, con lo cual la vileza de la ascendencia del antihéroe prolonga su violento contraste con sus aspiraciones de ser caballero, ridículas y grotescas desde el comienzo mismo. (Con respecto al *yo hice* del epígrafe de este capítulo, véase **2.**)

Supo, pues, don Diego y el mayordomo el caso, y enojáronse conmigo de manera que obligaron a los huéspedes —que de risa no se podían valer— a volver por mí. Preguntábame don Diego que qué había de decir si me acusaban y me prendía la justicia. A lo cual respondí yo que me llamaría a hambre,[7] que es el sagrado de los estudiantes; y que, si no me valiese, diría que, como se entraron sin llamar a la puerta como en su casa, que entendí que eran nuestros. Riéronse todos de las disculpas. Dijo don Diego: —«A fe, Pablos, que os hacéis a las armas.»[8] Era de notar ver a mi amo tan quieto y religioso, y a mí tan travieso, que el uno exageraba al otro o la virtud o el vicio.

No cabía el ama de contento conmigo, porque éramos dos al mohíno:[9] habíamonos conjurado contra la despensa. Yo era el despensero Judas,[10] que desde entonces hereda no sé qué amor a la sisa este oficio. La carne no guardaba en manos del ama la orden retórica, porque siempre iba de más a menos.[11] Y la vez que podía echar cabra o oveja, no echaba carnero, y si había huesos, no entraba cosa magra;[12] y así, hacía unas ollas éticas[13] de puro flacas, unos caldos que, a estar cuajados, se pudieran hacer sartas de cristal dellos. Las Pascuas, por diferenciar, para que estuviese gorda la olla, solía echar cabos de velas de sebo.

Ella decía, cuando yo estaba delante: —«Mi amo, por cierto que no hay servicio como el de Pablicos, si él no fuese travieso; consérvele v. m., que bien se le puede sufrir el ser bellaquillo por la fidelidad; lo mejor de la plaza trae.» Yo, por el consiguiente, decía della lo mismo, y así teníamos engañada la casa. Si se compraba aceite de por junto,[14] carbón o tocino, escondíamos la mitad, y cuando nos parecía, decíamos el ama y yo: —«Modérense vs. ms. en el gasto, que en verdad que, si se dan

---

[7] *me llamaría a hambre:* me acogería al privilegio del hambre (apelaría al refugio del hambre, propia de estudiantes; es parodia humorística de la expresión *llamarse a iglesia,* propia de delincuentes, acogidos al refugio sagrado).   [8] *os hacéis a las armas:* os adaptáis a todo.   [9] *dos al mohíno:* dos contra uno (Pablos y el ama contra la despensa).   [10] Las referencias a Judas Iscariote como despensero ladrón constituyen uno de los motivos más frecuentes en la obra de Quevedo.   [11] Alude a la técnica retórica de la *amplificatio,* según la cual se procedía de menor a mayor complejidad.   [12] *magra:* blanda, tierna.   [13] *éticas:* véase nota 27 de I, 2.   [14] *de por junto:* al por mayor.

tanta prisa, no baste la hacienda del Rey. Ya se ha acabado el aceite (o el carbón). Pero ¿tal prisa le han dado? Mande v. m. comprar más, y a fe que se ha de lucir de otra manera. Denle dineros a Pablicos.» Dábanmelos y vendíamosles la mitad sisada, y, de lo que comprábamos, sisábamos la otra mitad; y esto era en todo. Y si alguna vez compraba yo algo en la plaza por lo que valía, reñíamos adrede el ama y yo. Ella decía: —«No me digas a mí, Pablicos, que estos son dos cuartos de ensalada.» Yo hacía que lloraba, daba voces, íbame a quejar a mi señor, y apretábale para que enviase al mayordomo a saberlo, para que callase el ama, que adrede profiaba. Iba y sabíalo, y con esto asegurábamos al amo y al mayordomo, y quedaban agradecidos, en mí a las obras, y en el ama al celo de su bien. Decíale don Diego, muy satisfecho de mí: —«¡Así fuese Pablicos aplicado a virtud como es de fiar! ¿Toda esta es la lealtad que me decís vos dél?»

Tuvímoslos desta manera, chupándolos como sanguijuelas. Yo apostaré que v. m. se espanta de la suma de dinero que montaba al cabo del año. Ello mucho debió de ser, pero no debía obligar a restitución, porque el ama confesaba y comulgaba de ocho a ocho días, y nunca la vi rastro de imaginación de volver nada ni hacer escrúpulo, con ser, como digo, una santa.

Traía un rosario al cuello siempre, tan grande, que era más barato llevar un haz de leña a cuestas. Dél colgaban muchos manojos de imágines, cruces y cuentas de perdones.[15] En todas decía que rezaba cada noche por sus bienhechores. Contaba ciento y tantos santos abogados suyos, y en verdad que había menester[16] todas estas ayudas para desquitarse de lo que pecaba. Acostábase en un aposento encima del de mi amo, y rezaba más oraciones que un ciego. Entraba por el *Justo Juez*[17] y acababa en el *Conquibules*[18] —que ella decía—, y en la *Salve Rehína*.[19] De-

---

[15] El rosario de grandes cuentas era símbolo de hipocresía suma. Véase nota 37 de I, 3. [16] *había menester:* tenía necesidad, necesitaba. [17] La *oración del Justo Juez* era una oración de ciego muy popular en la época (comenzaba con las palabras de *Justo Juez divinal...*). [18] *Conquibules:* grotesca deformación popular (eran muy frecuentes las deformaciones vulgares de expresiones litúrgicas) del comienzo del credo de San Atanasio, también muy popular entonces *(Quicumque vult salvum esse...:* quien quiere ser salvado...). [19] *Salve Rehína: Salve Regina,* Salve Reina.

cía las oraciones en latín, adrede, por fingirse inocente, de suerte que nos despedazábamos de risa todos. Tenía otras habilida-
des; era conqueridora[20] de voluntades y corchete de gustos, que
es lo mismo que alcagüeta; pero disculpábase conmigo diciendo que le venía de casta, como al rey de Francia sanar lamparones.[21]

¿Pensará v. m. que siempre estuvimos en paz? Pues ¿quién ig-
nora que dos amigos, como sean cudiciosos, si están juntos se
han de procurar engañar el uno al otro? Sucedió que el ama cria-
ba gallinas en el corral; yo tenía gana de comerla una. Tenía
doce o trece pollos grandecitos, y un día estando dándoles de comer, comenzó a decir: —«¡Pío, pío!»; y esto muchas veces. Yo
que oí el modo de llamar, comencé a dar voces, y dije: —«¡Oh,
cuerpo de Dios, ama, no hubiérades muerto un hombre o hurtado moneda al rey, cosa que yo pudiera callar, y no haber hecho lo que habéis hecho, que es imposible dejarlo de decir! ¡Ma-
laventurado de mí y de vos!»

Ella, como me vio hacer extremos con tantas veras, turbóse algún tanto y dijo: —«Pues, Pablos, ¿yo qué he hecho? Si te burlas, no me aflijas más.» —«¡Cómo burlas, pesia tal![22] Yo no puedo dejar de dar parte a la Inquisición, porque, si no, estaré descomulgado.» —«¿Inquisición?», dijo ella; y empezó a temblar.
«Pues ¿yo he hecho algo contra la fe?» «Eso es lo peor» —decía
yo—; «no os burléis con los inquisidores; decid que fuesteis[23]
una boba y que os desdecís, y no neguéis la blasfemia y desacato.» Ella, con el miedo, dijo: —«Pues, Pablos, y si me desdigo,
¿castigaránme?» Respondíle: —«No, porque sólo os absolverán.»
—«Pues yo me desdigo» —dijo—, «pero dime tú de qué, que no
lo sé yo, así tengan buen siglo[24] las ánimas de mis difuntos».
—«¿Es posible que no advertisteis en qué? No sé como lo diga,
que el desacato es tal que me acobarda. ¿No os acordáis que dijisteis a los pollos, *pío, pío*, y es Pío nombre de los papas, vi-
carios de Dios y cabezas de la Iglesia? Papáos[25] el pecadillo.»

---

[20] *conqueridora:* conquistadora, hechizadora.   [21] Recuerdo de la creencia popular según la cual los reyes de Francia curaban lamparones (escrófulas de cuello)
por imposición de manos.   [22] *pesia tal:* pese a tal, en hora mala.   [23] *fuesteis:* fuis-
teis.   [24] *buen siglo:* buen descanso eterno.   [25] *papaos:* tragaos.

Ella quedó como muerta, y dijo: —«Pablos, yo lo dije, pero no me perdone Dios si fue con malicia. Yo me desdigo; mira si hay camino para que se pueda escusar el acusarme, que me moriré si me veo en la Inquisición.»[26] «Como vos juréis en un ara consagrada que no tuvisteis malicia, yo, asegurado, podré dejar de acusaros; pero será necesario que estos dos pollos, que comieron llamándoles con el santísimo nombre de los pontífices, me los deis para que yo los lleve a un familiar[27] que los queme, porque están dañados. Y, tras esto, habéis de jurar de no reincidir de ningún modo.» Ella, muy contenta, dijo: —«Pues llévatelos, Pablos, agora, que mañana juraré.» Yo, por más asegurarla, dije: —«Lo peor es, Cipriana» —que así se llamaba—, «que yo voy a riesgo, porque me dirá el familiar si soy yo, y entre tanto me podrá hacer vejación. Llevadlos vos, que yo, pardiez que temo». «Pablos» —decía cuando me oyó esto—, «por amor de Dios que te duelas de mí y los lleves, que a ti no te puede suceder nada».

Déjela que me lo rogase mucho, y al fin —que era lo que quería—, determinéme, tomé los pollos, escondílos en mi aposento, hice que iba fuera, y volví diciendo: —«Mejor se ha hecho que yo pensaba. Quería el familiarcito venirse tras mí a ver la mujer, pero lindamente te le he engañado y negociado.» Diome mil abrazos y otro pollo para mí, y yo fuime con él adonde había dejado sus compañeros, y hice hacer en casa de un pastelero una cazuela, y comímelos con los demás criados. Supo el ama y don Diego la maraña, y toda la casa la celebró en extremo; el ama llegó tan al cabo de pena, que por poco se muriera. Y, de enojo, no estuvo dos dedos —a no tener por qué callar— de decir mis sisas.

Yo, que me vi ya mal con el ama, y que no la podía burlar, busqué nuevas trazas de holgarme, y di en lo que llaman los estudiantes correr[28] o arrebatar. En esto me sucedieron cosas gra-

---

[26] A pesar de no tratarse más que de un chiste (éste aparece varias veces en las obras de Quevedo), queda indirectamente manifestado el miedo que la sociedad española tenía frente a la temible Inquisición. [27] *familiar:* servidor voluntario de la Inquisición. [28] *correr:* robar (coger algo de un establecimiento y salir corriendo).

ciosísimas, porque, yendo una noche a las nueve —que anda poca gente—, por la calle Mayor, vi una confitería, y en ella un cofín[29] de pasas sobre el tablero, y, tomando vuelo, vine, agarréle y di a correr. El confitero dio tras mí, y otros criados y vecinos. Yo, como iba cargado, vi que, aunque les llevaba ventaja, me habían de alcanzar, y, al volver una esquina, sentéme sobre él, y envolví la capa a la pierna de presto,[30] y empecé a decir, con la pierna en la mano, fingiéndome pobre: —«¡Ay! ¡Dios se lo perdone, que me ha pisado!» Oyéronme esto y, en llegando, empecé a decir «Por tan alta Señora», y lo ordinario de la hora menguada y aire corruto.[31] Ellos se venían desgañifando, y dijéronme: —«¿Va por aquí un hombre, hermano?» —«Ahí adelante, que aquí me pisó, loado sea el Señor.»

Arrancaron con esto, y fuéronse; quedé solo, llevéme el cofín a casa, conté la burla, y no quisieron creer que había sucedido así, aunque lo celebraron mucho. Por lo cual, los convidé para otra noche a verme correr cajas.

Vinieron, y advirtiendo ellos que estaban las cajas dentro la tienda, y que no las podía tomar con la mano, tuviéronlo por imposible, y más por estar el confitero —por lo que sucedió al otro de las pasas— alerta. Vine, pues, y metiendo doce pasos atrás de la tienda mano a la espada, que era un estoque recio, partí corriendo, y, en llegando a la tienda, dije: —«¡Muera!» Y tiré una estocada por delante del confitero. El se dejó caer pidiendo confesión, y yo di la estocada en una caja, y la pasé y saqué en la espada, y me fui con ella. Quedáronse espantados de ver la traza, y muertos de risa de que el confitero decía que le mirasen, que sin duda le había herido, y que era un hombre con quien él había tenido palabras. Pero, volviendo los ojos, como quedaron desbaratadas, al salir de la caja, las que estaban alrededor, echó de ver la burla, y empezó a santiguarse que no pensó acabar. Confieso que nunca me supo cosa tan bien.

---

[29] *cofín:* cesto pequeño.   [30] *de presto:* con presteza, rápidamente.   [31] Pablos recoge aquí las fórmulas utilizadas por los pordioseros para mover a compasión y obtener limosnas. *Por tan alta Señora* es invocación a la Virgen María; después siguen referencias a la *hora menguada* (infausta, infeliz) y al *aire corruto* (corrupto) que los había dejado tullidos o inválidos.

Decían los compañeros que yo solo podía sustentar la casa con lo que corría (que es lo mismo que hurtar, en nombre revesado).[32] Yo, como era muchacho y oía que me alababan el ingenio con que salía destas travesuras, animábame para hacer muchas más. Cada día traía la pretina[33] llena de jarras de monjas, que les pedía para beber y me venía con ellas; introduje[34] que no diesen nada sin prenda primero.

Y así, prometí a don Diego y a todos los compañeros, de quitar una noche las espadas a la misma ronda.[35] Señalóse cuál había de ser, y fuimos juntos, yo delante, y en columbrando[36] la justicia, lleguéme con otro de los criados de casa, muy alborotado, y dije: —«¿Justicia?» Respondieron: —«Sí.» —«¿Es el corregidor?»[37] Dijeron que sí. Hinquéme de rodillas y dije: —«Señor, en sus manos de v. m. está mi remedio y mi venganza, y mucho provecho de la república; mande v. m. oírme dos palabras a solas, si quiere una gran prisión.» Apartóse, y ya los corchetes[38] estaban empuñando las espadas y los alguaciles poniendo mano a las varitas; y le dije: —«Señor, yo he venido desde Sevilla siguiendo seis hombres los más facinorosos del mundo, todos ladrones y matadores de hombres, y entre ellos viene uno que mató a mi madre y a un hermano mío por saltearlos, y le está probado esto; y vienen acompañando, según los he oído decir, a una espía[39] francesa, y aun sospecho por lo que les he oído, que es...»; y bajando más la voz, dije: «Antonio Pérez.»[(20)]

Con esto, el corregidor dio un salto hacia arriba, y dijo: —«¿Adónde están?» —«Señor, en la casa pública;[40] no se detenga v. m., que las ánimas de mi madre y hermano se lo pagarán

---

[32] *revesado:* supuesto.   [33] *pretina:* cinturón con hebilla.   [34] *introduje:* fui el introductor, el iniciador.   [35] *ronda:* ronda de vigilancia nocturna (al mando del corregidor).   [36] *columbrando:* divisando.   [37] *corregidor:* gobernador o regidor de la ciudad.   [38] *corchetes:* oficiales que llevaban los presos a la cárcel.   [39] *espía* era nombre femenino.   [40] *casa pública:* burdel.

---

(20) Esta referencia a la figura histórica de Antonio Pérez ofrece algunos datos para establecer la posible fecha de redacción de la novela. Antonio Pérez (1540-1611), ex-secretario de Felipe II refugiado en Francia desde 1593, tenía agentes en España. Véase documento número 7.

en oraciones, y el rey acá.» —«¡Jesús!» —dijo—, «no nos detengamos. ¡Hola, seguidme todos! Dadme una rodela».[41] Yo entonces le dije, tornándole a apartar: —«Señor, perderse ha[42] v. m. si hace eso, porque antes importa que todos vs. ms. entren sin espadas, y uno a uno, que ellos están en los aposentos y traen pistoletes, y en viendo entrar con espadas, como saben que no la puede traer sino la justicia, dispararán. Con dagas es mejor, y cogerlos por detrás los brazos, que demasiados vamos.»

Cuadróle al corregidor la traza, con la cudicia de la prisión. En esto llegamos cerca, y el corregidor, advertido, mandó que debajo de unas yerbas pusiesen todos las espadas, escondidas en un campo que está enfrente casi de la casa; pusiéronlas y caminaron. Yo, que había avisado al otro que ellos dejarlas y él tomarlas y pescarse a casa fuese todo uno, hízolo así; y, al entrar todos, quedéme atrás el postrero; y, en entrando ellos mezclados con otra gente que entraba, di cantonada[43] y emboquéme por una callejuela que va a dar a la Vitoria,[44] que no me alcanzara un galgo.

Ellos que entraron y no vieron nada, porque no había sino estudiantes y pícaros —que es todo uno—, comenzaron a buscarme, y, no me hallando, sospecharon lo que fue; y yendo a buscar sus espadas, no hallaron media.

¿Quién contara la diligencias que hizo con el retor el corregidor aquella noche? Anduvieron todos los patios, reconociendo las caras y mirando las armas. Llegaron a casa, y yo, porque no me conociesen, estaba echado en la cama con un tocador[45] y con una vela en la mano y un cristo en la otra, y un compañero clérigo ayudándome a morir, y los demás rezando las letanías. Llegó el retor y la justicia, y viendo el espectáculo, se salieron, no persuadiéndose que allí pudiera haber habido lugar para cosa. No miraron nada, antes el retor me dijo un responso. Preguntó si estaba ya sin habla, y dijéronle que sí; y con tanto, se fueron

---

[41] *rodela:* escudo redondo que cubría el pecho. [42] *perderse ha:* se perderá. [43] *di cantonada:* di el esquinazo (tras cantón o esquina); desaparecí. [44] *la Vitoria:* plazuela y calle de Alcalá, donde estaba el antiguo convento de la Victoria, situado junto a la puerta de Santa Ana. [45] *tocador:* gorro de dormir.

desesperados de hallar rastro, jurando el retor de remitirle[46] si le topasen, y el corregidor de ahorcarle aunque fuese hijo de un grande.[47] Levantéme de la cama, y hasta hoy no se ha acabado de solemnizar la burla en Alcalá.

Y por no ser largo, dejo de contar cómo hacía monte[48] la plaza del pueblo, pues de cajones de tundidores[49] y plateros y mesas de fruteras —que nunca se me olvidara la afrenta de cuando fui rey de gallos— [50] sustentaba la chimenea de casa todo el año. Callo las pensiones[51] que tenía sobre los habares,[52] viñas y huertos, en todo aquello de alrededor.[53] Con estas y otras cosas, comencé a cobrar fama de travieso y agudo entre todos. Favorecíanme los caballeros, y apenas me dejaban servir a don Diego, a quien siempre tuve el respecto[54] que era razón por el mucho amor que me tenía.

CAPÍTULO VII

De la ida de don Diego, y nuevas de la muerte de mi padre y madre, y la resolución que tomé en mis cosas para adelante.

En este tiempo, vino a don Diego una carta de su padre, en cuyo pliego venía otra de un tío mío llamado Alonso Ramplón, hombre allegado a toda virtud y muy conocido en Segovia por lo que era allegado a la justicia, pues cuantas allí se habían hecho, de cuarenta años a esta parte, han pasado por sus manos. Verdugo era, si va a decir la verdad, pero una águila[1] en el oficio; vérsele hacer daba gana a uno de dejarse ahorcar. Este, pues, me escribió una carta a Alcalá, desde Segovia, en esta forma:

«Hijo Pablos» —que por el mucho amor que me tenía me llamaba así—: «Las ocupaciones grandes desta plaza en que me tie-

---

[46] *remitirle:* entregarle.   [47] *grande:* Grande de España (prócer de la alta nobleza).   [48] *hacía monte:* convertía en centro de robos.   [49] *tundidores:* véase nota 2 de I, 1.   [50] Véase nota 25 de I, 2.   [51] *pensiones:* rentas.   [52] *habares:* terrenos sembrados de habas.   [53] Este tipo de fechorías era remedio ordinario de estudiantes hambrientos.   [54] *respecto:* respeto (vacilación de grupos consonánticos).

[1] *una águila:* estaba sin fijar aún la generalización de las formas *un, el,* ante palabras femeninas que comenzaban por *á-*.

ne ocupado Su Majestad, no me han dado lugar a hacer esto; que si algo tiene malo el servir al Rey, es el trabajo, aunque se desquita con esta negra honrilla[21] de ser sus criados.

Pésame de daros nuevas de poco gusto. Vuestro padre murió ocho días ha, con el mayor valor que ha muerto hombre en el mundo; dígolo como quien lo guindó.[2] Subió en el asno sin poner pie en el estribo. Veníale el sayo baquero[3] que parecía haberse hecho para él. Y como tenía aquella presencia, nadie le veía con los cristos[4] delante, que no le juzgase por ahorcado. Iba con gran desenfado, mirando a las ventanas y haciendo cortesías a los que dejaban sus oficios por mirarle; hízose dos veces los bigotes; mandaba descansar a los condenados a muerte, y íbales alabando lo que decían bueno.

Llegó a la N de palo,[5] puso el un pie en la escalera, no subió a gatas ni despacio y, viendo un escalón hendido, volvióse a la justicia, y dijo que mandase aderezar aquél para otro, que no todos tenían su hígado. No sabré encarecer cuán bien pareció a todos.

Sentóse arriba, tiró las arrugas de la ropa atrás, tomó la soga y púsola en la nuez. Y viendo que el teatino[6] le quería predicar, vuelto a él, le dijo: —«Padre, yo lo doy por predicado; vaya un poco de Credo; y acabemos presto, que no querría parecer prolijo.» Hízose así; encomendóme que le pusiese la caperuza de lado y que le limpiase las barbas. Yo lo hice así. Cayó sin en-

---

[2] *guindó:* ahorcó (voz de germanía).   [3] *sayo baquero:* sayo vaquero, vestido que cubría todo el cuerpo; era utilizado por los condenados a muerte.   [4] *los cristos:* los crucifijos que iban delante de la comitiva.   [5] *La N de palo:* la horca.   [6] *teatino:* jesuita. Se llamaban también *teatinos* los religiosos de una orden fundada por San Cayetano Thiene en el siglo XVI, pero dicha orden no se estableció en España hasta 1630.

---

(21) Obsérvese —aquí como en muchas otras situaciones— la ironía latente en esta ponderación de la honra: el oficio de verdugo era uno de los más viles e infames (para el uso del diminutivo, véase **3**). El elogio que sigue acerca de la muerte en la horca sin dar muestras de flaqueza era frecuente entre maleantes, y constituye uno de los motivos más comunes en la novela picaresca.

coger las piernas ni hacer gesto; quedó con una gravedad que no había más que pedir. Hícele cuartos, y dile por sepultura los caminos.[7] Dios sabe lo que a mí me pesa de verle en ellos, haciendo mesa franca[8] a los grajos. Pero yo entiendo que los pasteleros desta tierra nos consolarán, acomodándole en los de a cuatro.[9]

De vuestra madre, aunque está viva agora, casi os puedo decir lo mismo, porque está presa en la Inquisición de Toledo, porque desenterraba los muertos sin ser murmuradora.[10] Dícese que daba paz[11] cada noche a un cabrón[12] en el ojo que no tiene niña.[13] Halláronla en su casa más piernas, brazos y cabezas que en una capilla de milagros.[14] Y lo menos que hacía era sobrevirgos y contrahacer doncellas. Dicen que representará en un auto el día de la Trinidad, con cuatrocientos de muerte.[15] Pésame que nos deshonra a todos, y a mí principalmente, que, al fin, soy ministro del Rey, y me están mal estos parentescos.

Hijo, aquí ha quedado no sé qué hacienda escondida de vuestros padres; será en todo hasta cuatrocientos ducados. Vuestro tío soy, y lo que tengo ha de ser para vos. Vista ésta, os podréis venir aquí, que, con lo que vos sabéis de latín y retórica, seréis singular en el arte de verdugo. Respondedme luego, y, entre tanto. Dios os guarde.»[22]

---

[7] Era costumbre descuartizar el cuerpo del ahorcado y exponer sus partes en público, como ejemplo en que escarmentasen otros delincuentes.   [8] *mesa franca:* comida común, libre.   [9] *los de a cuatro:* los pasteles de hojaldre (rellenos de carne) que valían cuatro maravedís (adviértase la intención satírica del chiste macabro, basado en el juego verbal con las palabras *cuartos, cuatro* y *cuarto:* moneda de cobre equivalente a cuatro maravedís).   [10] *desenterraba los muertos sin ser murmuradora:* otro juego verbal basado en el doble significado de *desenterrar a los muertos:* «murmurar» (sentido figurado) y «robar objetos o partes de cadáveres desenterrados» (lo que realmente hace la madre de Pablos para sus brujerías).   [11] *daba paz:* besaba.   [12] *cabrón:* demonio.   [13] *el ojo que no tiene niña:* el ojo del culo.   [14] *capilla de milagros:* capilla de ofrendas.   [15] Otro juego verbal basado en el uso disémico de *representará, auto* y *cuatrocientos de muerte:* dicen que actuará en un auto teatral con cuatrocientas figuras de la muerte; pero el sentido último es: «que figurará en un auto de fe (castigo público ordenado por la Inquisición) condenada a cuatrocientos azotes».

(22) En esta carta de Alonso Ramplón se manifiesta el distanciamiento de Quevedo con respecto a sus criaturas. Tanto esta carta como, des-

No puedo negar que sentí mucho la nueva afrenta, pero holguéme en parte: tanto pueden los vicios en los padres, que consuelan de sus desgracias, por grandes que sean, a los hijos.

Fuime corriendo a don Diego, que estaba leyendo la carta de su padre, en que le mandaba que se fuese y que no me llevase en su compañía, movido de las travesuras mías que había oído decir. Díjome cómo se determinaba ir, y todo lo que le mandaba su padre, que a él le pesaba de dejarme, y a mí más; díjome que me acomodaría con otro caballero amigo suyo, para que le sirviese. Yo, en esto, riéndome, le dije: —«Señor, ya soy otro, y otros mis pensamientos; más alto pico, y más autoridad me importa tener. Porque, si hasta ahora tenía como cada cual mi piedra en el rollo, ahora tengo mi padre.»[16] Declaréle cómo había muerto tan honradamente como el más estirado,[17] cómo le trincharon y le hicieron moneda,[18] cómo me había escrito mi señor tío, el verdugo, desto y de la prisioncilla de mama,[19] que a él, como a quien sabía quién yo soy, me pude descubrir sin vergüenza. Lastimóse mucho y preguntóme que qué pensaba hacer. Dile cuenta de mis determinaciones; y con tanto, al otro día,

---

[16] *mi piedra en el rollo, ahora tengo mi padre:* zeugma dilógico en la doble acepción de *rollo: Tener la piedra en el rollo*, tener asiento en las gradas de la plaza donde se reunía la gente, tener honra; pero lo que sigue lo autorridiculiza: «tengo a mi padre en la horca» *(rollo:* columna de piedra que servía de picota, horca).   [17] *estirado:* en el doble sentido de: «orgulloso» y «tieso» (estirado por la horca).   [18] *le hicieron moneda:* le hicieron cuartos; le descuartizaron (alusión a los pasteles rellenos de carne). Véase nota 9.   [19] *mama:* mamá (era palabra llana entonces).

---

pués, la de Pablos a su tío o la correspondencia del Buscón con la monja, son buenos ejemplos de humor malicioso que condensa en pocas líneas las contradicciones del alma. Por otra parte, aparecen ya claramente notas del humor macabro a que tan aficionado era Quevedo y que volverá a aflorar en idénticas asociaciones de carácter macabro en II, 4 y en III, 2. Véase el análisis de esta carta y su posible relación con *La Celestina* y el *Lazarillo* en Donatella Moro: «El *Buscón* de Quevedo a la luz de *La Celestina* y del *Lazarillo»*, en *La picaresca, orígenes, textos y estructuras*, Madrid, Fundación Universitaria Española, 1979, pp. 689-704.

él se fue a Segovia harto triste, y yo me quedé en la casa disimulando mi desventura.

Quemé la carta porque, perdiéndoseme acaso, no la leyese alguien, y comencé a disponer mi partida para Segovia, con fin de cobrar mi hacienda y conocer mis parientes, para huir dellos.

LIBRO SEGUNDO[23]

CAPÍTULO I

Del camino de Alcalá para Segovia, y de lo que me sucedió en él hasta Rejas,[1] donde dormí aquella noche.

Llegó el día de apartarme de la mejor vida que hallo haber pasado. Dios sabe lo que sentí el dejar tantos amigos y apasionados, que eran sin número. Vendí lo poco que tenía, de secreto, para el camino, y, con ayuda de unos embustes, hice hasta

---

[1] *Rejas:* lugar próximo a Madrid.

(23) Las inconexiones y dispersiones constructivas de la novela se manifiestan en este segundo libro más claramente que nunca. Mientras que los siete capítulos del libro I mantenían una artículación constructiva coherente (los tres primeros, de aprendizaje en Segovia; el cuarto, itinerante, hacia Alcalá, con el intermedio de la venta de Viveros; y los tres últimos, de «aprendizaje» y burlas en Alcalá), ahora, en el libro II, la desarticulación se intensifica especialmente en los tres primeros capítulos, con un relato itinerante, el paso de Pablos de protagonista a mero espectador de los hechos y una sucesión de episodios sin coherencia lógica (nótese que lo mismo podían aparecer el arbitrista, el diestro de esgrima, el mulatazo, el sacristán coplero, etc., en el orden en que aparecen que en otro orden cualquiera).

seiscientos reales. Alquilé una mula y salíme de la posada, adonde ya no tenía que sacar más de mi sombra. ¿Quién contara las angustias del zapatero por lo fiado, las solicitudes del ama por el salario, las voces del huésped de la casa por el arrendamiento? Uno decía: —«¡Siempre me lo dijo el corazón!»; otro: —«¡Bien me decían a mí que éste era un trampista!»[2] Al fin, yo salí tan bienquisto del pueblo, que dejé con mi ausencia a la mitad dél llorando, y a la otra mitad riéndose de los que lloraban.

Yo me iba entreteniendo por el camino, considerando en estas cosas, cuando, pasado Torote,[3] encontré con un hombre en un macho de albarda, el cual iba hablando entre sí con muy gran prisa, y tan embebecido, que, aun estando a su lado, no me veía. Saludéle y saludóme; preguntéle dónde iba, y después que nos pagamos las respuestas, comenzamos luego a tratar de si bajaba el turco[4] y de las fuerzas del Rey. Comenzó a decir de qué manera se podía conquistar la Tierra Santa, y cómo se ganaría Argel; en los cuales discursos eché de ver que era loco república y de gobierno.[5]

Proseguimos en la conversación propia de pícaros, y venimos a dar, de una cosa en otra, en Flandes. Aquí fue ello, que empezó a suspirar y a decir: —«Más me cuestan a mí esos estados que al Rey, porque ha catorce años que ando con un arbitrio que, si como es imposible no lo fuera, ya estuviera todo sosegado.» —«¿Qué cosa puede ser?» —le dije yo— «que, conviniendo tanto, sea imposible y no se pueda hacer?». —«¿Quién le dice a v. m.» —dijo luego— «que no se puede hacer?; hacerse puede, que ser imposible es otra cosa. Y si no fuera por dar pesadumbre, le contara a v. m. lo que es; pero allá se verá, que agora lo pienso imprimir con otros trabajillos, entre los cuales le doy al Rey modo de ganar a Ostende por dos caminos». Roguéle que me los dijese, y, al punto, sacando de las faldriqueras[6] un gran

---

[2] *trampista*: embustero, tramposo. [3] *Torote*: riachuelo, afluente del Henares, entre Alcalá y Torrejón. [4] El motivo de la amenaza de los turcos era tema habitual de conversación en los siglos XVI y XVII, por temor real a la armada turca en el Mediterráneo. [5] *loco república y de gobierno*: arbitrista, inventor de arbitrios (soluciones fantásticas o descabelladas para los problemas del estado; su figura era un tópico satírico en la literatura de la época). [6] *faldriqueras*: falsos bolsillos sujetos en el interior del vestido.

papel, me mostró pintado el fuerte del enemigo y el nuestro, y dijo: —«Bien ve v. m. que la dificultad de todo está en este pedazo de mar; pues yo doy orden de chuparle todo con esponjas, y quitarle de allí.» Di yo con este desatino una gran risada,[7] y él entonces, mirándome a la cara, me dijo: —«A nadie se lo he dicho que no haya hecho otro tanto, que a todos les da gran contento.» —«Ese tengo yo, por cierto» —le dije—, «de oír cosa tan nueva y tan bien fundada, pero advierta v. m. que ya que[8] chupe el agua que hubiere entonces, tornará luego la mar a echar más». —«No hará la mar tal cosa, que lo tengo yo eso muy apurado»[9] —me respondió—, «y no hay que tratar; fuera de que yo tengo pensada una invención para hundir la mar por aquella parte doce estados».[10] [(24)]

No le osé replicar de miedo que me dijese que tenía arbitrio para tirar el cielo acá bajo. No vi en mi vida tan gran orate.[11] Decíame que Juanelo[12] no había hecho nada, que él trazaba agora de subir toda el agua de Tajo a Toledo de otra manera más fácil. Y sabido lo que era, dijo que por ensalmo:[13] ¡mire v. m. quién tal oyó en el mundo! Y, al cabo, me dijo: —«Y no lo pienso poner en ejecución, si primero el Rey no me da una encomienda,[14] que la puedo tener muy bien, y tengo una ejecutoria[15] muy honrada.» Con estas pláticas y desconciertos, llega-

---

[7] *risada:* risotada, carcajada. [8] *ya que:* cuando, tan pronto como. [9] *apurado:* investigado. [10] *doce estados:* doce veces la estatura media de un hombre. [11] *orate:* loco, insensato. [12] Se refiere a Juanelo Turriano, ingeniero italiano, llamado el segundo Arquímedes, famoso en España por haber inventado la máquina hidráulica para subir agua del Tajo hasta lo más alto de la ciudad de Toledo. [13] *por ensalmo:* por arte de magia. [14] *encomienda:* dignidad dotada de renta vitalicia. [15] *ejecutoria:* carta o certificado de hidalguía.

---

(24) La ciudad flamenca de Ostende estuvo asediada por las tropas españolas al mando del Marqués de Spínola desde julio de 1601 hasta septiembre de 1604; durante su cerco recibía ayuda de los ingleses por mar. La referencia histórica es un dato importante para la localización temporal de la novela, cuya acción en este punto transcurre necesariamente en esos años, y para la datación de la misma. Véase documento número 7.

mos a Torrejón,[16] donde se quedó, que venía a ver una parienta suya.

Yo pasé adelante, pereciéndome de risa de los arbitrios en que ocupaba el tiempo, cuando, Dios y enhorabuena, desde lejos, vi una mula suelta, y un hombre junto a ella a pie, que, mirando a un libro, hacía unas rayas que medía con un compás. Daba vueltas y saltos a un lado y a otro, y de rato en rato, poniendo un dedo encima de otro, hacía con ellos mil cosas saltando. Yo confieso que entendí por gran rato —que me paré desde lejos a verlo— que era encantador,[17] y casi no me determinaba a pasar. Al fin, me determiné, y, llegando cerca, sintióme, cerró el libro, y, al poner el pie en el estribo, resbalósele y cayó. levantéle, y díjome: —«No tomé bien el medio de proporción para hacer la circunferencia al subir.» Yo no le entendí lo que me dijo y luego temí lo que era, porque más desatinado hombre no ha nacido de las mujeres.

Preguntóme si iba a Madrid por línea recta, o si iba por camino circunflejo. Yo, aunque no lo entendí, le dije que circunflejo. Preguntóme cúya[18] era la espada que llevaba al lado. Respondíle que mía, y, mirándola, dijo: —«Esos gavilanes[19] habían de ser más largos, para reparar[20] los tajos que se forman sobre el centro de las estocadas.» Y empezó a meter una parola[21] tan grande, que me forzó a preguntarle qué materia profesaba. Díjome que él era diestro[22] verdadero, y que lo haría bueno[23] en cualquiera parte. Yo, movido a risa, le dije: —«Pues, en verdad, que por lo que yo vi hacer a v. m. en el campo denantes,[24] que más le tenía por encantador, viendo los círculos.» —«Eso» —me dijo— «era que se me ofreció una treta por el cuarto círculo con el compás mayor,[25] cautivando la espada para matar sin confe-

---

[16] *Torrejón:* Torrejón de Ardoz, villa próxima a Alcalá de Henares. [17] *encantador:* mago. [18] *cúya:* de quién. [19] *gavilanes:* los dos hierros que forman la cruz en la guarnición de la espada (sirven para proteger la mano contra los golpes del rival). [20] *reparar:* defender. [21] *parola:* charla inútil. [22] *diestro:* maestro de esgrima. [23] *lo haría bueno:* lo demostraría. [24] *denantes:* antes. [25] *cuarto círculo con el compás mayor:* en esgrima, *cuarto círculo* es un paso de ataque en el cual la espada describe un cuarto de círculo en torno a la punta de la espada contraria; *compás:* paso, movimiento de esgrima.

sión al contrario, porque no diga quién lo hizo, y estaba po-
niéndolo en términos de matemática». —«¿Es posible» —le dije
yo— «que hay matemática en eso?».«No solamente matemática» —dijo—, «más teología, filosofía, música y medicina».
—«Esa postrera no lo dudo, pues se trata de matar en esa arte.»
—«No os burléis» —me dijo—, «que ahora aprendo yo la limpiadera [26] contra la espada, haciendo los tajos mayores, que com-
prehenden en sí las aspirales [27] de la espada.» —«No entiendo
cosa de cuantas me decís, chica ni grande.» —«Pues este libro
las dice» —me respondió—, «que se llama *Grandezas de la espada,* [28] y es muy bueno y dice milagros; y, para que lo creáis,
en Rejas que dormiremos esta noche, con dos asadores me veréis hacer maravillas. Y no dudéis que cualquiera que leyere en
este libro, matará a todos los que quisiere». —«U [29] ese libro enseña a ser pestes a los hombres, u le compuso algún doctor.»
—«¿Cómo doctor? Bien lo entiende» —me dijo—: «es un gran
sabio, y aun, estoy por decir, más».

En estas pláticas, llegamos a Rejas. Apeámonos en una posada y, al apearnos, me advirtió con grandes voces que hiciese un
ángulo obtuso con las piernas, y que, reduciéndolas a líneas pa-
ralelas, me pusiese perpendicular en el suelo. El huésped, que
me vio reír y le vio, preguntóme que si era indio aquel caballero, que hablaba de aquella suerte. pensé con esto perder el juicio. Llegóse luego al huésped, y díjole: —«Señor, déme dos asadores para dos o tres ángulos, [30] que al momento se los volveré.»
—«¡Jesús!» —dijo el huésped—, «déme v. m. acá los ángulos,
que mi mujer los asará; aunque aves son que no las he oído nombrar». —«¡Qué! ¡No son aves!»; dijo volviéndose a mí: —«Mire
v. m. lo que es no saber. Déme los asadores, que no los quiero
sino para esgrimir; que quizá le valdrá más lo que me viere hacer hoy, que todo lo que ha ganado en su vida.» En fin, los asadores estaban ocupados, y hubimos de tomar dos cucharones.

---

[26] *limpiadera:* cepillo.   [27] *aspirales:* espirales.   [28] Quevedo ridiculiza en este
grotesco episodio al autor del conocido tratado de esgrima, *Libro de las grandezas
de la espada* (1600), obra de Luis Pacheco de Narváez, enemigo de Quevedo, quien
llegó a vencerlo en una disputa en casa del conde de Miranda.   [29] *U:* o.   [30] *ángulos:* en esgrima, los formados por brazo y espada con el cuerpo del diestro.

No se ha visto cosa tan digna de risa en el mundo. Daba un salto y decía —«Con este compás alcanzo más, y gano los grados del perfil. Ahora me aprovecho del movimiento remiso[31] para matar el natural. Esta había de ser cuchillada, y éste tajo.» No llegaba a mí desde una legua, y andaba alrededor con el cucharón; y como yo me estaba quedo, parecían tretas contra olla que se sale. Díjome al fin: —«Esto es lo bueno, y no las borracherías que enseñan estos bellacos maestros de esgrima, que no saben sino beber.»

No lo había acabado de decir, cuando de un aposento salió un mulatazo mostrando las presas,[32] con un sombrero enjerto en guardasol,[33] y un coleto[34] de ante debajo de una ropilla[35] suelta y llena de cintas, zambo de piernas a lo águila imperial, la cara con un *per signum crucis de inimicis suis*,[36] la barba de ganchos, con unos bigotes de guardamano,[37] y una daga con más rejas[38] que un locutorio de monjas.[(25)] Y, mirando al suelo,

---

[31] *movimiento remiso:* uno de los movimientos de la espada (otro movimiento es el *natural*). [32] *presas:* colmillos (los dientes). [33] *guardasol:* quitasol. [34] *coleto:* casaca o chaleco sin mangas. [35] *ropilla:* vestidura corta. [36] *per signum crucis de inimicis suis:* cicatriz de una cuchillada en el rostro (expresión paródica de la fórmula de persignarse, haciendo la señal de la cruz). [37] *la barba de ganchos, con unos bigotes de guardamano:* se trasladan a la barba y a los bigotes rasgos de las armas propias de rufianes, para resaltar el aspecto de valentón del mulatazo; *ganchos:* gavilanes encorvados en forma de *S* (véase nota 19); *guardamano:* guarnición de la espada en forma circular. [38] *rejas:* adornos.

(25) Es éste uno de los ejemplos más precisos y concentrados del arte verbal de Quevedo. En escasas líneas se hace la presentación del mulatazo, rufián o valentón, cuya apariencia externa aparece caracterizada en su desmesura y extravagancia, desde el aumentativo *mulatazo*, los dientes-colmillos, la ropa ajustada, el enorme sombrero, la barba y los bigotes exagerados, hasta el defecto de zambo. Obsérvese la acumulación de las más audaces asociaciones, tan características de Quevedo, como la fórmula comparativa *más* + designación de un objeto normal + *que* + término de comparación descomunal en tal contexto *(más rejas que un locutorio de monjas;* más adelante, se repetirá en... *más hierro que Vizcaya.* La fórmula es muy frecuente en la prosa satírica de Quevedo). Véase **32.**

dijo: —«Yo soy examinado y traigo la carta,[39] y, por el sol que calienta los panes,[40] que haga pedazos a quien tratare mal a tanto buen hijo como profesa la destreza.»[41] Yo que vi la ocasión, metíme en medio, y dije que no hablaba con él, y que así no tenía por qué picarse. —«Meta mano a la blanca[42] si la trae, y apuremos[43] cuál es verdadera destreza, y déjese de cucharones.»

El pobre de mi compañero abrió el libro, y dijo en altas voces: —«Este libro lo dice, y está impreso con licencia del Rey, y yo sustentaré que es verdad lo que dice, con el cucharón y sin el cucharón, aquí y en otra parte, y, si no, midámoslo.» Y sacó el compás, y empezó a decir: —«Este ángulo es obtuso.» Y entonces, el maestro sacó la daga, y dijo: —«Yo no sé quién es Angulo ni Obtuso, ni en mi vida oí decir tales hombres; pero, con ésta en la mano, le haré yo pedazos.»

Acometió al pobre diablo, el cual empezó a huir, dando saltos por la casa, diciendo: —«No me puede dar, que le he ganado los grados del perfil.» Metímoslos en paz el huésped y yo y otra gente que había, aunque de risa no me podía mover.

Metieron al buen hombre en su aposento, y a mí con él; cenamos, y acostámonos todos los de la casa. Y, a las dos de la mañana, levántase en camisa, y empieza a andar a escuras por el aposento, dando saltos y diciendo en lengua matemática mil disparates. Despertóme a mí, y, no contento con esto, bajó al huésped para que le diese luz, diciendo que había hallado objeto fijo a la estocada sagita[44] por la cuerda. El huésped se daba a los diablos de que lo despertase, y tanto le molestó, que le llamó loco. Y con esto, se subió y me dijo que, si me quería levantar, vería la treta tan famosa que había hallado contra el turco y sus alfanjes. Y decía que luego se la quería ir a enseñar al Rey, por ser en favor de los católicos.

En esto, amaneció; vestímonos todos, pagamos la posada, hicímoslos amigos a él y al maestro, el cual se apartó diciendo

---

[39] *la carta:* la carta de examen.　[40] *panes:* trigales.　[41] *destreza:* arte de la esgrima.　[42] *la blanca:* la espada.　[43] *apuremos:* veamos.　[44] *sagita:* porción de recta comprendida entre el punto medio del arco de círculo y el de su cuerda.

que el libro que alegaba mi compañero era bueno, pero que hacía más locos que diestros, porque los más no lo entendían.

CAPÍTULO II

De lo que me sucedió hasta llegar a Madrid, con un poeta.

Yo tomé mi camino para Madrid, y él se despidió de mí por
ir diferente jornada.[1] Y ya que estaba apartado, volvió con gran
prisa, y, llamándome a voces, estando en el campo donde no nos
oía nadie, me dijo al oído: —«Por vida de v. m., que no diga
nada de todos los altísimos secretos que le he comunicado en materia de destreza, y guárdelo para sí, pues tiene buen entendimiento.» Yo le prometí de hacerlo; tornóse a partir de mí, y yo
empecé a reírme del secreto tan gracioso.

Con esto, caminé más de una legua que no topé persona. Iba
yo entre mí pensando en las muchas dificultades que tenía para
profesar honra y virtud, pues había menester tapar primero la
poca de mis padres, y luego tener tanta, que me desconociesen
por ella. Y parecíanme a mí tan bien estos pensamientos hon-
rados, que yo me los agradecía a mí mismo. Decía a solas:
—«Más se me ha de agradecer a mí, que no he tenido de quien
aprender virtud, ni a quien parecer en ella, que al que la hereda
de sus agüelos.»[26]

---

[1] *ir diferente jornada:* llevar diferente camino.

---

(26) Este tipo de reflexiones sobre la honra, su concepción y su relevancia social es un motivo temático muy frecuente en la novela picaresca. No es difícil encontrar algunas semejantes en el *Lazarillo* (véase,
por ejemplo, el final del «Prólogo»). Sin embargo, Quevedo va más allá:
hace que Pablos se ridiculice a sí mismo, y con ello quedan ridiculiza-
das también sus pretensiones de alcanzar honra (probablemente también
se parodia el mismo motivo, tomado del *Lazarillo*). La burla prosigue
luego con el sacristán ignorante y poeta ridículo, autor, entre otras lin-
dezas, de un descabellado poema de más de cuatro millones de versos
dedicado a las once mil vírgenes.

En estas razones y discursos iba, cuando topé un clérigo muy viejo en una mula, que iba camino de Madrid. Trabamos plática, y luego me preguntó que de dónde venía; yo le dije que de Alcalá. —«Maldiga Dios» —dijo él— «tan mala gente como hay en ese pueblo, pues falta entre todos un hombre de discurso». Preguntéle que cómo o por qué se podía decir tal de lugar donde asistían tantos doctos varones. Y él, muy enojado, dijo: —«¿Doctos? Yo le diré a v. m. que tan doctos, que habiendo más de catorce años que hago yo en Majalahonda,[2] donde he sido sacristán, las chanzonetas[3] al Corpus y al Nacimiento, no me premiaron en el cartel[4] unos cantarcitos; y porque vea v. m. la sinrazón, se los he de leer, que yo sé que se holgará.» Y diciendo y haciendo, desenvainó una retahíla de coplas pestilenciales, y por la primera, que era ésta, se conocerán las demás:

> Pastores, ¿no es lindo chiste,
> que es hoy el señor san Corpus Christe?
> Hoy es el día de las danzas
> en que el Cordero sin mancilla
> tanto se humilla,
> que visita nuestras panzas,
> y entre estas bienaventuranzas
> entra en el humano buche.
> Suene el lindo sacabuche,[5]
> pues nuestro bien consiste.
> Pastores, ¿no es lindo chiste?, etc.

—«¿Qué pudiera decir más» —me dijo— «el mismo inventor de los chistes? Mire qué misterios encierra aquella palabra *pastores:* más me costó de un mes de estudio.» Yo no pude con esto tener la risa, que a barbollones[6] se me salía por los ojos y narices, y dando una gran carcajada, dije: —«¡Cosa admirable! Pero sólo reparo en que llama v. m. *señor san Corpus Christe.* Y Corpus Christi no es santo, sino el día de la institución del

---

[2] *Majalahonda:* Majadahonda, pueblo cercano a Madrid (citado entonces como ejemplo de ignorancia).   [3] *chanzonetas:* cancioncillas.   [4] *cartel:* papel en que se anunciaba el fallo de una justa poética.   [5] *sacabuche:* trompeta.   [6] *a barbollones:* a borbollones, a borbotones.

Sacramento.» —«¡Qué lindo es eso!» —me respondió, haciendo burla—; «yo le daré en el calendario, y está canonizado, y apostaré a ello la cabeza».

No pude porfiar, perdido de risa de ver la suma ignorancia; antes le dije cierto que eran dignas de cualquier premio, y que no había oído cosa tan graciosa en mi vida. —«¿No?» —dijo al mismo punto—; «pues oiga v. m. un pedacito de un librillo[27] que tengo hecho a las once mil vírgines, adonde a cada una he compuesto cincuenta otavas,[7] cosa rica.» Yo, por escusarme de oír tanto millón de octavas, le supliqué que no me dijese cosa a lo divino.[8] Y así, me comenzó a recitar una comedia que tenía más jornadas[9] que el camino de Jerusalén. Decíame: —«Hícela en dos días, y éste es el borrador.» Y sería hasta cinco manos de papel.[10] El título era *El arca de Noé*. Hacíase toda entre gallos y ratones, jumentos, raposas, lobos y jabalíes, como fábulas de Isopo.[11] Yo le alabé la traza y la invención, a lo cual me respondió: —«Ello cosa mía es, pero no se ha hecho otra tal en el mundo, y la novedad es más que todo; y, si yo salgo con hacerla representar, será cosa famosa.» — ¿Cómo se podrá representar» —le dije yo—, «si han de entrar los mismos animales, y ellos no hablan?» —«Esa es la dificultad, que a no haber ésa, ¿había cosa más alta? Pero yo tengo pensado de hacerla toda de papagayos, tordos y picazas, que hablan, y meter para el entremés monas.» —«Por cierto, alta cosa es ésa.» —«Otras más altas he hecho yo» —dijo—, «por una mujer a quien amo. Y vea aquí novecientos y un sonetos, y doce redondillas» —que parecía que contaba escudos por maravedís— «hechos a las piernas de mi dama». Yo le dije que si se las había visto él, y díjome que no había hecho

---

[7] *otavas:* octavas (estrofas de ocho versos). Véase nota 23 de I, 5. [8] *a lo divino:* de asunto religioso. [9] *jornadas:* en el doble sentido de «acto» (parte de una comedia) y «camino de un día». [10] *cinco manos de papel:* 125 pliegos (cada mano de papel tenía 25 pliegos). Extensión desorbitada, como resulta de la comparación con los pliegos del *Quijote* de 1605: tenía 83 pliegos. [11] *Isopo:* Esopo, fabulista griego (siglo VI a. de C.).

(27) Véase **3**.

tal por las órdenes que tenía, pero que iban en profecía los concetos. [12]

Yo confieso la verdad, que aunque me holgaba de oírle, tuve miedo a tantos versos malos, y así, comencé a echar la plática a otras cosas. Decíale que veía liebres, y él saltaba: —«Pues empezaré por uno donde la comparo a ese animal.» Y empezaba luego; y yo, por divertirle, [13] decía: —«¿No ve v. m. aquella estrella que se ve de día?» A lo cual, dijo: —«En acabando éste, le diré el soneto treinta, en que la llamo estrella, que no parece sino que sabe los intentos dellos.»

Aflígíme tanto, con ver que no podía nombrar cosa a que él no hubiese hecho algún disparate, que, cuando vi que llegábamos a Madrid, no cabía de contento, entendiendo que de vergüenza callaría; pero fue al revés, porque, por mostrar lo que era, alzó la voz en entrando por la calle. Yo le supliqué que lo dejase, poniéndole por delante que, si los niños olían poeta, no quedaría troncho [14] que no se viniese por sus pies tras nosotros, por estar declarados por locos en una premática [15] que había salido contra ellos, de uno que lo fue y se recogió a buen vivir. Pidióme que se la leyese si la tenía, muy congojado. Prometí de hacerlo en la posada. Fuimos a una, donde él se acostumbraba apear, y hallamos a la puerta más de doce ciegos. Unos le conocieron por el olor, y otros por la voz. Diéronle una barahúnda de bienvenido; abrazólos a todos, y luego comenzaron unos a pedirle oración para el Justo Juez [16] en verso grave y sonoroso, tal que provocase a gestos; otros pidieron de las ánimas, y por aquí discurrió, recibiendo ocho reales de señal de cada uno. Despidiólos, y díjome: —«Más me han de valer de trecientos reales los ciegos; y así, con licencia de v. m., me recogeré agora un poco, para hacer alguna dellas, y, en acabando de comer, oiremos la premática.»

¡Oh vida miserable! Pues ninguna lo es más que la de los locos que ganan de comer con los que lo son.

---

[12] *Iban en profecía los concetos:* iban imaginados los conceptos. [13] *divertirle:* distraerle (cambiar de tema). [14] *troncho:* tallo (alude a las verduras arrojadas a los malos dramaturgos). [15] *premática:* pragmática, disposición legal. [16] Véase nota 17 de I, 6.

CAPÍTULO III

*De lo que hice en Madrid, y lo que me sucedió hasta llegar a
Cercedilla, donde dormí.*

Recogióse un rato a estudiar herejías y necedades para los ciegos. Entre tanto, se hizo hora de comer; comimos, y luego pidióme que le leyese la premática. Yo, por no haber otra cosa
que hacer, la saqué y se la leí. La cual pongo aquí, por haberme parecido aguda y conveniente a lo que se quiso reprehender
en ella. Decía en este tenor:

PREMÁTICA DEL DESENGAÑO CONTRA LOS POETAS GÜEROS,
CHIRLES Y HEBENES[28]

Diole al sacristán la mayor risa del mundo, y dijo: —«¡Hablara yo para mañana![1] Por Dios, que entendí que hablaba conmigo, y es sólo contra los poetas hebenes.»[2] Cayóme a mí muy
en gracia oírle decir esto, como si él fuera muy albillo o mosca-
tel. Dejé el prólogo y comencé el primer capítulo, que decía:

---

[1] *¡Hablara yo para mañana!:* expresión que indica que ya es tarde para decir lo
que se quería (¡Haberlo dicho antes!).   [2] *hebenes:* de *hebén:* uva blanca, de grano
gordo y velloso, que se queda rala.

(28) Una de las aficiones juveniles de Quevedo fue la de escribir *premáticas* burlescas sobre los más diversos aspectos de la realidad social y
cultural de la época. Ésta, dedicada a los *poetas güeros* (hueros, vacíos),
chirles (uva silvestre que produce un vino aguado, llamado *agua chirle)*
y *hebenes* (insustanciales), fue escrita como obra aparte, y luego inclui-
da en el *Buscón,* en este contexto de burlas de los tres primeros capítulos del libro II, en que el autor subordina la coherencia constructiva de
su novela a su afán «casi demoníaco de ostentar ingenio», como si de
un entremés se tratara en este desfile de figuras grotescas. Seguramente,
por ella le llamó Cervantes *(Viaje del parnaso)* «flagelo de poetas me-
mos». Véase **23**.

«Atendiendo a que este género de sabandijas[3] que llaman poetas son nuestros prójimos, y cristianos aunque malos; viendo que todo el año adoran cejas, dientes, listones[4] y zapatillas, haciendo otros pecados más inormes; mandamos que la Semana Santa recojan a todos los poetas públicos y cantoneros,[5] como a malas mujeres, y que los prediquen sacando Cristos para convertirlos. Y para esto señalamos casas de arrepentidos.

Iten, advirtiendo los grandes buchornos que hay en las caniculares[6] y nunca anochecidas coplas de los poetas de sol,[7] como pasas a fuerza de los soles y estrellas que gastan en hacerlas, les ponemos perpetuo silencio en las cosas del cielo, señalando meses vedados a las musas, como a la caza y pesca, porque no se agoten con la prisa que las dan.

Iten, habiendo considerado que esta seta[8] infernal de hombres condenados a perpetuo conceto, despedazadores de vocablos y volteadores de razones, han pegado el dicho achaque de poesía a las mujeres, declaramos que nos tenemos por desquitados con este mal que las hemos hecho, del que nos hicieron en la manzana. Y por cuanto el siglo[9] está pobre y necesitado, mandamos quemar las coplas de los poetas, como franjas[10] viejas, para sacar el oro, plata y perlas, pues en los más versos hacen sus damas de todos metales, como estatuas de Nabuco.»[11]

Aquí no lo pudo sufrir el sacristán y, levantándose en pie, dijo: —«¡Mas no, sino quitarnos las haciendas! No pase v. m. adelante, que sobre eso pienso ir al Papa, y gastar lo que tengo. Bueno es que yo, que soy eclesiástico, había de padecer ese agra-

---

[3] *sabandijas:* personas despreciables (metáfora).   [4] *listones:* cintas de seda.   [5] *poetas públicos y cantoneros:* creación burlesca sacada de *mujeres públicas y cantoneras* (putas que atendían a sus clientes en las esquinas). Propone, pues, que los «poetas prostituidos» sean recogidos en Semana Santa, como efectivamente lo eran las prostitutas, a las que se predicaba la vuelta a la vida recta.   [6] *caniculares:* calenturientas.   [7] *los poetas de sol:* referencia burlesca a los poetas que sólo saben usar y abusar del metaforismo tópico del sol y las estrellas para enaltecer los cabellos de la mujer.   [8] *seta:* secta (después, *conceto:* concepto). Véase nota 23 de I, 5.   [9] *el siglo:* el mundo.   [10] *franjas:* guarniciones de oro y plata (alude al recargamiento de metales precioso en tales obras).   [11] *Nabuco:* Nabucodonosor, rey de Babilonia (siglos VII-VI a. de C.), quien soñó con una estatua —que después mandó construir— de oro, plata, hierro y cobre.

vio. Yo probaré que las coplas del poeta clérigo no están sujetas a tal premática, y luego quiero irlo a averiguar ante la justicia.»

En parte me dio gana de reír, pero, por no detenerme, que se me hacía tarde, le dije: —«Señor, esta premática es hecha por gracia, que no tiene fuerza ni apremia, por estar falta de autoridad.» —«¡Pecador de mí!» —dijo muy alborotado—; «avisara v. m., y hubiérame ahorrado la mayor pesadumbre del mundo. ¿Sabe v. m. lo que es hallarse un hombre con ochocientas mil coplas de contado, y oír eso? Prosiga v. m., y Dios le perdone el susto que me dio». Proseguí diciendo:

«Iten, advirtiendo que después que dejaron de ser moros —aunque todavía conservan algunas reliquias— se han metido a pastores,[12] por lo cual andan los ganados flacos de beber sus lágrimas, chamuscados con sus ánimas encendidas, y tan embebecidos en su música, que no pacen, mandamos que dejen el tal oficio, señalando ermitas a los amigos de soledad. Y a los demás, por ser oficio alegre y de pullas,[13] que se acomoden en mozos de mulas.»

—«¡Algún puto, cornudo, bujarrón[14] y judío» —dijo en altas voces— «ordenó tal cosa! Y si yo supiera quién era, yo le hiciera una sátira, con tales coplas, que le pesara a él y a todos cuantos las vieran, de verlas. ¡Miren qué bien le estaría a un hombre lampiño[15] como yo la ermita! ¡O a un hombre vinajeroso y sacristando,[16] ser mozo de mulas! Ea, señor, que son grandes pesadumbres esas». —«Ya le he dicho a v. m.» —repliqué— «que son burlas, y que las oiga como tales».

Proseguí diciendo que «por estorbar los grandes hurtos, mandamos que no se pasen coplas de Aragón a Castilla, ni de Italia a España, so pena de andar bien vestido el poeta que tal hiciese, y, si reincidiese, de andar limpio un hora».

---

[12] Referencia satírico-burlesca a dos géneros literarios, el morisco y el pastoril, que habían estado de moda en el siglo XVI. Al mismo tiempo, Quevedo los tacha de conversos, pues «dejaron de ser moros», aunque «conservan algunas reliquias». [13] *pullas:* expresiones agudas y picantes. [14] *bujarrón:* homosexual, marica. [15] *lampiño:* sin barbas (y los ermitaños solían llevarlas grandes). [16] *vinajeroso y sacristando:* acostumbrado al manejo de las vinajeras, por su empleo de sacristán, palabra sobre la cual se construye la derivación cómica *sacristando.*

Esto le cayó muy en gracia, porque traía él una sotana con canas, de puro vieja, y con tantas cazcarrias[17] que, para enterrarle, no era menester más de estregársela encima. El manteo, se podían estercolar con él dos heredades.

Y así, medio riendo, le dije que mandaban también tener entre los desesperados que se ahorcan y despeñan, y que, como a tales, no las enterrasen en sagrado, a las mujeres que se enamoran de poeta a secas. Y que, advirtiendo a la gran cosecha de redondillas, canciones y sonetos que había habido en estos años fértiles, mandaban que los legajos que por sus deméritos escapasen de las especerías, fuesen a las necesarias sin apelación.[18]

Y, por acabar, llegué al postrer capítulo, que decía así: «Pero advirtiendo, con ojos de piedad, que hay tres géneros de gentes en la república tan sumamente miserables, que no pueden vivir sin los tales poetas como son farsantes, ciegos y sacristanes, mandamos que pueda haber algunos oficiales públicos desta arte, con tal que tengan carta de examen[19] de los caciques de los poetas que fueren en aquellas partes. Limitando a los poetas de farsantes que no acaben los entremeses con palos ni diablos, ni las comedias en casamientos, ni hagan las trazas con papeles o cintas. Y a los de ciegos, que no sucedan los casos en Tetuán, desterrándoles estos vocablos: *cristián, amada, humanal* y *pundonores;* y mandándoles que, para decir la *presente obra,* no digan *zozobra.* Y a los de sacristanes, que no hagan los villancicos con *Gil* ni *Pascual,*[20] que no jueguen del vocablo, ni hagan los pensamientos de tornillo,[21] que, mudándoles el nombre, se vuelvan a cada fiesta.

Y, finalmente, mandamos a todos los poetas en común, que se descarten de Júpiter, Venus, Apolo y otros dioses, so pena de que los tendrán por abogados a la hora de su muerte.»

A todos los que oyeron la premática pareció cuanto bien se

---

[17] *cazcarrias:* lodo pegado al borde inferior del vestido. [18] Es decir; que los legajos que no sirviesen para envolver especias en las tiendas, que fuesen a las letrinas sin apelación (para servir de papel higiénico). [19] *carta de examen:* documento acreditativo de los conocimientos profesionales. [20] *Gil* y *Pascual* eran nombres rústicos frecuentes en villancicos navideños. [21] *de tornillo:* retorcidos.

puede decir, y todos me pidieron traslado[22] de ella. Sólo el sacristanejo empezó a jurar por vida de las vísperas solemnes, *introibo* y *kiries*,[23] que era sátira contra él, por lo que decía de los ciegos, y que él sabía mejor lo que había de hacer que nadie. Y últimamente dijo: —«Hombre soy yo que he estado en una posada con Liñán,[24] y he comido más de dos veces con Espinel.»[25] Y que había estado en Madrid tan cerca de Lope de Vega como lo estaba de mí,[(29)] y que había visto a don Alonso de Ercilla mil veces, y que tenía en su casa un retrato del divino Figueroa, y que había comprado los gregüescos[26] que dejó Padilla cuando se metió fraile, y que hoy día los traía, y malos. Enseñólos, y dioles esto a todos tanta risa, que no querían salir de la posada.

Al fin, ya eran las dos, y como era forzoso el camino, salimos de Madrid. Yo me despedí dél, aunque me pesaba, y comencé a caminar para el puerto.[27] Quiso Dios que, porque no fuese pensando en mal, me topase con un soldado. Luego trabamos plática; preguntóme si venía de la Corte; dije que de paso había estado en ella. —«No está para más» —dijo luego— «que es pueblo para gente ruin. Más quiero, ¡voto a Cristo!, estar en un sitio, la nieve a la cinta,[28] hecho un reloj,[29] comiendo madera, que sufriendo las supercherías que se hacen a un hombre de bien».

A esto le dije yo que advirtiese que en la Corte había de todo, y que estimaban mucho a cualquier hombre de suerte.

---

[22] *traslado:* copia.   [23] El sacristán, intentando probar su erudición, sólo dice disparates. *Introibo* y *Kiries* son palabras de la liturgia de la misa en latín.   [24] *Liñán:* Pedro Liñán de Riaza, poeta muerto en 1607; tuvo bastante fama en su tiempo.   [25] *Espinel:* Vicente Espinel (1550-1624), autor del *Marcos de Obregón*. Siguen referencias a Lope de Vega (1562-1635), Alonso de Ercilla (1533-1594), todos ellos en plena celebridad entonces; Francisco de Figueroa (1536-1617), poeta de orientación garcilasiana llamado el *Divino*, y Pedro de Padilla, quien tuvo fama de notable improvisador (se hizo fraile carmelita en 1585).   [26] *gregüescos:* calzones anchos.   [27] Se refiere al puerto de Fuenfría, en el Guadarrama, por donde iba la calzada romana (A. Castro).   [28] *cinta:* cintura.   [29] *hecho un reloj:* armado y amenazador (siempre a punto).

(29) Nótese cómo el paso del estilo directo al indirecto permite al narrador ironizar sobre los argumentos expuestos por el mal poeta y mostrar su superioridad sobre tales argumentaciones. Dicha ironía queda, además, realzada por el polisíndeton y la reiteración anafórica de *que*.

—«¿Qué estiman» —dijo muy enojado— «si he estado yo ahí seis meses pretendiendo una bandera,[30] tras veinte años de servicios y haber perdido mi sangre en servicio del Rey, como lo dicen estas heridas?». Y enseñóme una cuchillada de a palmo en las ingles, que así era de incordio[31] como el sol es claro. Luego, en los calcañares, me enseñó otras dos señales, y dijo que eran balas; y yo saqué, por otras dos mías que tengo, que habían sido sabañones. Quitóse el sombrero y mostróme el rostro; calzaba diez y seis puntos de cara,[32] que tantos tenía en una cuchillada que le partía las narices. Tenía otros tres chirlos,[33] que se la volvían mapa a puras líneas.

—«Estas me dieron» —dijo— «defendiendo a París, en servicio de Dios y del Rey, por quien veo trinchado mi gesto,[34] y no he recibido sino buenas palabras, que agora tienen lugar de malas obras. Lea estos papeles» —me dijo—, «por vida del licenciado, que no ha salido en campaña, ¡voto a Cristo!, hombre, ¡vive Dios!, tan señalado.»[35] Y decía verdad, porque lo estaba a puros golpes.

Comenzó a sacar cañones[36] de hoja de lata y a enseñarme papeles, que debían de ser de otro a quien había tomado el nombre. Yo los leí, y dije mil cosas en su alabanza, y que el Cid ni Bernardo[37] no habían hecho lo que él. Saltó en esto, y dijo: —«¿Cómo lo que yo? ¡Voto a Dios!, ni lo que García de Paredes, Julián Romero[38] y otros hombres de bien, ¡pese al diablo! Sé que entonces no había artillería, ¡voto a Dios!, que no hubiera Bernardo para un hora en este tiempo. pregunte v. m. en Flandes por la hazaña del Mellado, y verá lo que le dicen.» —«¿Es v. m., acaso?», le dije yo; y él respondió: —«¿Pues qué

---

[30] *bandera:* el empleo de capitán en una compañía del tercio.   [31] *incordio:* tumor formado en las ingles como consecuencia de enfermedades venéreas.   [32] *puntos de cara:* puntos de sutura.   [33] *chirlos:* cuchilladas en el rostro.   [34] *gesto:* rostro.   [35] *señalado:* en el doble sentido de «renombrado» y «marcado en la cara»,   [36] *cañones:* tubos cilíndricos para guardar papeles.   [37] Al lado de la figura histórica del Cid Campeador se cita a Bernardo del Carpio, legendario vencedor de Roncesvalles en cuya existencia se creyó hasta el siglo XVIII.   [38] Dos adalides militares del siglo XVI famosos por sus proezas. Diego García de Paredes fue famoso por sus hazañas en las guerras de Italia (se le llamó el Sansón de Extremadura); Julián Romero fue maestro de campo en Flandes, con Luis de Requesens.

otro? ¿No me ve la mella que tengo en los dientes? No tratemos desto, que parece mal alabarse el hombre.»

Yendo en estas conversaciones, topamos en un borrico un ermitaño, con una barba tan larga, que hacía lodos con ella, macilento y vestido de paño pardo. Saludamos con el *Deo gracias* acostumbrado, y empezó a alabar los trigos y, en ellos, la misericordia del Señor. Saltó el soldado, y dijo: —«¡Ah, padre!, más espesas he visto yo las picas sobre mí, y, ¡voto a Cristo!, que hice en el saco de Amberes[39] lo que pude; sí, ¡juro a Dios!» El ermitaño le reprehendió que no jurase tanto, a lo cual dijo: —«Padre, bien se echa de ver que no es soldado, pues me reprehende mi propio oficio.» Diome a mí gran risa de ver en lo que ponía la soldadesca, y eché de ver que era algún picarón gallina, porque ya entre soldados no hay costumbre más aborrecida de los de más importancia, cuando no de todos.

Llegamos a la falda del puerto, el ermitaño rezando el rosario en una carga de leña hecha bolas,[40] de manera que, a cada avemaría, sonaba un cabe;[41] el soldado iba comparando las peñas a los castillos que había visto, y mirando cuál lugar era fuerte y adónde se había de plantar la artillería. Yo los iba mirando; y tanto temía el rosario del ermitaño, con las cuentas frisonas,[42] como las mentiras del soldado. —«¡Oh, cómo volaría yo con pólvora gran parte deste puerto» —decía—, «y hiciera buena obra a los caminantes!».

En estas y otras conversaciones, llegamos a Cercedilla.[43] Entramos en la posada todos tres juntos, ya anochecido; mandamos aderezar la cena —era viernes—, y, entre tanto, el ermitaño dijo: —«Entretengámonos un rato, que la ociosidad es madre de los vicios; juguemos avemarías.» Y dejó caer de la manga el descuadernado.[44] Diome a mí gran risa el ver aquello, consideran-

---

[39] El saqueo de Amberes tuvo lugar en 1576, motivado por el descontento de las tropas españolas a causa del retraso en las pagas. [40] Nótese lo hiperbólico de la ponderación caricaturesca del tamaño del rosario. [41] *cabe:* golpe de un bolo contra otro en el juego de la argolla (se metían bolas por una argolla acabada en punta de hierro fijada al suelo). [42] Véase nota 37 de I, 2. [43] Lugar de la provincia de Madrid (en la sierra de Guadarrama). [44] *el descuadernado:* la baraja (libro descuadernado).

do en las cuentas. El soldado dijo: —«No, sino juguemos hasta cien reales que yo traigo, en amistad.» Yo, cudicioso, dije que jugaría otros tantos, y el ermitaño, por no hacer mal tercio, acetó, [45] y dijo que allí llevaba el aceite de la lámpara, que eran hasta docientos reales. Yo confieso que pensé ser su lechuza y bebérsele, pero así le sucedan todos sus intentos al turco. [46]

Fue el juego al parar, [47] y lo bueno fue que dijo que no sabía el juego, y hizo que se le enseñásemos. Dejónos el bienaventurado hacer dos manos, y luego nos la dio tal, [48] que no dejó blanca en la mesa. Heredónos en vida; retiraba el ladrón con las ancas de la mano que era lástima. Perdía una sencilla, y acertaba doce maliciosas. [49] El soldado echaba a cada suerte doce *votos* y otros tantos *peses*, aforrados en *por vidas*. [50] Yo me comí las uñas, y el fraile ocupaba las suyas en mi moneda. No dejaba santo que no llamaba; nuestras cartas eran como el Mesías, que nunca venían y las aguardábamos siempre.

Acabó de pelarnos; quisímosle jugar sobre prendas, y él, tras haberme ganado a mí seiscientos reales, que era lo que llevaba, y al soldado los ciento, dijo que aquello era entretenimiento, y que éramos prójimos, y que no había de tratar de otra cosa. —«No juren» —decía—, «que a mí, porque me encomendaba a Dios, me ha sucedido bien». Y como nosotros no sabíamos la habilidad que tenía de los dedos a la muñeca, creímoslo, y el soldado juró de no jurar más, y yo de la misma suerte. —«¡Pesia tal!» —decía el pobre alférez, que él me dijo entonces que lo era—, «entre luteranos y moros me he visto, pero no he padecido tal despojo».

El se reía a todo esto. Tornó a sacar el rosario para rezar. Yo, que no tenía ya blanca, pedíle que me diese de cenar, y que pagase hasta Segovia la posada por los dos, que íbamos *in puribus*. [51] Prometió hacerlo. Metióse sesenta güevos (¡no vi tal en mi vida!). Dijo que se iba a acostar.

---

[45] *acetó:* aceptó. Véase nota 8.   [46] Véase nota 4 de II, 1.   [47] *parar:* juego de naipes parecido al monte.   [48] *nos la dio tal:* nos dio tal paliza (zeugma dilógico).   [49] *acertaba doce maliciosas:* ganaba las jugadas de mucho dinero.   [50] *votos, peses* y *por vidas* son voces iniciales en las fórmulas de juramento: Voto a, pese a, por vida de...   [51] *in puribus:* en cueros, sin nada.

Dormimos todos en una sala con otra gente que estaba allí, porque los aposentos estaban tomados para otros. Yo me acosté con harta tristeza; y el soldado llamó al huésped, y le encomendó sus papeles en las cajas de lata que los traía, y un envoltorio de camisas jubiladas. Acostámos; el padre se persinó, [52] y nosotros nos santiguamos dél. Durmió; yo estuve desvelado, trazando cómo quitarle el dinero. El soldado hablaba entre sueños de los cien reales, como si no estuvieran sin remedio.

Hízose hora de levantar. Pedí yo luz muy aprisa; trujéronla, y el huésped el envoltorio al soldado, y olvidáronsele los papeles. El pobre alférez hundió la casa a gritos, pidiendo que le diese los servicios. [53] El huésped se turbó, y, como todos decíamos que se los diese, fue corriendo y trujo tres bacines, diciendo: —«He ahí para cada uno el suyo. ¿Quieren más servicios?»; que él entendió que nos habían dado cámaras. [54] Aquí fue ella, que se levantó el soldado con la espada tras el huésped, en camisa, jurando que le había de matar porque hacía burla dél, que se había hallado en la Naval, San Quintín [55] y otras, trayendo servicios en lugar de los papeles que le había dado. Todos salimos tras él a tenerle, y aun no podíamos. Decía el huésped: —«Señor, su merced pidió servicios; yo no estoy obligado a saber que, en lengua soldada, [56] se llaman así los papeles de las hazañas.» Apaciguámoslos, y tornamos al aposento.

El ermitaño, receloso, se quedó en la cama, diciendo que le había hecho mal el susto. Pagó por nosotros, y salimos del pueblo para el puerto, enfadados del término del ermitaño, y de ver que no le habíamos podido quitar el dinero.

Topamos con un ginovés, digo con unos destos antecristos [57]

---

[52] *se persinó:* se persignó. Véase nota 8.   [53] *servicios:* documentos acreditativos de los servicios prestados (nótese el juego verbal con el doble significado del término: «hojas de servicio» y «bacines»).   [54] *cámaras:* diarreas.   [55] *La Naval* por antonomasia era la batalla de Lepanto, contra los turcos (1571); *la de San Quintín* fue la batalla contra los franceses, derrotados en 1557.   [56] *lengua soldada:* jerga de soldados.   [57] *antecristos:* anticristos (el motivo de los genoveses como grandes financieros y sanguijuelas de la riqueza española es muy frecuente en la obra de Quevedo).

de las monedas de España,[30] que subía el puerto con un paje
detrás, y él con su guardasol, muy a lo dineroso. Trabamos conversación con él; todo lo llevaba a materia de maravedís, que es
gente que naturalmente nació para bolsas. Comenzó a nombrar
a Visanzón,[58] y si era bien dar dineros o no a Visanzón, tanto
que el soldado y yo le preguntamos que quién era aquel caballero. A lo cual respondió, riéndose: —«Es un pueblo de Italia,
donde se juntan los hombres de negocios» —que acá llamamos
fulleros de pluma—, «a poner los precios por donde se gobierna
la moneda». De lo cual sacamos que, en Visanzón, se lleva el
compás a los músicos de uña.[59]

Entretúvonos el camino contando que estaba perdido porque
había quebrado un cambio, que le tenía más de sesenta mil escudos. Y todo lo juraba por su conciencia; aunque yo pienso
que conciencia en mercader es como virgo en cantonera,[60] que
se vende sin haberle. Nadie, casi, tiene conciencia, de todos los
deste trato; porque, como oyen decir que muerde por muy poco,
han dado en dejarla con el ombligo en naciendo.

En estas pláticas, vimos los muros de Segovia, y a mí se me
alegraron los ojos, a pesar de la memoria, que, con los sucesos
de Cabra, me contradecía el contento. Llegué al pueblo y, a la
entrada, vi a mi padre en el camino, aguardando ir en bolsas,
hecho cuartos, a Josafad.[61] Enternecíme, y entré algo desconocido de como salí, con punta de barba, bien vestido.

Dejé la compañía; y, considerando en quién conocería a mi
tío —fuera del rollo—[62] mejor en el pueblo, no hallé nadie de

---

[58] *Visanzón:* Besançon, antigua capital del Franco Condado, al Este de Francia,
e importante centro comercial y bancario en el siglo XVI. Estuvo sometida a España en la época de Quevedo.   [59] *músicos de uña:* mercaderes, ladrones (que hur-
tan con la uña, máximo símbolo del latrocinio en la obra de Quevedo).   [60] *cantonera:* prostituta.   [61] *Josafad:* Valle de Josafat, lugar del Juicio Final. (Véanse,
además, notas 9 y 18 de I, 7.)   [62] *rollo:* picota, horca. Véase nota 16 de I, 7.

(30) Adviértase aquí el uso del esquema opuesto al señalado en 13: *ge-
novés: anticristo de las monedas de España;* se adelanta, pues, la designación referencial que explica con claridad y precisión la persona u objeto señalado; y se continúa después con la pirueta conceptista. Véase 13.

quien echar mano. Lleguéme a mucha gente a preguntar por Alonso Ramplón, y nadie me daba razón dél, diciendo que no le conocían. Holgué mucho de ver tantos hombres de bien en mi pueblo, cuando, estando en esto, oí al precursor de la penca[63] hacer de garganta,[64] y a mi tío de las suyas. Venía una procesión de desnudos, todos descaperuzados, delante de mi tío, y él, muy haciéndose de pencas,[65] con una en la mano, tocando un pasacalles públicas en las costillas de cinco laúdes,[66] sino que llevaban sogas por cuerdas. Yo, que estaba notando esto con un hombre a quien había dicho, preguntando por él, que era yo un gran caballero, veo a mi buen tío que, echando en mí los ojos —por pasar cerca—, arremetió a abrazarme, llamándome sobrino. Penséme morir de vergüenza; no volví a despedirme de aquél con quien estaba.

Fuime con él, y díjome: —«Aquí te podrás ir, mientras cumplo con esta gente; que ya vamos de vuelta, y hoy comerás conmigo.» Yo que me vi a caballo, y que en aquella sarta parecería punto menos de azotado, dije que le aguardaría allí; y así, me aparté tan avergonzado, que, a no depender dél la cobranza de mi hacienda, no le hablara más en mi vida ni pareciera[67] entre gentes.

Acabó de repasarles las espaldas, volvió, y llevóme a su casa, donde me apeé y comimos.[(31)]

---

[63] *precursor de la penca:* pregonero de los delitos de los reos; desfilaba delante de la penca. [64] *hacer de garganta:* pregonar, gritar. [65] *muy haciéndose de pencas:* dando muy remolonamente los azotes (porque había sido sobornado). [66] *tocando un pasacalles públicas en las costillas de cinco laúdes:* azotando simultáneamente a cinco reos. [67] *pareciera:* apareciera.

(31) Véase **23**.

CAPÍTULO IV

*Del hospedaje de mi tío, y visitas, la cobranza de mi hacienda y
vuelta a la corte.*

Tenía mi buen tío su alojamiento junto al matadero, en casa
de un aguador. Entramos en ella, y díjome: —«No es alcázar la
posada, pero yo os prometo,[1] sobrino, que es a propósito para
dar expediente a mis negocios.» Subimos por una escalera, que
sólo aguardé a ver lo que me sucedía en lo alto, para si se dife-
renciaba en algo de la de la horca.

Entramos en un aposento tan bajo que andábamos por él
como quien recibe bendiciones, con las cabezas bajas. Colgó la
penca[2] en un clavo, que estaba con otros de que colgaban cordeles, lazos, cuchillos, escarpias[3] y otras herramientas del oficio.
Díjome que por qué no me quitaba el manteo y me sentaba; yo
le dije que no lo tenía de costumbre. Dios sabe cuál estaba de
ver la infamia de mi tío, el cual me dijo que había tenido ventura en topar con él en tan buena ocasión, porque comería bien,
que tenía convidados unos amigos.

En esto, entró por la puerta, con una ropa hasta los pies, mo-
rada, uno de los que piden para las ánimas, y haciendo son con
la cajita, dijo: —«Tanto me han valido a mí las ánimas hoy,
como a ti los azotados: encaja.» Hiciéronse la mamona[4] el uno
al otro. Arremangóse el desalmado animero el sayazo, y quedó
con unas piernas zambas en gregüescos de lienzo, y empezó a bai-
lar y decir que si había venido Clemente. Dijo mi tío que no,
cuando, Dios y enhorabuena, devanado[5] en un trapo, y con unos
zuecos, entró un chirimía de la bellota, digo, un porquero. Co-
nocíle por el —hablando con perdón— cuerno que traía en la

---

[1] *prometo:* aseguro.   [2] *penca:* látigo, azote.   [3] *escarpias:* clavos en cuya cabeza
se cuelgan objetos.   [4] *la mamona:* burla (a veces, amistosa) consistente en colocar
los dedos de la mano en el rostro de alguien y golpear la nariz con el dedo índi-
ce.   [5] *devanado:* envuelto.

mano; y para andar al uso, sólo erró en no traelle encima de la cabeza.

Salúdonos a su manera, y tras él entró un mulato zurdo y bizco, un sombrero con más falda[6] que un monte y más copa que un nogal, la espada con más gavilanes[7] que la caza del Rey, un coleto[8] de ante. Traía la cara de punto, porque a puros chirlos[9] la tenía toda hilvanada. [(32)]

Entró y sentóse, saludando a los de casa; y a mi tío le dijo: —«A fe, Alonso, que lo han pagado bien el Romo y el Garroso.» Saltó el de las ánimas, y dijo: —«Cuatro ducados di yo a Flechilla, verdugo de Ocaña, porque aguijase el burro, y porque no llevase la penca de tres suelas, cuando me palmearon.»[10] —«¡Vive Dios!» —dijo el corchete—,[11] «que se lo pagué yo sobrado a Lobrezno en Murcia, porque iba el borrico que remedaba el paso de la tortuga, y el bellaco me los asentó de manera que no se levantaron sino ronchas». Y el porquero, concomiéndose, dijo: —«Con virgo[12] están mis espaldas.» —«A cada puerco le viene su San Martín»,[13] dijo el demandador.[14] —«De eso me puedo alabar yo» —dijo mi buen tío— «entre cuantos manejan la zurriaga, que, al que se me encomienda,[15] hago lo que debo. Sesenta me dieron los de hoy, y llevaron unos azotes de amigo, con penca sencilla».

Yo que vi cuán honrada gente era la que hablaba mi tío, confieso que me puse colorado, de suerte que no pude disimular la vergüenza. [(33)] Echómelo de ver el corchete, y dijo: —«¿Es el pa-

---

⁶ *falda:* ala del sombrero.   ⁷ *gavilanes:* Véase nota 19 de II, 1.   ⁸ *coleto:* Véase nota 34 de II, 1.   ⁹ *chirlos:* Véase nota 33 de II, 3.   ¹⁰ *palmearon:* azotaron.   ¹¹ *corchete:* Véase nota 38 de I, 6.   ¹² *con virgo:* despellejadas, en carne viva.   ¹³ Expresión proverbial; a todos les llega su hora.   ¹⁴ *demandador:* mendigo.   ¹⁵ *se me encomienda:* me soborna.

---

(32) Es éste un buen ejemplo de encadenamiento de conceptos e inusitada asociación de imágenes (asociación puramente verbal y expresada en la fórmula comparativa *más que)* que acaban perdiendo el punto de partida real y alcanzando extremos hiperbólicos en que aquél ya resulta irreconocible: se destruye la base lógica y sólo queda la relación formal.

(33) Hemos asistido a varias expresiones del sentimiento de vergüen-

dre[16] el que padeció el otro día, a quien se dieron ciertos empujones en el envés?»[17] Yo respondí que no era hombre que padecía como ellos. En esto, se levantó mi tío y dijo: —«Es mi sobrino, maeso[18] en Alcalá, gran supuesto.»[19] Pidiéronme perdón, y ofreciéronme toda caricia.

Yo rabiaba ya por comer, y por cobrar mi hacienda y huir de mi tío. Pusieron las mesas; y por una soguilla, en un sombrero, como suben la limosna los de la cárcel, subían la comida de un bodegón que estaba a las espaldas de la casa, en unos mendrugos de platos y retacillos de cántaros y tinajas. No podrá nadie encarecer mi sentimiento y afrenta. Sentáronse a comer, en cabecera el demandador, y los demás sin orden. No quiero decir lo que comimos; sólo, que eran todas cosas para beber. Sorbióse el corchete tres de puro tinto. Brindóme a mí el porquero; me las cogía al vuelo, y hacía más razones que decíamos todos.[20] No había memoria de agua, y menos voluntad della.

Parecieron en la mesa cinco pasteles de a cuatro. Y tomando un hisopo, después de haber quitado las hojaldres, dijeron un responso todos, con su *requiem eternam,* por el ánima del di-

---

[16] *el padre:* se refiere a Pablos, a quien el corchete confunde con un clérigo por el manteo que lleva puesto. [17] *empujones en el envés:* azotes en la espalda. [18] *maeso:* maestro. [19] *gran supuesto:* persona de alta posición. [20] *hacía más razones que decíamos todos:* bebía (*hacer la razón:* corresponder a un brindis) más veces que palabras (*razones*) decíamos todos.

~~~~~~

za en la confesión de Pablos: tal sensación apareció ya al conocer éste la condición de sus padres (*tanto pudo conmigo la vergüenza...,* al comprobar que había sido concebido «a escote entre muchos», I, 2) y se viene repitiendo insistentemente ahora (al final del capítulo anterior: *penséme morir de vergüenza* [...]; *y así me aparté tan avergonzado* [...], hasta este ponerse «colorado, de vergüenza». Francisco Ayala, intentando explicar este sentimiento de tanta vergüenza, contradictorio en Pablos (tanto, que resulta incongruente con su conducta nunca propensa a la nobleza de alma), sostiene que tales accesos de rubor responden al sentimiento de Quevedo mismo, a su alma púdica aunque defendida por la cortina de tantas procacidades. Tal interpretación parece muy discutible; sin duda, también muy atractiva.

funto cuyas eran aquellas carnes.[21] Dijo mi tío: —«Ya os acordáis, sobrino, lo que os escribí de vuestro padre.» Vínoseme a la memoria; ellos comieron, pero yo pasé con los suelos[22] solos, y quedéme con la costumbre; y así, siempre que como pasteles, rezo una avemaría por el que Dios haya.

Menudeóse sobre dos jarros; y era de suerte lo que hicieron el corchete y el de las ánimas, que se pusieron las suyas[23] tales, que, trayendo un plato de salchichas que parecía de dedos de negro, dijo uno que para qué traían pebetes[24] guisados. Ya mi tío estaba tal, que, alargando la mano y asiendo una, dijo, con la voz algo áspera y ronca, el un ojo medio acostado, y el otro nadando en mosto: —«Sobrino, por este pan de Dios que crió[25] a su imagen y semejanza, que no he comido en mi vida mejor carne tinta.» Yo que vi al corchete que, alargando la mano, tomó el salero y dijo: —«Caliente está este caldo», y que el porquero se llevó el puño de sal, diciendo: —«Es bueno el avisillo[26] para beber», y se lo chocló[27] en la boca, comencé a reír por una parte, y a rabiar por otra.

Trujeron caldo, y el de las ánimas tomó con entrambas manos una escudilla, diciendo: —«Dios bendijo la limpieza»; y alzándola para sorberla, por llevarla a la boca, se la puso en el carrillo, y, volcándola, se asó en caldo, y se puso todo de arriba abajo que era vergüenza. Él, que se vio así, fuese a levantar, y como pesaba algo la cabeza, quiso ahirmar[28] sobre la mesa, que era destas movedizas; trastornóla, y manchó a los demás; y tras esto decía que el porquero le había empujado. El porquero que vio que el otro se le caía encima, levantóse, y alzando el instrumento de güeso,[29] le dio con él una trompetada. Asiéronse a puños, y, estando juntos los dos, y teniéndole el demandador mor-

---

[21] Nueva alusión morbosa al macabro relleno de los pasteles *de a cuatro*. El de estos bien puede estar formado por los restos del padre de Pablos. Véanse notas 9 y 18 de I, 7. [22] *los suelos:* las partes inferiores de los pasteles. [23] *las suyas:* las ánimas suyas (zeugma dilógico). [24] *pebetes:* varillas de pasta aromática que, encendidas, despiden humo oloroso. [25] *crió:* creó. [26] *avisillo:* aperitivo. [27] *chocló:* tragó (en el juego de la argolla, introdujo de golpe por la abertura). [28] *ahirmar:* afirmarse. [29] *instrumento de güeso:* cuerno (instrumento sonoro, de hueso); *trompetada* (golpe).

dido de un carrillo, con los vuelcos y alteración, el porquero vo-
mitó cuanto había comido en las barbas del de la demanda. Mi
tío, que estaba más en juicio, decía que quién había traído a su
casa tantos clérigos. [34]

Yo que los vi que ya, en suma, multiplicaban, metí en paz la
brega, desasí a los dos, y levanté del suelo al corchete, el cual
estaba llorando con gran tristeza; eché a mi tío en la cama, el
cual hizo cortesía a un velador de palo que tenía, pensando que
era convidado; quité el cuerno al porquero, el cual, ya que dormían los otros, no había hacerle callar, diciendo que le diesen
su cuerno, porque no había habido jamás quien supiese en él
más tonadas, y que él quería tañer con el órgano. Al fin, yo no
me aparté dellos hasta que vi que dormían.

Salíme de casa; entretúveme en ver mi tierra toda la tarde,
pasé por la casa de Cabra, tuve nueva de que ya era muerto, y
no cuidé de preguntar de qué, sabiendo que hay hambre en el
mundo.

Torné a casa a la noche, habiendo pasado cuatro horas, y hallé al uno despierto y que andaba a gatas por el aposento buscando la puerta, y diciendo que se les había perdido la casa. Levantéle, y dejé dormir a los demás hasta las once de la noche
que despertaron; y, esperezándose, preguntó mi tío que qué hora
era. Respondió el porquero —que aún no la había desollado— [30]

---

[30] *no la había desollado:* no la había dormido (*desollar la zorra:* dormir la borrachera).

(34) En este caso, como ha explicado D. Ynduráin, la burla viene cuidadosamente preparada desde el comienzo del capítulo. Recuérdese que
allí el verdugo «*Díjome que por qué no me quitaba el manteo y me sentaba; yo le dije que no lo tenía de costumbre*». Por eso, más adelante, el
corchete confundió a Pablos con un clérigo (*¿Es el padre el que padeció
el otro día...?*). Y la cuidadosa elaboración técnica culmina ahora en la
confusión del verdugo, que, enajenado por el alcohol, ve *tantos clérigos*
en su casa (de ahí el efecto multiplicador, de que habla Pablos a continuación). Al mismo tiempo, quizás pueda tratarse en este último caso
de una grotesca parodia de la proverbial afición de los clérigos a la buena mesa.

que no era nada sino la siesta, y que hacía grandes bochornos. El demandador, como pudo, dijo que le diesen su cajilla: —«Mucho han holgado las ánimas para tener a su cargo mi sustento»; y fuese, en lugar de ir a la puerta, a la ventana; y, como vio estrellas, comenzó a llamar a los otros con grandes voces, diciendo que el cielo estaba estrellado a mediodía, y que había un gran eclipse. Santiguáronse todos y besaron la tierra.

Yo, que vi la bellaquería del demandador, escandalicéme mucho, y propuse de guardarme de semejantes hombres. Con estas vilezas e infamias que veía yo, ya me crecía por puntos el deseo de verme entre gente principal y caballeros. Despachélos a todos uno por uno lo mejor que pude, acosté a mi tío, que, aunque no tenía zorra, tenía raposa,[31] y yo acomodéme sobre mis vestidos y algunas ropas de los que Dios tenga,[32] que estaban por allí.

Pasamos desta manera la noche; a la mañana, traté con mi tío de reconocer mi hacienda y cobralla. Despertó diciendo que estaba molido, y que no sabía de qué. El aposento estaba, parte con las enjuaguaduras de las monas,[33] parte con las aguas que habían hecho de no beberlas, hecho una taberna de vinos de retorno.[34] Levantóse, tratamos largo en mis cosas, y tuve harto trabajo por ser hombre tan borracho y rústico. Al fin, le reduje[35] a que me diera noticia de parte de mi hacienda, aunque no de toda, y así, me la dio de unos trecientos ducados que mi buen padre había ganado por sus puños,[36] y dejádolos en confianza de una buena mujer a cuya sombra se hurtaba diez leguas a la redonda.

Por no cansar a v. m., vengo a decir que cobré y embolsé mi dinero, el cual mi tío no había bebido ni gastado, que fue harto para ser hombre de tan poca razón, porque pensaba que yo me graduaría con éste, y que, estudiando, podría ser cardenal, que, como estaba en su mano hacerlos,[37] no lo tenía por dificulto-

---

[31] *zorra:* borrachera; *raposa:* zorra, y, por tanto, borrachera.   [32] *de los que Dios tenga* (en la Gloria): de los ahorcados.   [33] *enjaguaduras de las monas:* enjuaguaduras de las borracheras.   [34] *vinos de retorno:* vinos retornados del estómago, en vómitos.   [35] *reduje:* convencí.   [36] *por sus puños:* por su trabajo (por sus robos).   [37] Ejemplo de zeugma dilógico: *cardenal:* dignidad eclesiástica, y moradura producida por golpes. Véase nota 11 de I, 1.

so.[35] Díjome, en viendo que los tenía: —«Hijo Pablos, mucha culpa tendrás si no medras y eres bueno, pues tienes a quién parecer. Dinero llevas; yo no te he de faltar, que cuanto sirvo y cuanto tengo, para ti lo quiero.» Agradecíle mucho la oferta.

Gastamos el día en pláticas desatinadas y en pagar las visitas a los personajes dichos. Pasaron la tarde en jugar a la taba[38] mi tío, el porquero y demandador. Este jugaba misas como si fuera otra cosa. Era de ver cómo se barajaban la taba: cogiéndola en el aire al que la echaba, y meciéndola en la muñeca, se la tornaban a dar. Sacaban de taba como de naipe, para la fábrica de la sed,[39] porque había siempre un jarro en medio.

Vino la noche; ellos se fueron; acostámonos mi tío y yo cada uno en su cama, que ya había prevenido para mí un colchón. Amaneció y, antes que él despertase, yo me levanté y me fui a una posada, sin que me sintiese; torné a cerrar la puerta por defuera, y echéle la llave por una gatera.[40]

Como he dicho, me fui a un mesón a esconder y aguardar comodidad para ir a la corte. Déjele en el aposento una carta cerrada, que contenía mi ida y las causas, avisándole que no me buscase, porque eternamente no lo había de ver.

---

[38] *taba:* juego consistente en tirar las tabas (huesecillos de talón de carnero) de modo semejante a los dados.　[39] *la fábrica de la sed: fábrica:* renta eclesiástica para gastos de reparación y del culto; aquí «el fondo común para comprar vino y aliviar la sed».　[40] *gatera:* agujero.

(35) También es muy frecuente en la prosa satírico-burlesca de Quevedo este esquema estilístico de frase con comienzo pomposo y final desenmascarador, de modo que el término último anula o restringe el concepto enunciado al principio. Aquí *cardenal* acaba en moretón; en I, 1 hemos leído: *Dicen que era de muy buena cepa, y, según él bebía, era cosa para creer.*

CAPÍTULO V

De mi huida, y los sucesos en ella hasta la corte.

Partía aquella mañana del mesón un arriero con cargas a la corte. Llevaba un jumento; alquilómele, y salíme a aguardarle a la puerta fuera del lugar. Salió, espetéme en el dicho, y empecé mi jornada. iba entre mí diciendo: —«Allá quedarás, bellaco, deshonrabuenos, jinete de gaznates.»[1]

Consideraba yo que iba a la corte, adonde nadie me conocía —que era la cosa que más me consolaba—, y que había de valerme por mi habilidad allí. Propuse de colgar los hábitos[2] en llegando, y de sacar vestidos nuevos cortos al uso. Pero volvamos a las cosas que el dicho mi tío hacía, ofendido con la carta, que decía en esta forma:

«Señor Alonso Ramplón: Tras haberme Dios hecho tan señaladas mercedes como quitarme de delante a mi buen padre y tener a mi madre en Toledo, donde, por lo menos, sé que hará humo,[3] no me faltaba sino ver hacer en v. m. lo que en otros hace.[4] Yo pretendo ser uno de mi linaje, que dos es imposible, si no vengo a sus manos, y trinchándome, como hace a otros. No pregunte por mí, ni me nombre, porque me importa negar la sangre que tenemos. Sirva, al Rey, y adiós.»[36]

No hay que encarecer las blasfemias y oprobios que diría contra mí. Volvamos a mi camino. Yo iba caballero en el rucio de la Mancha,[5] y bien deseoso de no topar nadie, cuando desde le-

---

[1] *jinete de gaznates:* verdugo (porque se montaba sobre los hombros del ahorcado que tardaba en morir).   [2] *colgar los hábitos:* abandonar los vestidos (de estudiante).   [3] Hará humo al ser quemada en la hoguera por la Inquisición.   [4] Es decir: verlo ahorcado, como él hace con otros.   [5] *iba callero en el rucio de la Mancha:* iba a caballo en el rucio rodado (manchado, de pelo gris o blanco con manchas oscuras).

---

[36] Sólo ahora se consuma realmente la completa independencia del pícaro con respecto a toda su familia. Véanse **19** y **22**.

jos vi venir un hidalgo de portante,[6] con su capa puesta, espada
ceñida, calzas atacadas[7] y botas, y al parecer bien puesto, el cuello abierto, el sombrero de lado. Sospeché que era algún caballero que dejaba atrás su coche; y así, emparejando, le saludé.

Miróme y dijo: —«Irá v. m., señor licenciado, en ese borrico
con harto más descanso que yo con todo mi aparato.» Yo, que
entendí que lo decía por coche y criados que dejaba atrás, dije:
—«En verdad, señor, que lo tengo por más apacible caminar
que el del coche, porque aunque v. m. vendrá en el que trae detrás con regalo, aquellos vuelcos que da, inquietan.» —«¿Cuál
coche detrás?», dijo él muy alborotado. Y, al volver atrás, como
hizo fuerza, se le cayeron las calzas, porque se le rompió una agujeta que traía, la cual era tan sola que, tras verme muerto de risa
de verle, me pidió una prestada. Yo que vi que, de la camisa,
no se vía[8] sino una ceja,[9] y que traía tapado el rabo de medio
ojo,[10] le dije: —«Por Dios, señor, si v. m. no aguarda a sus criados, yo no puedo socorrerle, porque vengo también atacado[11]
únicamente.» —«Si hace v. m. burla» —dijo él, con las cachon-
das[12] en la mano—, «vaya, porque no entiendo eso de los
criados».

Y aclaróseme tanto en materia de ser pobre, que me confesó,
a media legua que anduvimos, que si no le hacía merced de de-
jarle subir en el borrico un rato, no le era posible pasar adelante, por ir cansado de caminar con las bragas en los puños;[13] y,
movido a compasión, me apeé; y, como él no podía soltar las
calzas, húbele yo de subir. Y espantóme lo que descubrí en el
tocamiento, porque, por la parte de atrás, que cubría la capa,
traía las cuchilladas[14] con entretelas de nalga pura. El, que sin-
tió lo que le había visto, como discreto, se previno diciendo:
—«Señor licenciado, no es oro todo lo que reluce. Debióle pa-

---

[6] *de portante:* a paso rápido.   [7] *calzas atacadas:* calzas atadas con agujeta (cinturón).   [8] *vía:* veía.   [9] *ceja: cejas:* guarnición en el extremo de los vestidos (aquí
en sentido despectivo).   [10] *que traía tapado el rabo de medio ojo:* que (sólo) traía
tapada la mitad del culo.   [11] *atacado:* atado con agujeta. Véase nota 7.   [12] *las ca-
chondas:* las calzas (vulgarismo).   [13] *con las bragas en los puños:* con las calzas
sujetas por las manos (para que no se le cayeran).   [14] *cuchilladas:* aberturas en
los vestidos (que permitían ver los forros o entretelas de otro color).

recer a v. m., en viendo el cuello abierto[15] y mi presencia, que era un conde de Irlos.[16] Como destas hojaldres cubren en el mundo lo que v. m. ha tentado.»

Yo le dije que le aseguraba de que me había persuadido a muy diferentes cosas de las que veía. —«Pues aún no ha visto nada v. m.» —replicó—, «que hay tanto que ver en mí como tengo, porque nada cubro. Veme aquí v. m. un hidalgo hecho y derecho, de casa de solar montañés,[17] que, si como sustento la nobleza, me sustentara, no hubiera más que pedir. Pero ya, señor licenciado, sin pan y carne, no se sustenta buena sangre, y por la misericordia de Dios, todos la tienen colorada, y no puede ser hijo de algo[18] el que no tiene nada. Ya he caído en la cuenta de las ejecutorias,[19] después que, hallándome en ayunas un día, no me quisieron dar sobre ella en un bodegón dos tajadas; pues, ¡decir que no tiene letras de oro! Pero más valiera el oro en las píldoras[20] que en las letras, y de más provecho es. Y, con todo, hay muy pocas letras con oro. He vendido hasta mi sepultura, por no tener sobre qué caer muerto, que la hacienda de mi padre Toribio Rodríguez Vallejo Gómez de Ampuero —que todos estos nombres tenía—, se perdió en una fianza. Sólo el *don* me ha quedado por vender, y soy tan desgraciado que no hallo nadie con necesidad dél, pues quien no le tiene por ante, le tiene por postre, como el remendón, azadón, pendón, blandón, bordón y otros así.»

Confieso que, aunque iban mezcladas con risa, las calamidades del dicho hidalgo me enternecieron. Preguntéle cómo se llamaba, y adónde iba y a qué. Dijo que todos los nombres de su padre: don Toribio Rodríguez Vallejo Gómez de Ampuero y Jordán. No se vio jamás nombre tan campanudo, porque acababa en *dan* y empezaba en *don,* como son de badajo.[(37)] Tras esto

---

15 *el cuello abierto* era prenda de lujo, con pliegues almidonados, usada por gente principal.   16 El *Conde de Irlos* (o *Conde Dirlos*) es personaje de romances carolingios.   17 *montañés:* de la Montaña (Cantabria).   18 *hijo de algo:* hijodalgo, hidalgo.   19 *ejecutorias:* Véase nota 15 de II, 1.   20 Es decir: *en las píldoras* doradas por los boticarios.

~~~~~~

(37) Una vez más resulta inevitable recordar la progresión gradual en la presentación del escudero del *Lazarillo* y su bien dosificada indaga-

dijo que iba a la corte, porque un mayorazgo roído como él, en un pueblo corto, olía mal a dos días, y no se podía sustentar, y que por eso se iba a la patria común, adonde caben todos, y adonde hay mesas francas para estómagos aventureros. —«Y nunca, cuando entro en ella, me faltan cien reales en la bolsa, cama, de comer y refocilo de lo vedado, porque la industria[21] en la corte es piedra filosofal, que vuelve en oro cuanto toca.»

Yo vi el cielo abierto, y en son de entretenimiento para el camino, le rogué que me contase cómo y con quiénes y de qué manera viven en la corte los que no tenían, como él. Porque me parecía dificultoso en este tiempo, que no sólo se contenta cada uno con sus cosas, sino que aun solicitan las ajenas. —«Muchos hay de esos» —dijo—, «y muchos de estotros. Es la lisonja llave maestra, que abre a todas voluntades en tales pueblos. Y porque no se le haga dificultoso lo que digo, oiga mis sucesos y mis trazas, y se asegurará de esa duda».

---

[21] *industria:* ingenio, astucia.

ción psicológica, tan distante de la presentación de este hidalgo, ofrecido ya desde el principio en su miseria, unívoco desde su aparición. La presentación del hidalgo don Toribio, tan pobre y fatuo como el del *Lazarillo,* pero más truhán, responde a uno de los motivos satíricos más frecuentes en la literatura de la época, y en concreto en la picaresca. Obsérvese la ridiculización de este fantoche hidalgo ya en *quien no le tiene por ante* [el don antes del nombre], le tiene por postre [detrás del nombre], *como remendón,* etc. Y prosigue en el tópico juego verbal *dan/don* de badajo. Al mismo tiempo, como explica C. Alonso, el episodio muestra una realidad histórica: cabeza de casa solariega debido a la fundación de nuevos mayorazgos sin base económica. Véase, además, documento número 10.

CAPÍTULO VI

En que prosigue el camino y lo prometido de su vida y costumbres.

—«Lo primero ha de saber que en la corte hay siempre el más necio y el más sabio, más rico y más pobre, y los extremos de todas las cosas; que disimula los malos y esconde los buenos, y que en ella hay unos géneros de gentes como yo, que no se les conoce raíz ni mueble, ni otra cepa de la que decienden[1] los tales. Entre nosotros nos diferenciamos con diferentes nombres; unos nos llamamos, caballeros hebenes;[2] otros, güeros,[3] chanflones,[4] chirles,[5] traspillados[6] y caninos.[7]

Es nuestra abogada la industria; pagamos las más veces los estómagos de vacío, que es gran trabajo traer la comida en manos ajenas. Somos susto de los banquetes, polilla de los bodegones y convidados por fuerza. Sustentámonos así del aire, y andamos contentos. Somos gente que comemos un puerro, y representamos un capón. Entrará uno a visitarnos en nuestras casas, y hallará nuestros aposentos llenos de güesos de carnero y aves, mondaduras de frutas, la puerta embarazada con plumas y pellejos de gazapos;[8] todo lo cual cogemos de parte de noche por el pueblo, para honrarnos con ello de día. Reñimos en entrando el huésped: —«¿Es posible que no he de ser yo poderoso para que barra esa moza? Perdone v. m., que han comido aquí unos amigos, y estos criados...», etc. Quien no nos conoce cree que es así, y pasa por convite.

Pues ¿qué diré del modo de comer en casas ajenas? En hablando a uno media vez, sabemos su casa, vámosle a ver, y siempre a la hora de mascar, que se sepa que está en la mesa. Decimos

---

[1] *decienden:* Véase nota 6 de I, 1.   [2] *hebenes:* insustanciales. Véase nota 2 de II, 3.   [3] *güeros:* hueros, vacíos.   [4] *chanflones:* falsos.   [5] *chirles:* despreciables.   [6] *traspillados:* desvanecidos.   [7] *caninos:* hambrientos.   [8] *gazapos:* conejos nuevos.

que nos llevan sus amores, porque tal entendimiento, etc. Si nos preguntan si hemos comido, si ellos no han empezado decimos que no; si nos convidan, no aguardamos a segundo embite, porque destas aguardadas nos han sucedido grandes vigilias. Si han empezado, decimos que sí; y aunque parta muy bien del ave, pan o carne el que fuere, para tomar ocasión de engullir un bocado, decimos: —«Ahora deje v. m., que le quiero servir de maestresala, que solía, Dios le tenga en el cielo —y nombramos un señor muerto, duque o conde—, gustar más de verme partir que de comer». Diciendo esto, tomamos el cuchillo y partimos bocaditos, y al cabo decimos: —«¡Oh, qué bien güele! Cierto que haría agravio a la guisandera en no probarlo. ¡Qué buena mano tiene!» Y diciendo y haciendo, va en pruebas el medio plato: el nabo por ser nabo, el tocino por ser tocino, y todo por lo que es. Cuando esto nos falta, ya tenemos sopa de algún convento[9] aplazada; no la tomamos en público, sino a lo escondido, haciendo creer a los frailes que es más devoción que necesidad.

Es de ver uno de nosotros en una casa de juego, con el cuidado que sirve y despabila las velas, trae orinales, cómo mete naipes y solemniza las cosas del que gana, todo por un triste real de barato.[10]

Tenemos de memoria, para lo que toca a vestirnos, toda la ropería vieja. Y como en otras partes hay hora señalada para oración, la tenemos nosotros para remendarnos. Son de ver, a las mañanas, las diversidades de cosas que sanamos;[11] que, como tenemos por enemigo declarado al sol, por cuanto nos descubre los remiendos, puntadas y trapos, nos ponemos, abiertas las piernas, a la mañana, a su rayo, y en la sombra del suelo vemos las que hacen los andrajos y hilachas de las entrepiernas, y con unas tijeras las hacemos la barba a las calzas.

Y como siempre se gastan tanto las entrepiernas, es de ver cómo quitamos cuchilladas[12] de atrás para poblar lo de adelante; y solemos traer la trasera tan pacífica, por falta de cuchilla-

---

[9] En los conventos se les daba a los mendigos la *sopa de convento* (caldos y mendrugos de pan).   [10] *barato:* porcentaje o propina que los jugadores daban a servidores y mirones.   [11] *sanamos:* arreglamos.   [12] *cuchilladas:* jirones (véase nota 14 de II, 5).

das, que se queda en las puras bayetas.[13] Sábelo sola la capa, y guardámonos de días de aire, y de subir por escaleras claras o a caballo. Estudiamos posturas contra la luz, pues, en día claro, andamos las piernas muy juntas, y hacemos las reverencias con solos los tobillos, porque, si se abren las rodillas, se verá el ventanaje.[14]

No hay cosa en todos nuestros cuerpos que no haya sido otra cosa y no tenga historia. *Verbi gratia:* bien ve v. m. —dijo— esta ropilla;[15] pues primero fue guegüescos, nieta de una capa y bisnieta de un capuz,[16] que fue en su principio, y ahora espera salir para soletas[17] y otras cosas. Los escarpines,[18] primero son pañizuelos, habiendo sido toallas, y antes camisas, hijas de sábanas; y después de todo, los aprovechamos para papel, y en el papel escribimos, y después hacemos dél polvos para resucitar los zapatos,[19] que, de incurables, los he visto hacer revivir con semejantes medicamentos.[(38)]

Pues ¿qué diré del modo con que de noche nos apartamos de las luces, porque no se vean los herreruelos[20] calvos y las ropillas lampiñas?; que no hay más pelo en ellas que en un guijarro, que es Dios servido de dárnosle en la barba y quitárnosle en la capa. Pero, por no gastar con barberos, prevenimos siempre de aguardar a que otro de los nuestros tenga también pelambre, y entonces nos la quitamos el uno al otro, conforme lo del Evangelio: «Ayudaos como buenos hermanos.»

Traemos gran cuenta en no andar los unos por las casas de los otros, si sabemos que alguno trata la misma gente que otro. Es de ver cómo andan los estómagos en celo.

---

[13] *bayetas:* paños usados para forros y luto.   [14] *ventanaje:* abertura que deja la carne del cuerpo descubierta.   [15] *ropilla:* Véase nota 53 de I, 3.   [16] *capuz:* vestidura larga.   [17] *soletas:* piezas para remendar la planta de las medias.   [18] *escarpines:* especie de fundas o calcetines gruesos.   [19] Es decir: para evitar el mal olor (propio de los muertos) de los zapatos.   [20] *herreruelos:* capas cortas.

(38) Este párrafo ofrece dos de los ejemplos más arquetípicos del arte verbal de Quevedo. Ambos están sustentados en el procedimiento de la animación caricaturesca de objetos inertes, que de este modo dan lugar a una verdadera genealogía burlesca del remendado ropaje.

Estamos obligados a andar a caballo una vez cada mes, aunque sea en pollino, por las calles públicas; y obligados a ir en coche una vez en el año, aunque sea en la arquilla o trasera. [21] Pero, si alguna vez vamos dentro del coche, es de considerar que siempre es en el estribo, [22] con todo el pescuezo de fuera, haciendo cortesías porque nos vean todos, y hablando a los amigos y conocidos aunque miren a otra parte.

Si nos come [23] delante de algunas damas, tenemos traza para rascarnos en público sin que se vea; si es en el muslo, contamos que vimos un soldado atravesado desde tal parte a tal parte, y señalamos con las manos aquéllas que nos comen, rascándonos en vez de enseñarlas. Si es en la iglesia, y come en el pecho, nos damos *sanctus* aunque sea al *introibo*. Levantámonos, y arrimándonos a una esquina en son de empinarnos para ver algo, nos rascamos.

¿Qué diré del mentir? Jamás se halla verdad en nuestra boca. Encajamos duques y condes en las conversaciones, unos por amigos, otros por deudos; y advertimos que los tales señores, o estén muertos o muy lejos.

Y lo que más es de notar: que nunca nos enamoramos sino de *pane lucrando*, [24] que veda la orden damas melindrosas, por lindas que sean; y así, siempre andamos en recuesto [25] con una bodegonera por la comida, con la güéspeda por la posada, con la que abre los cuellos [26] por los que trae el hombre. Y aunque, comiendo tan poco y bebiendo tan mal, no se puede cumplir con tantas, por su tanda todas están contentas.

Quien ve estas botas mías, ¿cómo pensará que andan caballeras en las piernas en pelo, sin media ni otra cosa? Y quien viere este cuello, ¿por qué ha de pensar que no tengo camisa? Pues todo esto le puede faltar a un caballero, señor licenciado, pero cuello abierto y almidonado, no. Lo uno, porque así es gran ornato de la persona; y después de haberle vuelto de una parte a

---

[21] *arquilla, trasera:* parte posterior, donde se llevaban los bultos.   [22] *estribo:* asiento de la portezuela del coche.   [23] *come:* pica.   [24] *de pane lucrando:* para ganar el pan, por interés.   [25] *recuesta:* requerimiento de amores.   [26] *abre los cuellos:* arregla los cuellos. Véase nota 15 de II, 5.

otra, es de sustento, porque se cena el hombre en el almidón, chupándole con destreza.

Y al fin, señor licenciado, un caballero de nosotros ha de tener más faltas[27] que una preñada de nueve meses, y con esto vive en la corte; y ya se ve en prosperidad y con dineros; y ya en el hospital. Pero, en fin, se vive, y el que se sabe bandear es rey, con poco que tenga.»

Tanto gusté de las estrañas maneras de vivir del hidalgo, y tanto me embebecí, que divertido con ellas y con otras, me llegué a pie hasta las Rozas,[28] adonde nos quedamos aquella noche. Cenó conmigo el dicho hidalgo, que no traía blanca y yo me hallaba obligado a sus avisos, porque con ellos abrí los ojos a muchas cosas, inclinándome a la chirlería.[29] Declaréle mis deseos antes que nos acostásemos; abrazóme mil veces, diciendo que siempre esperó que habían de hacer impresión sus razones en hombre de tan buen entendimiento. Ofrecióme favor para introducirme en la corte con los demás cofrades del estafón,[30] y posada en compañía de todos. Acetéla, no declarándole que tenía los escudos que llevaba, sino hasta cien reales solos. Los cuales bastaron, con la buena obra que le había hecho y hacía, a obligarle a mi amistad.

Compréle del huésped tres agujetas, atacóse,[31] dormimos aquella noche, madrugamos, y dimos con nuestros cuerpos en Madrid.

---

[27] *faltas:* juego verbal con la doble acepción: «defectos o carencias», y «ausencias de menstruación de la mujer durante el embarazo».   [28] Lugar próximo a Madrid.   [29] *chirlería:* vagancia, vida de engaño.   [30] *estafón:* aumentativo de *estafa.*   [31] *atacóse:* atóse (con las agujetas).

LIBRO TERCERO

CAPÍTULO I

De lo que me sucedió en la corte luego que[1] llegué hasta que amaneció.

Entramos en la Corte a las diez de la mañana; fuímonos a apear, de conformidad, en casa de los amigos de don Toribio. Llegó a la puerta y llamó; abrióle una vejezuela muy pobremente abrigada y muy vieja. preguntó por lós amigos, y respondió que habían ido a buscar.[2] Estuvimos solos hasta que dieron las doce, pasando el tiempo él en animarme a la profesión de la vida barata,[3] y yo en atender a todo.

A las doce y media, entró por la puerta una estantigua[4] vestida de bayeta[5] hasta los pies, más raída que su vergüenza. Habláronse los dos en germanía,[6] de lo cual resultó darme un abrazo y ofrecérseme. Hablamos un rato, y sacó un guante con diez y seis reales, y una carta, con la cual, diciendo que era licencia para pedir para una pobre, los había allegado. Vació el guante y sacó otro, y doblólos a usanza de médico. Yo le pregunté que

---

[1] *luego que:* tan pronto como.   [2] *buscar:* buscarse la vida sin trabajar (de ahí, *buscón*).   [3] *vida barata:* vida fácil.   [4] *estantigua:* espantajo, persona desgarbada y mal vestida.   [5] *bayeta:* véase nota 13 de II, 6.   [6] *germanía:* jerga hablada por pícaros y rufianes.

por qué no se los ponía, y dijo que por ser entrambos de una mano, que era treta para tener guantes.

A todo esto, noté que no se desarrebozaba,[7] y pregunté, como nuevo, para saber la causa de estar siempre envuelto en la capa, a lo cual respondió: —«Hijo, tengo en las espaldas una gatera,[8] acompañada de un remiendo de lanilla y de una mancha de aceite; este pedazo de arrebozo lo cubre, y así se puede andar.» Desarrebozóse, y hallé que debajo de la sotana traía gran bulto. Yo pensé que eran calzas, porque eran a modo dellas, cuando él, para entrarse a espulgar, se arremangó, y vi que eran dos rodajas de cartón que traía atadas a la cintura y encajadas en los muslos, de suerte que hacían apariencia debajo del luto;[9] porque el tal no traía camisa ni gregüescos, que apenas tenía qué espulgar, según andaba desnudo. Entró al espulgadero, y volvió una tablilla como las que ponen en las sacristías, que decía: «Espulgador hay», porque no entrase otro. Grandes gracias di a Dios, viendo cuánto dio a los hombres en darles industria, ya que les quitase riquezas.

—«Yo» —dijo mi buen amigo— «vengo del camino con mal de calzas, y así, me habré menester recoger a remendar». Preguntó si había algunos retazos (que la vieja recogía trapos dos días en la semana por las calles, como las que tratan en papel, para acomodar incurables cosas de los caballeros); dijo que no, y que por falta de harapos se estaba, quince días había, en la cama, de mal de zaragüelles,[10] don Lorenzo Iñiguez del Pedroso.

En esto estábamos, cuando vino uno con sus botas de camino y su vestido pardo, con un sombrero, prendidas las faldas por los dos lados. Supo mi venida de los demás, y hablóme con mucho afecto. Quitóse la capa, y traía —¡mire v. m. quién tal pensara!— la ropilla, de pardo paño la delantera, y la trasera de lienzo blanco, con sus fondos en sudor. No pude tener la risa, y él, con gran disimulación, dijo: —«Haráse a las armas,[11] y no se reirá. Yo apostaré que no sabe por qué traigo este sombrero con

---

[7] *desarrebozaba:* desembozaba.   [8] *gatera:* agujero.   [9] *debajo del luto:* debajo del manteo de bayeta (estaba de moda llevar calzas abultadas).   [10] *zaragüelles:* calzones anchos.   [11] *Haráse a las armas:* se acostumbrará. Véase nota 8 de I, 6.

la falda presa arriba.» Yo dije que por galantería, y por dar lugar a la vista. —«Antes por estorbarla» —dijo—; «sepa que es porque no tiene toquilla,[12] y que así no lo echan de ver». Y, diciendo esto, sacó más de veinte cartas y otros tantos reales, diciendo que no había podido dar aquéllas. Traía cada una un real de porte, y eran hechas por él mismo; ponía la firma de quien le parecía, escribía nuevas que inventaba a las personas más honradas, y dábalas en aquel traje, cobrando los portes. Y esto hacía cada mes, cosa que me espantó ver la novedad de la vida.

Entraron luego otros dos, el uno con una ropilla de paño, larga hasta el medio valón,[13] y su capa de lo mismo, levantado el cuello porque no se viese el anjeo,[14] que estaba roto. Los valones eran de chamelote,[15] mas no era mas de lo que se descubría, y lo demás de bayeta colorada. Este venía dando voces con el otro, que traía valona[16] por no tener cuello, y unos frascos[17] por no tener capa, y una muleta con una pierna liada en trapajos[18] y pellejos, por no tener más de una calza. Hacíase soldado, y había lo sido, pero malo y en partes quietas. Contaba estraños servicios suyos, y, a título de soldado, entraba en cualquiera parte.

Decía el de la ropilla y casi gregüescos: —«La mitad me debéis, o por lo menos mucha parte, y si no me la dais, ¡juro a Dios...!» —«No jure a Dios» —dijo el otro—, «que, en llegando a casa, no soy cojo, y os daré con esta muleta mil palos». Sí daréis, no daréis, y en los mentises acostumbrados, arremetió el uno al otro y, asiéndose, se salieron con los pedazos de los vestidos en las manos a los primeros estirones.

Metímoslos en paz, y preguntamos la causa de la pendencia. Dijo el soldado: —«¿A mí chanzas? ¡No llevaréis ni medio! Han de saber vs. ms. que, estando hoy en San Salvador,[19] llegó un

---

[12] *toquilla:* cinta, adorno alrededor de la copa del sombrero.   [13] *valón:* especie de zaragüelles o de gregüescos, al uso de los valones.   [14] *anjeo:* tela de la que se hacían los cuellos (procedía de Anjou, de donde tomó el nombre).   [15] *valones* [...] *de chamelote:* calzones de seda.   [16] *valona:* prenda modesta que sustituía al cuello.   [17] *frascos:* cajuelas en que el arcabucero lleva la pólvora (como se lee después, se fingía soldado, al no poder llevar capa).   [18] *trapajos:* despectivo de *trapos.*   [19] Se refiere a la plazuela que estaba situada frente a la iglesia de San Salvador, en la calle Mayor.

niño a este pobrete, y le dijo que si era yo el alférez Juan de Lorenzana, y dijo que sí, atento a que le vio no sé qué cosa que traía en las manos. Llevómele, y dijo, nombrándome alférez: —«Mire v. m. qué le quiere este niño.» Yo que luego entendí, dije que yo era. Recibí el recado, y con él doce pañizuelos, y respondí a su madre, que los inviaba a algún hombre de aquel nombre. Pídeme agora la mitad. Yo antes me haré pedazos que tal dé. Todos los han de romper mis narices.»

Juzgóse la causa en su favor. Sólo se le contradijo el sonar con ellos, mandándole que los entregase a la vieja, para honrar la comunidad haciendo dellos unos cuellos y unos remates de mangas que se viesen y representasen camisas, que el sonarse estaba vedado en la orden, si no era en el aire, y las más veces sorbimiento, cosa de sustancia y ahorro. Quedó esto así.

Era de ver, llegada la noche, cómo nos acostamos en dos camas, tan juntos que parecíamos herramienta en estuche. Pasóse la cena de claro en claro. No se desnudaron los más, que, con acostarse como andaban de día, cumplieron con el precepto de dormir en cueros.

CAPÍTULO II

En que prosigue la materia comenzada y cuenta algunos raros sucesos.

Amaneció el Señor,[(39)] y pusímonos todos en arma.[1] Ya estaba yo tan hallado[2] con ellos como si todos fuéramos hermanos, que esta facilidad y dulzura se halla siempre en las cosas malas. Era de ver a uno ponerse la camisa de doce veces, dividida en

---

[1] *en arma:* en faena.   [2] *hallado:* contento.

(39) Metido ya en la organizada hermandad de pícaros y rufianes, Pablos se hace eco de algunas peculiaridades de su jerga. Ya al comienzo del capítulo destaca esta personalización de un verbo impersonal *(amaneció),* que en el habla hampona indica la actitud irónica del fingido acercamiento a modos piadosos de hablar. Sigue inmediatamente la re-

doce trapos, diciendo una oración a cada uno, como sacerdote que se viste. A cual se le perdía una pierna en los callejones de las calzas, y la venía a hallar donde menos convenía asomada. Otro pedía guía para ponerse el jubón, y en media hora no se podía averiguar[3] con él.

Acabado esto, que no fue poco de ver, todos empuñaron aguja y hilo para hacer un punteado en un rasgado y otro. Cuál, para culcusirse[4] debajo del brazo, estirándole, se hacía L. Uno, hincado de rodillas, arremedando[5] un cinco de guarismo, socorría a los cañones.[6] Otro, por plegar las entrepiernas, metiendo la cabeza entre ellas, se hacía un ovillo. No pintó tan estrañas posturas Bosco[7] como yo vi, porque ellos cosían y la vieja les daba los materiales, trapos y arrapiezos[8] de diferentes colores, los cuales había traído el soldado.

Acabóse la hora del remedio —que así la llamaban ellos— y fuéronse mirando unos a otros lo que quedaba mal parado. Determinaron de irse fuera, y yo dije que antes trazasen mi vestido, porque quería gastar los cien reales en uno, y quitarme la sotana. —«Eso no» —dijeros ellos—; «el dinero se dé al depósito, y vistámosle de lo reservado. Luego, señalémosle su diócesi[9] en el pueblo, adonde él solo busque y apolille.»[10]

---

[3] *averiguar*: razonar. [4] *culcusirse*: remendarse mal. [5] *arremedando*: imitando, semejando. [6] *cañones*: pliegues (acañonados) de las calzas. [7] *Bosco*: nombre con el que se conoce al pintor holandés Jerónimo van Aken (1459-1516?), con cuyas figuras (estilizadas y de ademanes grotescos) se ha relacionado la técnica literaria de Quevedo. [8] *arrapiezos*: harapos. [9] *diócesi*: diócesis, demarcación, distrito. [10] *busque y apolille*: se busque la vida y viva (con arte de parásito).

creación paródica de una expresión del lenguaje militar, para volver luego a la parodia de hábitos religiosos con los hampones, en posturas estilizadas y ademanes grotescos como las figuras del Bosco, entregados al remiendo simulador de sus apariencias externas. Como ha explicado Lázaro Carreter, en esta cofradía de delincuentes y tahúres ronda la idea de un convento de mendicantes (con hora de oración/remiendo, modos de vestirse/sacerdote para oficio, etc.). Y Quevedo, partiendo de una idea central que se estira a lo largo de cinco capítulos (el último del libro II y los cuatro primeros del III) despliega toda una constelación de ingeniosidades sobre el arte de vivir «a la droga». En efecto, «la observación se hace inspiración, y la reflexión, estilo». Véase documento número 6.

Parecióme bien; deposité el dinero y, en un instante, de la sotanilla me hicieron ropilla de luto de paño; y acortando el herreruelo, quedó bueno. Lo que sobró de paño trocaron a un sombrero viejo reteñido; pusiéronle por toquilla unos algodones de tintero muy bien puestos. El cuello y los valones me quitaron, y en su lugar me pusieron unas calzas atacadas, con cuchilladas no más de por delante, que lados y trasera eran unas gamuzas. las medias calzas de seda aun no eran medias, porque no llegaban más de cuatro dedos más abajo de la rodilla; los cuales cuatro dedos cubría una bota justa sobre la media colorada que yo traía. El cuello estaba todo abierto, de puro roto; pusiéronmele, y dijeron: —«El cuello está trabajoso por detrás y por los lados. V. m., si le mirare uno, ha de ir volviéndose con él, como la flor del sol con el sol; si fueren dos y miraren por los lados, saque pies;[11] y para los de atrás, traiga siempre el sombrero caído sobre el cogote, de suerte que la falda cubra el cuello y descubra toda la frente; y al que preguntare que por qué anda así, respóndale que porque puede andar con la cara descubierta por todo el mundo.»

Diéronme una caja con hilo negro y blanco, seda, cordel y aguja, dedal, paño, lienzo, raso y otros retacillos, y un cuchillo; pusiéronme una espuela en la pretina, yesca y eslabón en una bolsa de cuero, diciendo: —«Con esta caja puede ir por todo el mundo, sin haber menester amigos ni deudos; en ésta se encierra todo nuestro remedio. Tómela y guárdela.» Señaláronme por cuartel[12] para buscar mi vida el de San Luis; y así, empecé mi jornada, saliendo de casa con los otros, aunque por ser nuevo me dieron, para empezar la estafa, como a misacantano,[13] por padrino el mismo que me trujo y convirtió.

Salimos de casa con paso tardo, los rosarios en la mano; tomamos el camino para mi barrio señalado. A todos hacíamos cortesías; a los hombres, quitábamos el sombrero,[14] deseando hacer lo mismo con sus capas; a las mujeres hacíamos reverencias,

---

[11] *saque pies:* retírese lentamente y sin volver la espalda.   [12] *cuartel:* barrio, distrito.   [13] *misacantano:* sacerdote que canta su primera misa.   [14] *quitábamos el sombrero:* descubríamos la cabeza (para saludar). Después, en el zeugma dilógico, *quitar* se sobreentiende en su acepción de robar (las capas).

que se huelgan con ellas y con las paternidades mucho.[15] A uno
decía mi buen ayo: —«Mañana me traen dinero»; a otro:
—«Aguárdeme v. m. un día, que me trae en palabras el banco.»
Cuál le pedía la capa, quién le daba prisa por la pretina; en lo
cual conocí que era tan amigo de sus amigos, que no tenía cosa
suya.[(49)] Andábamos haciendo culebra de una acera a otra, por
no topar con casas de acreedores. Ya le pedía uno el alquiler de
la casa, otro el de la espada y otro el de las sábanas y camisas,
de manera que eché de ver que era caballero de alquiler, como
mula.

Sucedió, pues, que vio desde lejos un hombre que le sacaba
los ojos, según dijo, por una deuda, mas no podía el dinero. Y
porque no le conociese, soltó de detrás de las orejas el cabello,
que traía recogido, y quedó nazareno, entre Verónica y caballero lanudo; plantóse un parche en un ojo, y púsose a hablar italiano conmigo. Esto pudo hacer mientras el otro venía, que aún
no le había visto, por estar ocupado en chismes con una vieja.
Digo de verdad que vi al hombre dar vueltas alrededor, como perro que se quiere echar; hacíase más cruces que un ensalmador,[16] y fuese diciendo: —«¡Jesús!, pensé que era él. A quien bueyes ha perdido...», etc.[17] Yo moríame de risa de ver la figura de
mi amigo. Entróse en un portal a recoger la melena y el parche,
y dijo: —«Estos son los aderezos de negar deudas. Aprended, hermano, que veréis mil cosas déstas en el pueblo.»

Pasamos adelante y, en una esquina, por ser de mañana, tomamos dos tajadas de alcotín[18] y agua ardiente,[19] de una pica-

---

[15] Otro juego de palabras, basado en la disemia de *reverencias* («cortesías», y
también «dignidades eclesiásticas»), *se huelgan* («se alegran», y, también, «forni-
can»), *paternidades* («condición biológica de padre», y también fórmula de tratamiento religioso, de dignidad eclesiástica). El doble sentido queda así: las mujeres
gustan mucho de que se las salude cortésmente, y también, sobre todo, de gozar
con los clérigos (Rey Hazas).   [16] *ensalmador*: persona que cura con ensalmos (su-
persticiones).   [17] *A quien bueyes ha perdido*, los cencerros trae en el oído (o bien,
cencerros se le antojan).   [18] *alcotín*: teniendo en cuenta que en el manuscrito de
Santander *alcotín* se sustituye por *letuario* (fruta confitada que se solía tomar como
desayuno), lo más lógico parece aceptar la propuesta de C. Vaíllo, que entiende

~~~~~~

(40) Véase **35.**

rona que nos lo dio de gracia, después de dar el bienvenido a
mi adestrador. Y díjome: —«Con esto vaya el hombre descuida-
do de comer hoy; y, por lo menos, esto no puede faltar.» Afligíme yo, considerando que aún teníamos en duda la comida, y
repliqué afligido por parte de mi estómago. A lo cual respondió: —«Poca fe tienes con la religión y orden de los caninos.[20]
No falta el Señor a los cuervos ni a los grajos ni aun a los escribanos, ¿y había de faltar a los traspillados?[21] Poco estómago
tienes.» —«Es verdad» —dije—, «pero temo mucho tener menos
y nada en él.»

En esto estábamos, y dio un reloj las doce; y como yo era nuevo en el trato, no les cayó en gracia a mis tripas el alcotín, y tenía hambre como si tal no hubiera comido. Renovada, pues, la
memoria con la hora, volvíme al amigo y dije: —«Hermano,
este de la hambre es recio noviciado; estaba hecho el hombre a
comer más que un sabañón, y hanme metido a vigilias. Si vos
no lo sentís, no es mucho, que criado con hambre desde niño,
como el otro rey con ponzoña,[22] os sustentáis ya con ella. No
os veo hacer diligencia vehemente para mascar, y así, yo deter-
mino de hacer la que pudiere.» —«¡Cuerpo de Dios» —replicó— «con vos! Pues dan agora las doce, ¿y tanta prisa? Tenéis
muy puntuales ganas y ejecutivas, y han menester llevar en paciencia algunas pagas atrasadas. ¡No, sino comer todo el día!
¿Qué más hacen los animales? No se escribe que jamás caballero nuestro haya tenido cámaras;[23] que antes, de puro mal proveídos,[24] no nos proveemos.[25] Ya os he dicho que a nadie falta
Dios. Y si tanta prisa tenéis, yo me voy a la sopa de San Jerónimo,[26] adonde hay aquellos frailes de leche como capones,[27] y
allí haré el buche. Si vos queréis seguirme, venid, y si no, cada

---

alcotín (palabra que no se ha podido documentar) como *cotí:* una clase de higo
de Andalucía.   [19] *agua ardiente:* aguardiente.   [20] *caninos:* hambrientos. Véase
nota 7 de II, 6.   [21] *traspillados:* desvanecidos (muertos de hambres). Véase nota 6
de II, 6.   [22] Alude a Mitrídates, rey del Ponto (123-63 a. de C.), de quien se dijo
que decidió acostumbrarse a los tóxicos por si alguna vez intentaban envenenar-
lo.   [23] *cámaras:* diarreas.   [24] *proveídos:* alimentados.   [25] *nos proveemos:* defeca-
mos.   [26] *la sopa de San Jerónimo:* la sopa que en el convento repartían a los mendigos.   [27] *frailes de leche como capones:* frailes gordos como capones (pollos cas-
trados y cebados con harina amasada en leche).

uno a sus aventuras». —«Adiós» —dije yo—, «que no son tan cortas mis faltas que se hayan de suplir con sobras de otros. Cada uno eche por su calle».

Mi amigo iba pisando tieso, y mirándose a los pies; sacó unas migajas de pan que traía para el efeto [28] siempre en una cajuela, y derramóselas por la barba y vestido, de suerte que parecía haber comido. Ya yo iba tosiendo y escarbando, [29] por disimular mi flaqueza, limpiándome los bigotes, arrebozado y la capa sobre el hombro izquierdo, jugando con el decenario, que lo era porque no tenía más de diez cuentas. Todos los que me veían me juzgaban por comido, y si fuera de piojos, no erraran.

Iba yo fiado en mis escudillos, aunque me remordía la conciencia el ser contra la orden comer a su costa quien vive de tripas horras [30] en el mundo. Yo me iba determinando a quebrar el ayuno, y llegué con esto a la esquina de la calle de San Luis, adonde vivía un pastelero. Asomábase uno de a ocho [31] tostado, y con aquel resuello del horno tropezóme en las narices, y al instante me quedé del modo que andaba, como el perro perdiguero con el aliento de la caza, puestos en él los ojos. Le miré con tanto ahínco, que se secó el pastel como un aojado. [32] Allí es de contemplar las trazas que yo daba para hurtarle; resolvíame otra vez a pagarlo.

En esto, me dio la una. Angustiéme de manera que me determiné a zamparme en un bodegón de los que están por allí. Yo que iba haciendo punta [33] a uno, Dios que lo quiso, topo con un licenciado Flechilla, amigo mío, que venía haldeando [34] por la calle abajo, con más barros [35] que la cara de un sanguino, [36] y tantos rabos, [37] que parecía chirrión [38] con sotana. Arremetió a

---

[28] *efeto:* efecto. Véase nota 23 de I, 5.   [29] *escarbando:* mondando los dientes.   [30] *de tripas horras:* con las tripas vacías.   [31] *uno de a ocho:* un pastel de ocho maravedís.   [32] *aojado:* individuo a quien se le ha echado el mal de ojo (hechizado).   [33] *haciendo punta:* dirigiéndome (expresión de cetrería: el halcón *hace punta:* vuela subiendo y bajando para lanzarse luego sobre la presa).   [34] *haldeando:* faldeando, andando de prisa.   [35] *barros:* en la doble acepción de «granos de la cara», y «lodos en los bordes del vestido».   [36] *sanguino:* persona de complexión sanguínea, propensa a erupciones en la piel.   [37] *rabos:* en el doble sentido de «cabos sueltos de la capa», y «salpicaduras de lodo granulado» (barro).   [38] *chirrión:* carreta de dos ruedas.

mí en viéndome, que, según estaba, fue mucho conocerme. Yo le abracé; preguntóme cómo estaba; díjele luego: —«¡Ah, señor licenciado, qué de cosas tengo que contarle! Sólo me pesa de que me he de ir esta noche y no habrá lugar.» —«Eso me pesa a mí» —replicó—, «y si no fuera por ser tarde, y voy con prisa a comer, me detuviera más, porque me aguarda una hermana casada y su marido». —«¿Qué aquí está mi señora Ana? Aunque lo deje todo, vamos, que quiero hacer lo que estoy obligado.»

Abrí los ojos oyendo que no había comido. Fuime con él, y empecéle a contar que una mujercilla[39] que él había querido mucho en Alcalá, sabía yo dónde estaba, y que le podía dar entrada en su casa. Pegósele luego al alma el envite, que fue industria tratarle de cosas de gusto.

Llegamos tratando en ello a su casa. Entramos; yo me ofrecí mucho a su cuñado y hermana, y ellos, no persuadiéndose a otra cosa sino a que yo venía convidado por venir a tal hora, comenzaron a decir que si lo supieran que habían de tener tan buen güesped, que hubieran prevenido algo. Yo cogí la ocasión y convidéme, diciendo que yo era de casa y amigo viejo, y que se me hiciera agravio en tratarme con cumplimiento.

Sentáronse y sentéme; y porque el otro lo llevase mejor, que ni me había convidado ni le pasaba por la imaginación, de rato en rato le pegaba yo con la mozuela, diciendo que me había preguntado por él, y que le tenía en el alma, y otras mentiras deste modo; con lo cual llevaba mejor el verme engullir, porque tal destrozo como yo hice en el ante,[40] no lo hiciera una bala en el de un coleto. Vino la olla, y comímela en dos bocados casi toda, sin malicia, pero con prisa tan fiera, que parecía que aun entre los dientes no la tenía bien segura. Dios es mi padre, que no come un cuerpo más presto el montón de la Antigua de Valladolid[41] —que le deshace en veinte y cuatro horas— que yo des-

---

[39] *mujercilla:* prostituta. [40] *ante:* entremeses servidos al principio de la comida. Después, en zeugma, se sobreentiende en el significado de piel de que se hacía el *coleto.* [41] Se refiere al cementerio de la Iglesia de Nuestra Señora de la Antigua de Valladolid, de cuya tierra se decía que había sido traída por los cruzados y que consumía los cadáveres en muy poco tiempo (A. Castro).

paché el ordinario;[42] pues fue con más priesa que un extraordinario el correo. Ellos bien debían notar los fieros tragos del caldo y el modo de agotar la escudilla, la persecución de los güesos
y el destrozo de la carne. Y si va a decir verdad, entre burla y
juego, empedré la faltriquera de mendrugos.

Levantóse la mesa; apartámonos yo y el licenciado a hablar
de la ida en casa de la dicha. Yo se lo facilité mucho. Y estando
hablando con él a una ventana, hice que me llamaban de la calle, y dije: —¿A mí, señor? Ya bajo.» Pedíle licencia, diciendo
que luego volvía. Quedóme aguardando hasta hoy, que desaparecí por lo del pan comido y la compañía deshecha.[43] Topóme
otras muchas, y disculpéme con él, contándole mil embustes que
no importan para el caso.

Fuime por las calles de Dios, llegué a la puerta de Guadalajara,[44] y sentéme en un banco de los que tienen en sus puertas
los mercaderes. Quiso Dios que llegaron a la tienda dos de las
que piden prestado sobre sus caras, tapadas de medio ojo,[45] con
su vieja y pajecillo. Preguntaron si había algún terciopelo de labor extraordinaria. Yo empecé luego, para trabar conversación,
a jugar del vocablo, de *tercio* y *pelado*, y *pelo* y *apelo* y *pospelo*,
y no dejé güeso sano a la razón. Sentí que les había dado mi libertad algún seguro[46] de algo de la tienda, y yo, como quien no
aventuraba a perder nada, ofrecílas lo que quisiesen. Regatearon,[47] diciendo que no tomaban de quien no conocían. Yo me
aproveché de la ocasión, diciendo que había sido atrevimiento
ofrecerles nada, pero que me hiciesen merced de acetar unas te-
las que me habían traído de Milán, que a la noche llevaría un
paje (que les dije que era mío, por estar enfrente aguardando a
su amo, que estaba en otra tienda, por lo cual estaba descape-
ruzado). Y para que me tuviesen por hombre de partes[48] y conocido, no hacía sino quitar el sombrero a todos los oidores[49] y

    [42] *el ordinario:* la provisión normal de comida diaria.   [43] Se alude ahora al re-
frán «El pan comido y alzada la mesa, la compañía deshecha».   [44] La puerta de
Guadalajara estaba en la madrileña calle Mayor, y era lugar de tiendas y de reunión de gentes ociosas.   [45] *tapadas de medio ojo:* embozadas con un manto de
modo que sólo descubrían un ojo para ver.   [46] *seguro:* licencia.   [47] *regatearon:*
rehusaron.   [48] *hombre de partes:* persona de calidad, de buenas prendas.   [49] *oidores:* jueces.

caballeros que pasaban, y, sin conocer a ninguno, les hacía cortesías como si los tratara familiarmente. Ellas se cegaron con esto, y con unos cien escudos en oro que yo saqué de los que traía, con achaque de dar limosna a un pobre que me la pidió.

Parecióles irse, por ser ya tarde, y así me pidieron licencia, advirtiéndome con el secreto que había de ir el paje. Yo las pedí por favor y como en gracia, un rosario engarzado en oro que llevaba la más bonita dellas, en prendas de que las había de ver a otro día sin falta. Regatearon dármele; yo les ofrecí en prendas los cien escudos, y dijéronme su casa. Y con intento de estafarme en más, se fiaron de mí y preguntáronme mi posada, diciendo que no podía entrar paje en la suya a todas horas, por ser gente principal.

Yo las llevé por la calle Mayor, y, al entrar en la de las Carretas,[50] escogí la casa que mejor y más grande me pareció. Tenía un coche sin caballos a la puerta. Díjeles que aquella era, y que allí estaba ella, y el coche y dueño para servirlas. Nombréme don Alvaro de Córdoba, y entréme por la puerta delante de sus ojos. Y acuérdome que, cuando salimos de la tienda, llamé uno de los pajes, con grande autoridad, con la mano. Hice que le decía que se quedasen todos y que me aguardasen allí —que así dije yo que lo había dicho—; y la verdad es que le pregunté si era criado del comendador mi tío. Dijo que no; y con tanto, acomodé los criados ajenos como buen caballero.

Llegó la noche escura, y acogímonos a casa todos. Entré y hallé al soldado de los trapos con una hacha de cera que le dieron para acompañar un difunto, y se vino con ella. Llamábase éste Magazo, natural de Olías;[51] había sido capitán en una comedia, y combatido con moros en una danza. A los de Flandes decía que había estado en la China; y a los de la China, en Flandes. Trataba de formar un campo,[52] y nunca supo sino espulgarse en él. Nombraba castillos, y apenas los había visto en los ochavos.[53] Celebraba mucho la memoria del señor don Juan, y oíle

---

[50] La madrileña calle de Carretas está próxima a la Puerta del Sol.   [51] Se refiere a Olías del Rey (Toledo).   [52] *campo:* ejército.   [53] *ochavos:* monedas de dos maravedís.

decir yo muchas veces de Luis Quijada[54] que había sido honra de amigos. Nombraba turcos, galeones y capitanes, todos los que había leído en unas coplas que andaban desto; y como él no sabía nada de mar, porque no tenía de naval más del comer nabos, dijo, contando la batalla que había vencido el señor don Juan en Lepanto, que aquel Lepanto fue un moro muy bravo, como no sabía el pobrete que era nombre del mar. Pasábamos con él lindos ratos.

Entró luego mi compañero, deshechas las narices y toda la cabeza entrapajada, lleno de sangre y muy sucio. Preguntámosle la causa, y dijo que había ido a la sopa de San Jerónimo y que pidió porción doblada, diciendo que era para unas personas honradas y pobres. Quitáronselo a los otros mendigos para dárselo, y ellos, con el enojo, siguiéronle, y vieron que, en un rincón detrás de la puerta, estaba sorbiendo con gran valor. Y sobre si era bien hecho engañar por engullir y quitar a otros para sí, se levantaron voces, y tras ellas palos, y tras los palos, chichones y tolondrones en su pobre cabeza. Embistiéronle con los jarros, y el daño de las narices se le hizo uno con una escudilla de palo que se la dio a oler con más prisa que convenía. Quitáronle la espada, salió a las voces el portero, y aun no los podía meter en paz. En fin, se vio en tanto peligro el pobre hermano, que decía: —«¡Yo volveré lo que he comido!»; y aun no bastaba, que ya no reparaban sino en que pedía para otros, y no se preciaba de sopón.[55] —«¡Miren el todo trapos, como muñeda de niños, más triste que pastelería en Cuaresma,[56] con más agujeros que una flauta, y más remiendos que una pía,[57] y más manchas que un jaspe,[58] y más puntos que un libro de música» —decía un estudiantón destos de la capacha,[59] gorronazo—;[60]

---

[54] Se refiere a Don Juan de Austria y a Don Luis Méndez de Quijada, ayo de aquél, muerto en la guerra de las Alpujarras en 1570.   [55] *sopón:* individuo que vive de pordiosear y de «sopa de convento».   [56] Alude a la prohibición de comer pasteles de carne durante la Cuaresma.   [57] *pía:* caballo o yegua pía, de piel blanca manchada de varios colores.   [58] *jaspe:* piedra silícea de colores variados.   [59] *estudiantón destos de la capacha:* estudiante pobre (llamado así probablemente por asociación con los hermanos de la Orden de San Juan de Dios, o hermanos de la capacha, por la capacha o cesto que utilizaban para pedir limosna).   [60] *gorrona-*

«que hay hombre en la sopa del bendito santo que puede ser obispo o otra cualquier dignidad, y se afrenta un don Peluche[61] de comer![(41)] ¡Graduado estoy de bachiller en artes por Sigüenza!».[62] Metióse el portero de por medio, viendo que un vejezuelo que allí estaba decía que, aunque acudía al brodio,[63] que era decendiente del Gran Capitán,[64] y que tenía deudos.

Aquí lo dejo, porque el compañero estaba ya fuera desaprensando[65] los güesos.

CAPÍTULO III

En que prosigue la misma materia, hasta dar con todos en la cárcel.

Entró Merlo Díaz, hecha la pretina una sarta de búcaros y vidros,[1] los cuales, pidiendo de beber en los tornos de las monjas, había agarrado con poco temor de Dios. Mas sacóle de la puja[2] don Lorenzo del Pedroso, el cual entró con una capa muy buena, la cual había trocado en una mesa de trucos[3] a la suya, que no se la cubriera pelo[4] al que la llevó, por ser desbarbada. Usa-

---

zo: gorrón, estudiante pobre (con capa y gorra, en vez de manteo y bonete) que vive a costa ajena.   [61] *don Peluche:* don Pelanas.   [62] La Universidad de Sigüenza, como todas las universidades menores, tenía una mala fama proverbial.   [63] *brodio:* caldo con berzas y mendrugos que se servía en la «sopa de convento». Hoy, *bodrio.*   [64] El *Gran Capitán,* Gonzalo Fernández de Córdoba (1453-1515), fue lugarteniente de los Reyes Católicos y se hizo famoso en las campañas de Italia.   [65] *desaprensando:* desapretando, desaprisionando.

[1] *búcaros y vidros:* vasijas de arcilla y vasijas de vidrio.   [2] *sacóle de la puja:* ganóle la puja, le dejó atrás.   [3] *mesa de trucos:* mesa de juego parecido al billar.   [4] *no se la cubriera pelo:* adaptación de la expresión proverbial «No se la cubrirá pelo, y ojalá cuero» aprovechando el significado literal de «no le cubriría

---

(41) Otro ejemplo ilustrativo de la comparación hiperbólica ampliada en la reiteración encadenada de la fórmula *más que.* Con ello se realza la exageración, y se lleva la imaginación del lector a un callejón sin salida, destruido ya el arranque inicial de esta acumulación de rasgos heterogéneos en favor de relaciones puramente verbales. Véanse **25** y **32**.

ba éste quitarse la capa como que quería jugar, y ponerla con las otras, y luego, como que no hacía partido,[5] iba por su capa, y tomaba la que mejor le parecía y salíase. Usábalo en los juegos de argolla y bolos.

Mas todo fue nada para ver entrar a don Cosme, cercado de muchachos con lamparones, cáncer y lepra, heridos y mancos, el cual se había hecho ensalmador con unas santiguaduras y oraciones que había aprendido de una vieja. Ganaba éste por todos, porque si el que venía a curarse no traía bulto debajo de la capa, no sonaba dinero en la faldriquera, o no piaban algunos capones, no había lugar. Tenía asolado medio reino. Hacía creer cuanto quería, porque no ha nacido tal artífice en el mentir; tanto, que aun por descuido no decía verdad. Hablaba del Niño Jesús, entraba en las casas con *Deo gracias*, decía lo del «Espíritu Santo sea con todos»... Traía todo ajuar de hipócrita: un rosario con unas cuentas frisonas; al descuido hacía que se le viese por debajo de la capa un trozo de diciplina[6] salpicada con sangre de narices; hacía creer, concomiéndose, que los piojos eran silicios,[7] y que la hambre canina eran ayunos voluntarios. Contaba tentaciones; en nombrando al demonio, decía «Dios nos libre y nos guarde»; besaba la tierra al entrar en la iglesia; llamábase indigno; no levantaba los ojos a las mujeres, pero las faldas sí.[(42)] Con estas cosas, traía el pueblo tal, que se encomendaban a él, y era como encomendarse al diablo. Porque él era jugador y lo otro *(ciertos* los llaman, y por mal nombre *fulleros).* Juraba el nombre de Dios unas veces en vano, y otras en vacío. Pues en lo que toca a mujeres, tenía seis hijos, y preñadas dos santeras.[8] Al fin, de los mandamientos de Dios, los que no quebraba, hendía.

---

pelo» (por ser calva y pelada la capa de don Lorenzo) y el significado metafórico de «tener una pérdida grande» (la capa robada).   [5] *como que no hacía partido:* disimuladamente.   [6] *diciplina:* disciplina, manojo de cordeles para azotarse los disciplinantes. Véase nota 6 de I, 1.   [7] *silicios:* cilicios, instrumentos de autocastigo corporal.   [8] *santeras:* beatas.

Vino Polanco haciendo gran ruido, y pidió su saco pardo, cruz grande, barba larga postiza y campanilla. Andaba de noche desta suerte, diciendo: —«Acordaos de la muerte, y haced bien por las ánimas...», etc. Con esto cogía mucha limosna, y entrábase en las casas que veía abiertas; si no había testigos ni estorbo, robaba cuanto había; si le topaban, tocaba la campanilla, y decía con una voz que él fingía muy penitente: —«Acordaos, hermanos...», etc.

Todas estas trazas de hurtar y modos extraordinarios conocí, por espacio de un mes, en ellos. Volvamos agora a que les enseñé el rosario y conté el cuento. Celebraron mucho la traza, y recibióle la vieja por su cuenta y razón para venderle. La cual se iba por las casas diciendo que era de una doncella pobre, y que se deshacía dél para comer. Y ya tenía para cada cosa su embuste y su trapaza.[9] Lloraba la vieja a cada paso; enclavijaba[10] las manos y suspiraba de lo amargo; llamaba hijos a todos. Traía, encima de muy buena camisa, jubón, ropa, saya y manteo, un saco de sayal roto, de un amigo ermitaño que tenía en las cuestas de Alcalá. Esta gobernaba el hato, aconsejaba y encubría.[(43)]

Quiso, pues, el diablo, que nunca está ocioso en cosas tocantes a sus siervos, que, yendo a vender no sé qué ropa y otras cosillas a una casa, conoció uno no sé qué hacienda[11] suya. Trujo un alguacil, y agarráronme la vieja, que se llamaba la madre Labruscas. Confesó luego todo el caso, y dijo cómo vivíamos todos, y que éramos caballeros de rapiña. Dejóla el alguacil en la cárcel, y vino a casa, y halló en ella a todos mis compañeros, y a mí con ellos. Traía media docena de corchetes —verdugos de a pie—, y dio con todo el colegio buscón en la cárcel, adonde se vio en gran peligro la caballería.

---

[9] *trapaza:* engaño. [10] *enclavijaba:* entrelazaba, trababa. [11] *hacienda:* pertenencia.

(43) Esta presentación de don Cosme, Polanco y la vieja aporta algunas notas bien ilustrativas, tanto de la astucia picaresca en el arte de *buscar* como de una situación social de hipocresía y falsa devoción, parejas a la miseria social.

CAPÍTULO IV

En que trata los sucesos de la cárcel, hasta salir la vieja azotada, los compañeros a la vergüenza y yo en fiado.

Echáronnos, en entrando, a cada uno dos pares de grillos,[1] y sumiéronnos en un calabozo. Yo que me vi ir allá, aprovechéme del dinero que traía conmigo y, sacando un doblón,[2] díjele al carcelero: —«Señor, oígame v. m. en secreto.» Y para que lo hiciese, dile escudo como cara. En viéndolos, me apartó. —«Suplico a v. m.» —le dije— «que se duela de un hombre de bien». Busquéle las manos, y como sus palmas estaban hechas a llevar semejantes dátiles,[3] cerró con los dichos veinte y seis,[4] diciendo: —«Yo averiguaré la enfermedad y, si no es urgente, bajará al cepo.»[5] Yo conocí la deshecha,[6] y respondíle humilde. Dejóme fuera, y a los amigos descolgáronlos abajo.

Dejo de contar la risa tan grande que, en la cárcel y por las calles, había con nosotros; porque como nos traían atados y a empellones, unos sin capas y otros con ellas arrastrando, eran de ver unos cuerpos pías[7] remendados, y otros aloques[8] de tinto y blanco. A cuál, por asirle de alguna parte segura, por estar todo tan manido le agarraba el corchete de las puras carnes, y aun no hallaba de qué asir, según los tenía roídos la hambre. Otros iban dejando a los corchetes en las manos los pedazos de ropillas y gregüescos; al quitar la soga en que venían ensartados, se salían pegados los andrajos.

Al fin, yo fui, llegada la noche, a dormir a la sala de los linajes.[9] Diéronme mi camilla. Era de ver algunos dormir envai-

---

[1] *grillos:* grilletes.   [2] *doblón:* moneda de oro (valía dos escudos).   [3] *dátiles:* dádivas, sobornos (nótese la doble correlación *palmas-dátiles:* «palmeras-dátiles», y «palmas de las manos-dádivas obtenidas por soborno»).   [4] Los 26 reales de los dos escudos a que equivalía el doblón.   [5] *cepo:* calabozo (en germanía).   [6] *la deshecha:* el disimulo.   [7] *pías:* de varios colores sobre fondo blanco. Véase nota 57 de III, 2.   [8] *aloque:* vino clarete.   [9] *sala de los linajes:* sala reservada a los presos privilegiados.

nados, sin quitarse nada; otros, desnudarse de un golpe todo cuanto traían encima; cuáles jugaban. Y, al fin, cerrados, se mató la luz. Olvidamos todos los grillos.

Estaba el servicio[10] a mi cabecera; y, a la media noche, no hacían sino venir presos y soltar presos.[11] Yo que oí el ruido, al principio, pensando que eran truenos, empecé a santiguarme y llamar a Santa Bárbara. Mas, viendo que olían mal, eché de ver que no eran truenos de buena casta. Olían tanto, que por fuerza detenía las narices en la cama. Unos traían cámaras y otros aposentos.[12] Al fin, yo me vi forzado a decirles que mudasen a otra parte el vedriado.[13] Y sobre si le viene muy ancho o no, tuvimos palabras. Usé el oficio de adelantado,[14] que es mejor serlo de un cachete que de Castilla, y metíle a uno media pretina en la cara. El, por levantarse aprisa, derramóle, y al ruido despertó el concurso. Asábamonos a pretinazos a escuras, y era tanto el mal olor, que hubieron de levantarse todos.

Alzóse el grito. El alcaide,[15] sospechando que se le iban algunos vasallos, subió corriendo, armado, con toda su cuadrilla, abrió la sala, entró luz y informóse del caso. Condenáronme todos; yo me disculpaba con decir que en toda la noche me habían dejado cerrar los ojos, a puro abrir los suyos.[16] El carcelero, pareciéndole que por no dejarme zabullir en el horado[17] le daría otro doblón, asió del caso y mandóme bajar allá. Determinéme a consentir, antes que a pellizcar el talego más de lo que lo estaba. Fui llevado abajo; recibiéronme con arbórbola[18] y placer los amigos.[(44)]

---

[10] *servicio:* bacín.   [11] *soltar presos:* soltar pedos (gases apresados).   [12] *cámaras, aposentos:* diarreas.   [13] *vedriado:* vidriado, recipiente de barro cocido.   [14] *adelantado:* antiguo gobernador militar.   [15] *alcaide:* gobernador de la cárcel; también, «señor de un castillo». De ahí, *vasallos* = presos.   [16] *los suyos:* los ojos del culo.   [17] *zabullir en el horado:* zambullir en el calabozo.   [18] *arbórbola:* albórbola, griterío.

(44) Uno de los rasgos más frecuentes en la obra satírico-burlesca de Quevedo es la abundancia de chistes y alusiones escatológicas, que además constituye su faceta más popular, y aun legendaria. En este episodio carcelario el chiste escatológico es constante, y en su acumulación muestra Quevedo su extraordinario talento verbal para el juego concep-

Dormí aquella noche algo desabrigado. Amaneció el Señor, y salimos del calabozo. Vímonos las caras, y lo primero que nos fue notificado fue dar para la limpieza —y no de la Virgen sin mancilla—, so pena de culebrazo [19] fino. Yo di luego seis reales; mis compañeros no tenían qué dar, y así, quedaron remitidos para la noche.

Había en el calabozo un mozo tuerto, alto, abigotado, mohíno de cara, cargado de espaldas y de azotes en ellas. Traía más hierro que Vizcaya, [20] dos pares de grillos y una cadena de portada. Llamábanle el Jayán. Decía que estaba preso por cosas de aire, y así, sospechaba yo si era por algunas fuelles, chirimías o abanicos, [21] y decíale si era por algo desto. Respondía que no, que eran cosas de atrás. Yo pensé que pecados viejos quería decir. Y averigüe que por puto. [22] Cuando el alcaide le reñía por alguna travesura, le llamaba botiller [23] del verdugo y depositario general de culpas. Otras veces le amenazaba diciendo: —«¿Qué te arriesgas, pobrete, con el que ha de hacer humo? [24] Dios es Dios, que te vendimie de camino.» Había confesado éste, y era tan maldito, que traíamos todos con carlancas, [25] como mastines, las traseras, y no había quien se osase ventosear, de miedo de acordarle dónde tenía las asentaderas.

Este hacía amistad con otro que llamaban Robledo, y por otro nombre el Trepado. Decía que estaba preso por liberalidades; y, entendido, eran de manos en pescar lo que topaba. Este había sido más azotado que postillón: [26] no había verdugo que no hu-

---

[19] *culebrazo:* paliza. [20] La referencia de la comparación hiperbólica de la cantidad y peso de las cadenas adquiere su deliberada desproporción si recordamos la fama de las minas de hierro de Vizcaya. De ahí el nombre del preso, *Jayán:* gigante, y, en germanía, rufián respetado por los demás; aunque aquí sea irónico. [21] *fuelles, chirimías o abanicos:* soplones (en germanía); porque son instrumentos que dan aire, que soplan. [22] *puto:* homosexual; de ahí las «cosas de atrás». [23] *botiller:* despensero. [24] *el que ha de hacer humo:* el que ha de morir quemado (por la Inquisición). [25] *carlancas:* collares de puntas de hierro para perros. [26] *postillón:* caballo de postillón, que iba delante de los que llevaban el correo.

tista: *venir presos y soltar presos; unos traían cámaras y otros aposentos; cerrar los ojos, a puro abrir los suyos,* etc.

biese probado la mano en él. Tenía la cara con tantas cuchilladas, que, a descubrirse puntos, no se la ganara un flux.[27] Tenía
nones las orejas y pegadas las narices, aunque no tan bien como
la cuchillada que se las partía.

A éstos se llegaban otros cuatro hombres, rapantes[28] como leones de armas, todos agrillados y condenados al hermano de Rómulo.[29] Decían ellos que presto podrían decir que habían servido a su Rey por mar y por tierra. No se podrá creer la notable
alegría con que aguardaban su despacho.

Todos estos, mohínos de ver que mis compañeros no contri-
buían, ordenaron a la noche de darlos culebrazo bravo, con una
soga dedicada al efecto.

Vino la noche. Fuimos ahuchados[30] a la postrera faldriquera
de la casa. Mataron la luz; yo metíme luego debajo de la tarima.
Empezaron a silbar dos dellos, y otro a dar sogazos. Los buenos
caballeros que vieron el negocio de revuelta, se apretaron de manera las carnes ayunas —cenadas, comidas y almorzadas de sarna y piojos—, que cupieron todos en un resquicio de la tarima.
Estaban como liendres[31] en cabellos o chinches en cama. Sonaban los golpes en la tabla; callaban los dichos. Los bellacos que
vieron que no se quejaban, dejaron el dar azotes, y empezaron
a tirar ladrillos, piedras y cascote que tenían recogido. Allí fue
ella, que uno le halló el cogote a don Toribio, y le levantó una
pantorrilla en él de dos dedos. Comenzó a dar voces que le ma-
taban. Los bellacos, porque no se oyesen sus aullidos, cantaban
todos juntos y hacían ruido con las prisiones. El, por esconder-
se, asió de los otros para meterse debajo. Allí fue el ver cómo,
con la fuerza que hacían, les sonaban los güesos como tablillas
de San Lázaro.[32]

Acabaron su vida las ropillas; no quedaba andrajo en pie. Menudeaban tanto las piedras y cascotes, que, dentro de poco tiem-

---

[27] *flux:* jugada máxima (de más puntos) en algún juego de cartas. [28] *rapantes:*
ladrones (como los leones con las garras tendidas en escudos de armas). [29] *al hermano de Rómulo:* al remo (Rómulo y Remo), a galeras. [30] *ahuchados:* escondi-
dos. [31] *liendres:* huevos de piojos. [32] Véase nota 11 de I, 3.

po, tenía el dicho don Toribio más golpes[33] en la cabeza que
una ropilla abierta. Y no hallando remedio contra el granizo,
viéndose, sin santidad, cerca de morir San Esteban,[34] dijo que
le dejasen salir, que él pagaría luego y daría sus vestidos en prendas. Consintiéronselo, y, a pesar de los otros, que se defendían
con él, descalabrado y como pudo, se levantó y pasó a mi lado.

Los otros, por presto que acordaron a prometer lo mismo, ya
tenían las chollas[35] con más tejas que pelos. Ofrecieron para pagar la patente sus vestidos, haciendo cuenta que era mejor es-
tarse en la cama por desnudos que por heridos. Y así, aquella
noche los dejaron, y a la mañana les pidieron que se desnuda-
sen. Y se halló que, de todos sus vestidos juntos, no se podía hacer una mecha a un candil.

Quedáronse en la cama, digo envueltos en una manta, la cual
era la que llaman ruana,[36] donde se espulgan todos. Empezaron
luego a sentir el abrigo de la manta, porque había piojo con
hambre canina, y otro que, en un brazo de uno dellos, quebraba
ayuno de ocho días. Habíalos frisones,[37] y otros que se podían
echar a la oreja de un toro. Pensaron aquella mañana ser al-
morzados dellos; quitáronse la manta, maldiciendo su fortuna,
deshaciéndose a puras uñadas.

Yo salíme del calabozo, diciéndoles que me perdonasen si no
les hiciese mucha compañía, porque me importaba no hacérse-
la. Torné a repasarle las manos al carcelero con tres de a ocho[38]
y, sabiendo quién era el escribano de la causa, invíele a llamar
con un picarillo.[39] Vino, metíle en un aposento, y empecéle a
decir, después de haber tratado de la causa, cómo yo tenía no sé
qué dinero. Supliquéle que me lo guardase, y que, en lo que hubiese lugar, favoreciese la causa de un hijodalgo desgraciado
que, por engaño, había incurrido en tal delito. —«Crea v. m.»
—dijo, después de haber pescado la mosca—,[40] «que en noso-

---

[33] *golpes:* en el doble significado de «golpes» y también «portezuelas de los vestidos para tapar los bolsillos». [34] San Esteban murió mártir, apedreado, en el siglo I. [35] *chollas:* cabezas. [36] *ruana:* manta raída. [37] *frisones:* véase nota 37 de
I, 2. [38] *tres de a ocho:* tres reales de a ocho. [39] *picarillo:* mozo de cocina. [40] *haber pescado la mosca:* haber cogido el dinero.

tros está todo el juego, y que si uno da en no ser hombre de
bien, puede hacer mucho mal. Más tengo yo en galeras de balde, por mi gusto, que hay letras en el proceso. Fíese de mí, y
crea que le sacaré a paz y a salvo».

Fuese con esto, y volvióse desde la puerta a pedirme algo para
el buen Diego García, el alguacil, que importaba acallarle con
mordaza de plata, y apuntóme no sé qué del relator, [41] para ayuda de comerse [42] cláusula entera. Dijo: —«Un relator, señor, con
arquear las cejas, levantar la voz, dar una patada para hacer atender al alcalde divertido, [43] hacer una acción, destruye un cristiano.» Dime por entendido, y añadí otros cincuenta reales; y en
pago me dijo que enderezase el cuello de la capa, y dos remedios para el catarro que tenía de la frialdad del calabozo. Y últimamente me dijo, mirándome con grillos: —«Ahorre de pesadumbre, que, con ocho reales que dé al alcaide, le aliviará; que
ésta es gente que no hace virtud si no es por interés.» Cayóme
en gracia la advertencia. Al fin, él se fue. Yo di al carcelero un
escudo; quitóme los grillos. [(45)]

Dejábame entrar en su casa. Tenía una ballena por mujer, y
dos hijas del diablo, feas y necias, y de la vida, [44] a pesar de sus
caras. Sucedió que el carcelero —se llamaba tal Blandones de
San Pablo, y la mujer doña Ana Moráez— vino a comer, estando yo allí, muy enojado y bufando. No quiso comer. La mujer,
recelando alguna gran pesadumbre, se llegó a él, y le enfadó tanto con las acostumbradas importunidades, que dijo: —«¿Qué ha
de ser, si el bellaco ladrón de Almendros, el aposentador, [45] me

---

[41] *relator:* letrado que hace relación de expedientes en los tribunales.   [42] *ayuda
de comerse:* expresión recreada sobre *ayuda de costa* (compensación añadida al
sueldo).   [43] *divertido:* distraído.   [44] *de la vida:* prostitutas.   [45] *aposentador:* individuo dedicado a aposentar, buscar alojamiento a los funcionarios y personali-
dades que llegaban a la Corte.

(45) En este escueto resumen narrativo se condensa uno de los motivos más frecuentes en la sátira de Quevedo, y también en la literatura
de la época. Trátase de la corrupción de la justicia, la venalidad de cuyos miembros aparece sugerida desde el carcelero hasta los letrados y jueces, pasando por los escribanos, uno de los blancos preferidos de
Quevedo.

ha dicho, teniendo palabras con él sobre el arrendamiento, que vos no sois limpia?»[46] —«¿Tantos rabos[47] me ha quitado el bellaco?» —dijo ella—; «por el siglo de[48] mi agüelo, que no sois hombre, pues no le pelastes las barbas. ¿Llamo yo a sus criadas que me limpien?». Y volviéndose a mí, dijo: —«Vale Dios que no me podrá decir que soy judía como él, que, de cuatro cuartos que tiene, los dos son de villano, y los otros ocho maravedís, de hebreo. A fe, señor don Pablos, que si yo lo oyera, que yo le acordara que tiene, las espaldas en el aspa de San Andrés.»[49]

Entonces, muy afligido el alcaide, respondió: —«¡Ay, mujer, que callé porque dijo que en esa teníades vos dos o tres madejas! Que lo sucio no os lo dijo por lo puerco, sino por el no lo comer.»[50] —«Luego ¿judía dijo que era? ¿Y con esa paciencia lo decís, buenos tiempos?[51] ¿Así sentís la honra de doña Ana Moráez, hija de Esteban Rubio y Juan de Madrid,[52] que sabe Dios y todo el mundo?» —«¡Cómo! ¿Hija» —dije yo— «de Juan de Madrid»? —«De Juan de Madrid, el de Auñón.» —«Voto a Dios» —dije yo— «que el bellaco que tal dijo es un judío, puto y cornudo». Y volviéndome a ellas: —«Juan de Madrid, mi señor, que esté en el cielo, fue primo hermano de mi padre. Y daré yo probanza de quién es y cómo; y esto me toca a mí. Y si salgo de la cárcel, yo le haré desdecir cien veces al bellaco. Ejecutoria[53] tengo en el pueblo, tocante a entrambos, con letras de oro.»

Alegráronse con el nuevo pariente, y cobraron ánimo con lo de la ejecutoria. Y ni yo la tenía, ni sabía quiénes eran. Comenzó el marido a quererse informar del parentesco por menudo. Yo, porque no me cogiese en mentira, hice que me salía de enojado, votando y jurando. Tuviéronme, diciendo que no se tratase más dello. Yo, de rato en rato, salía muy al descuido dicien-

---

[46] *limpia:* cristiana vieja (limpia de sangre).   [47] *rabos:* manchas de lodo en los bordes del vestido.   [48] *por el siglo de:* por el (eterno) descanso de.   [49] *aspa de San Andrés:* cruz de San Andrés que la Inquisición mandaba poner a los reconciliados con la iglesia a modo de penitencia *(aspa:* instrumento para hacer madejas de hilo).   [50] *no lo comer:* no comer carne de cerdo, vedada a los judíos.   [51] *buenos tiempos:* calzonazos.   [52] Como señala Lázaro Carreter, o bien Ana Moráez fue concebida «a escote» (hija de dos hombres), o bien se trata de dos antepasados varones.   [53] *ejecutoria:* carta de hidalguía (presuponía limpieza de sangre).

do: —«¡Juan de Madrid! ¡Burlando[54] es la probanza que yo tengo suya!» Otras veces decía: —«¡Juan de Madrid, el mayor! Su padre de Juan de Madrid fue casado con Ana de Acevedo, la gorda.» Y callaba otro poco.

Al fin, con estas cosas, el alcaide me daba de comer y cama en su casa, y el escribano, solicitado dél y cohechado[55] con el dinero, lo hizo tan bien, que sacaron a la vieja delante de todos, en un palafrén pardo a la brida,[56] con un músico de culpas[57] delante. Era el pregón: —«¡A esta mujer, por ladrona!» Llevábale el compás en las costillas el verdugo, según lo que le habían recetado los señores de los ropones.[58] Luego seguían todos mis compañeros, en los overos[59] de echar agua, sin sombreros y las caras descubiertas. Sacábanlos a la vergüenza, y cada uno, de puro roto, llevaba la suya[60] de fuera.

Desterráronlos por seis años. Yo salí en fiado,[61] por virtud del escribano. Y el relator no se descuidó, porque mudó tono, habló quedo y ronco, brincó razones y mascó cláusulas enteras.

CAPÍTULO V

De cómo tomé posada, y la desgracia que me sucedió en ella.

Salí de la cárcel. Halléme solo y sin los amigos; aunque me avisaron que iban camino de Sevilla a costa de la caridad, no los quise seguir.

Determinéme de ir a una posada, donde hallé una moza rubia y blanca, miradora, alegre, a veces entremetida, y a veces entresacada y salida.[1] Ceceaba un poco; tenía miedo a los ratones; pre-

---

[54] *Burlando:* ¡Como para burlarse...!   [55] *cohechado:* sobornado.   [56] *en un palafrén pardo a la brida:* del ronzal de un asno.   [57] *músico de culpas:* pregonero de delitos («precursor de la penca»).   [58] *señores de los ropones:* jueces.   [59] *overos:* se aplica a los animales de color parecido al del melocotón; aquí, los rocines de los aguadores.   [60] *la suya:* sus vergüenzas (partes pudendas descubiertas por los rotos vestidos). Zeugma delógico, pues *vergüenza:* «castigo de afrenta pública», y «vergüenzas, partes púdicas».   [61] *en fiado:* bajo fianza.

[1] *a veces entremetida, y a veces entresacada y salida:* puta; a menudo fornicada, y siempre con ganas de serlo (Rey Hazas).

ciábase de manos y, por enseñarlas, siempre despabilaba las velas, partía la comida en la mesa, en la iglesia siempre tenía puestas las manos,[2] por las calles iba enseñando siempre cuál casa
era de uno y cuál de otro; en el estrado,[3] de contino[4] tenía un
alfiler que prender en el tocado; si se jugaba a algún juego, era
siempre el de pizpirigaña,[5] por ser cosa de mostrar manos. Hacía que bostezaba, adrede, sin tener gana, por mostrar los dientes y hacer cruces en la boca. Al fin, toda la casa tenía ya tan
manoseada, que enfadaba ya a sus mismos padres.[(46)]

Hospedáronme muy bien en su casa, porque tenían trato de
alquilarla, con muy buena ropa, a tres moradores: fui el uno
yo, el otro un portugués, y un catalán. Hiciéronme muy buena
acogida.

A mí no me pareció mal la moza para el deleite, y lo otro la
comodidad de hallármela en casa. Di en poner en ella los ojos;
contábales cuentos que yo tenía estudiados para entretener; traía-
les nuevas,[6] aunque nunca las hubiese; servíales en todo lo que
era de balde. Díjelas que sabía encantamentos, y que era nigro-
mante, que haría que pareciese que se hundía la casa y que se
abrasaba, y otras cosas que ellas, como buenas creederas, traga-
ron. Granjeé una voluntad en todos agradecida, pero no enamorada, que, como no estaba tan bien vestido como era razón
—aunque ya me había mejorado algo de ropa por medio del alcaide, a quien visitaba siempre, conservando la sangre[7] a pura
carne y pan que le comía—, no hacían de mí el caso que era
razón.

---

[2] *puestas las manos:* juntas en ademán de oración.   [3] *estrado:* sala donde las
mujeres recibían a sus visitas.   [4] *de contino:* continuamente.   [5] *pizpirigaña:* juego infantil en el que quien hacía de gallo pellizcaba las manos de los demás participantes.   [6] *nuevas:* noticias.   [7] *la sangre:* el parentesco.

(46) Con frecuencia suele manifestarse en la prosa quevediana la insistente repetición de una palabra indicativa de un *leitmotiv.* En el retrato de Cabra (I, 3) el *leitmotiv* era el *no gastar;* aquí en la presentación de esta moza, cuya personalidad queda reducida a sus manos, que
ella enseña a cada momento, se repite insistentemente el martilleo léxico de dicha palabra hasta culminar en el cerrojazo final de *manoseada,*
que resume toda la actividad de la moza.

Di, para acreditarme de rico que lo disimulaba, en enviar a mi casa amigos a buscarme cuando no estaba en ella. Entró uno, el primero, preguntando por el señor don Ramiro de Guzmán, que así dije que era mi nombre, porque los amigos me habían dicho que no era de costa el mudarse los nombres, y que era útil. Al fin, preguntó por don Ramiro, «un hombre de negocios rico, que hizo agora tres asientos[8] con el Rey». Desconociéronme en esto las huéspedas, y respondieron que allí no vivía sino un don Ramiro de Guzmán, más roto que rico, pequeño de cuerpo, feo de cara y pobre. —«Ese es» —replicó— «el que yo digo. Y no quisiera más renta al servicio de Dios que la que tiene a más de dos mil ducados». Contóles otros embustes, quedáronse espantadas, y él las dejó una cédula de cambio fingida, que traía a cobrar en mí, de nueve mil escudos. Díjoles que me la diesen para que la acetase, y fuese.

Creyeron la riqueza la niña y la madre, y acotáronme luego para marido. Vine yo con gran disimulación, y, en entrando, me dieron la cédula, diciendo. —«Dineros y amor mal se encubren, señor don Ramiro. ¿Cómo que nos esconda v. m. quién es, debiéndonos tanta voluntad?» Yo hice como que me había disgustado por el dejar de la cédula, y fuime a mi aposento. Era de ver cómo, en creyendo que tenía dinero, me decían que todo me estaba bien. Celebraban mis palabras; no había tal donaire como el mío. Yo que las vi tan cebadas,[9] declaréle mi voluntad a la muchacha, y ella me oyó contentísima, diciéndome mil lisonjas.

Apartámonos; y una noche, para confirmarlas más en mi riqueza, cerréme en mi aposento, que estaba dividido del suyo con sólo un tabique muy delgado, y, sacando cincuenta escudos, estuve contándolos en la mesa tantas veces, que oyeron contar seis mil escudos. Fue esto de verme con tanto dinero de contado, para ellas, todo lo que yo podía desear, porque dieron en desvelarse para regalarme y servirme.

El portugués se llamaba *o senhor* Vasco de Meneses, caballe-

---

[8] *asientos:* contratos de servicios públicos.   [9] *cebadas:* creídas, engañadas (con el cebo tragado).

ro de la cartilla, digo de Christus. [10] Traía su capa de luto, botas, cuello pequeño y mostachos grandes. Ardía por doña Be-
renguela de Robledo, que así se llamaba. Enamorábala sentán-
dose a conversación, y suspirando más que beata en sermón de
Cuaresma. Cantaba mal, y siempre andaba apuntado con él el
catalán, el cual era la criatura más triste y miserable que Dios
crió. Comía a tercianas, [11] de tres a tres días, y el pan tan duro,
que apenas le pudiera morder un maldiciente. Pretendía por lo
bravo, y si no era el poner güevos, no le faltaba otra cosa para
ser gallina, porque cacareaba notablemente.

Como vieron los dos que yo iba tan adelante, dieron en decir
mal de mí. El portugués decía que era un piojoso, pícaro, desa-
rropado; el catalán me trataba de cobarde y vil. Yo lo sabía todo,
y a veces lo oía, pero no me hallaba con ánimo para responder.
Al fin, la moza me hablaba y recibía mis billetes. [12] Comenzaba
por lo ordinario: «Este atrevimiento, su mucha hermosura de v.
m...»; decía lo de «me abraso», trataba de penar, ofrecíame por
esclavo, firmaba el corazón con la saeta... Al fin, llegamos a los
túes, [13] y yo, para alimentar más el crédito de mi calidad, salíme
de casa y alquilé una mula, y arrebozado y mudando la voz, vine
a la posada y pregunté por mí mismo, diciendo si vivía allí su
merced del señor don Ramiro de Guzmán, señor del Valcerrado
y Vellorete. —«Aquí vive» —respondió la niña— «un caballero
de ese nombre, pequeño de cuerpo». Y, por las señas, dije yo
que era él, y la supliqué que le dijese que Diego de Solórzana,
su mayordomo que fue de las depositarías, [14] pasaba a las co-
branzas, y le había venido a besar las manos. Con esto me fui,
y volví a casa de allí a un rato.

Recibiéronme con la mayor alegría del mundo, diciendo que
para qué les tenía escondido el ser señor de Valcerrado y Vellorete. Diéronme el recado. Con esto, la muchacha se remató, cu-

---

[10] Se refiere a la orden militar de la nobleza portuguesa de Christus. El juego
de palabras se basa en que la palabra Christus designaba la cruz que encabezaba
las cartillas escolares en que se aprendían las primeras letras.   [11] *a tercianas:* cada
tres días *(terciana:* fiebre que repite cada tres días).   [12] *billetes:* cartas, papeles escritos.   [13] *a los túes:* al tuteo (era entonces indicio de gran familiaridad).   [14] *de-
positaría:* tesorería (lugar de depósito de caudales menores).

diciosa de marido tan rico, y trazó de que la fuese a hablar a la
una de la noche, por un corredor que caía a un tejado, donde
estaba la ventana de su aposento.

El diablo, que es agudo en todo, ordenó que, venida la noche,
yo, deseoso de gozar la ocasión, me subí al corredor, y, por pasar desde él al tejado que había de ser, vánseme los pies, y doy
en el de un vecino escribano tan desatinado golpe, que quebré
todas las tejas, y quedaron estampadas en las costillas. Al ruido,
despertó la media casa, y pensando que eran ladrones —que son
antojadizos dellos los de este oficio—, subieron al tejado. Yo que
vi esto, quíseme esconder detrás de una chimenea, y fue aumen-
tar la sospecha, porque el escribano y dos criados y un hermano
me molieron a palos y me ataron a vista de mi dama, sin bas-
tarme ninguna diligencia. Mas ella se reía mucho, porque, como
yo la había dicho que sabía hacer burlas y encantamentos, pensó que había caído por gracia y nigromancia,[15] y no hacía sino
decirme que subiese, que bastaba ya. Con esto, y con los palos
y puñadas que me dieron, daba aullidos; y era lo bueno que ella
pensaba que todo era artificio, y no acababa de reír.

Comenzó luego a hacer la causa, y porque me sonaron unas
llaves en la faldriquera, dijo y escribió que eran ganzúas y aunque las vio, sin haber remedio de que no lo fuesen. Díjele que
era don Ramiro de Guzmán, y rióse mucho. Yo, triste, que me
había visto moler a palos delante de mi dama, y me vi llevar preso sin razón y con mal nombre, no sabía qué hacerme. Hincá-
bame de rodillas, y ni por esas ni por esotras bastaba con el
escribano.

Todo esto pasaba en el tejado, que los tales, aun de las tejas
arriba levantan falsos testimonios. Dieron orden de bajarme abajo, y lo hicieron por una ventana que caía a una pieza que servía de cocina.

---

[15] *nigromancia:* magia negra.

CAPÍTULO VI

Prosigue el cuento, con otros varios sucesos.

No cerré los ojos en toda la noche, considerando mi desgracia, que no fue dar en el tejado, sino en las manos del escribano. Y cuando me acordaba de lo de las ganzúas y las hojas que había escrito en la causa, echaba de ver que no hay cosa que tanto crezca como culpa en poder de escribano.

Pasé la noche en revolver trazas; unas veces me determinaba rogárselo por Jesucristo, y considerando lo que le pasó con ellos[1] vivo, no me atrevía. Mil veces me quise desatar, pero sentíame luego, y levantábase a visitarme los nudos, que más velaba él en cómo forjaría el embuste que yo en mi provecho. Madrugó al amanecer, y vistióse a hora que en toda su casa no había otros levantados sino él y los testimonios.[2] Agarró la correa, y tornóme a repasar las costillas, reprehendiéndome el mal vicio de hurtar como quien tan bien le sabía.

En esto estábamos, él dándome y yo casi determinado de darle a él dineros, que es la sangre con que se labran semejantes diamantes,[3] cuando, incitados y forzados de los ruegos de mi querida, que me había visto caer y apalear, desengañada de que no era encanto sino desdicha, entraron el portugués y el catalán; y en viendo el escribano que me hablaban, desenvainando la pluma, los quiso espetar por cómplices en el proceso.

El portugués no lo pudo sufrir, y tratóle algo mal de palabra, diciéndole que él era un caballero «fidalgo de casa du Rey», y que yo era un «home muito fidalgo»,[4] y que era bellaquería te-

---

[1] Alude a los judíos *(escriba:* doctor e intérprete de la ley entre los hebreos), que crucificaron a Cristo. De este modo tacha de judío al escribano, en lo cual vuelve a insistir después en la ponderación del «vicio de hurtar».   [2] Juego de palabras basado en la doble acepción de *levantados:* «levantados de la cama», y «testimonios levantados».   [3] Alude a la creencia de que los diamantes podían ablandarse con sangre del macho cabrío.   [4] Las palabras del portugués equivalen a «hidalgo de casa del Rey» y «hombre muy hidalgo».

nerme atado. Comenzóme a desatar y, al punto, el escribano clamó: —«¡Resistencia!»; y dos criados suyos, entre corchetes y ganapanes,[5] pisaron las capas, deshiciéronse los cuellos, como lo suelen hacer para representar las puñadas que no ha habido, y pedían favor al Rey. Los dos, al fin, me desataron, y viendo el escribano que no había quien le ayudase, dijo: —«Voto a Dios que esto no se puede hacer conmigo, y que a no ser vs. ms. quien son, les podría costar caro. Manden contentar estos testigos, y echen de ver que les sirvo sin interés.» Yo vi luego la letra;[6] saqué ocho reales y díselos, y aun estuve por volverle los palos que me había dado; pero, por no confesar que los había recibido, lo dejé, y me fui con ellos, dándoles las gracias de mi libertad y rescate.

Entré en casa con la cara rozada de puros mojicones, y las espaldas algo mohínas de los varapalos. Reíase el catalán mucho, y decía a la niña que se casase conmigo, para volver el refrán al revés,[7] y que no fuese tras cornudo apaleado, sino tras apaleado cornudo. Tratábame de resuelto y sacudido, por los palos; traíame afrentado con estos equívocos. Si entraba a visitarlos, trataban luego de varear; otras veces, de leña y madera.

Yo que me vi corrido y afrentado, y que ya me iban dando en la flor[8] de lo rico, comencé a trazar de salirme de casa; y, para no pagar comida, cama ni posada, que montaba algunos reales, y sacar mi hato libre, traté con un licenciado Brandalagas, natural de Hornillos, y con otros dos amigos suyos, que me viniesen una noche a prender. Llegaron la señalada, y requirieron a la güespeda que venían de parte del Santo Oficio, y que convenía secreto. Temblaron todas, por lo que yo me había hecho nigromántico con ellas. Al sacarme a mí callaron; pero, al ver sacar el hato, pidieron embargo por la deuda, y respondieron que eran bienes de la Inquisición. Con esto no chistó alma terrena.

Dejáronles salir, y quedaron diciendo que siempre lo temieron. Contaban al catalán y al portugués lo de aquellos que me

---

[5] *ganapanes:* mozos de cuerda.　　[6] *la letra:* la intención.　　[7] El refrán era «tras cornudo, apaleado, y ambos satisfechos».　　[8] *flor:* engaño, trampa (en germanía).

venían a buscar; decían entrambos que eran demonios y que yo
tenía familiar. [9] Y cuando les contaban del dinero que yo había
contado, decían que parecía dinero, pero que no lo era; de ninguna suerte persuadiéronse a ello.

Yo saqué mi ropa y comida horra. [10] Di traza, con los que me
ayudaron, de mudar de hábito, y ponerme calza de obra [11] y vestido al uso, cuellos grandes y un lacayo en menudos: [12] dos la-
cayuelos, que entonces era uso. Animáronme a ello, poniéndome por delante el provecho que se me seguiría de casarme con
la ostentación, a título de rico, y que era cosa que sucedía muchas veces en la corte. Y aún añadieron que ellos me encaminarían parte conveniente [13] y que me estuviese bien, y con algún
arcaduz [14] por donde se guiase. Yo, negro [15] cudicioso de pescar
mujer, determinéme. Visité no sé cuántas almonedas, [16] y compré mi aderezo de casar. Supe dónde se alquilaban caballos, y
espetéme en uno el primer día, y no hallé lacayo.

Salíme a la calle Mayor, y púseme enfrente de una tienda de
jaeces, [17] como que concertaba alguno. Llegáronse dos caballeros, cada cual con su lacayo. Preguntáronme si concertaba uno
de plata que tenía en las manos; yo solté la prosa [18] y, con mil
cortesías, los detuve un rato. En fin, dijeron que se querían ir
al Prado a bureo [19] un poco, y yo, que si no lo tenían a enfado,
que los acompañaría. Dejé dicho al mercader que si viniesen allí
mis pajes y un lacayo, que los encaminase al Prado. Di señas
de la librea, [20] y metíme entre los dos y caminamos. Yo iba considerando que a nadie que nos veía era posible el determinar cúyos [21] eran los lacayos, ni cuál era el que no le llevaba.

Empecé a hablar muy recio de las cañas [22] de Talavera, y de
un caballo que tenía porcelana. [23] Encareciéles mucho el rolda-

[9] *familiar:* demonio con el que se ha pactado. Véase nota 26 de I, 6.   [10] *horra:*
libre.   [11] *calza de obra:* calzas adornadas.   [12] *en menudos:* en fracciones (fraccio-
nado, como calderilla».   [13] *me encaminarían parte conveniente:* me proporciona-
rían buena ocasión.   [14] *arcaduz:* medio, derrotero, método.   [15] *negro:* astuto, tai-
mado (en germanía).   [16] *almonedas:* venta pública de bienes muebles.   [17] *jaeces:*
arreos, adornos de caballerías.   [18] *la prosa:* la lengua, el rollo.   [19] *bureo:* diversión.   [20] *librea:* vestido de lacayo.   [21] *cúyos:* de quién.   [22] El juego de las cañas
era propio de la nobleza en las fiestas públicas: varias cuadrillas de jinetes se lan-
zaban cañas recíprocamente.   [23] *porcelana:* de color blanco azulado.

nejo[24] que esperaba de Córdoba. En topando algún paje, caballo o calayo, los hacía parar y les preguntaba cúyo era, y decía de las señales y si le querían vender. Hacíale dar dos vueltas en la calle, y, aunque no la tuviese, le ponía una falta en el freno, y decía lo que había de hacer para remediarlo. Y quiso mi ventura que topé muchas ocasiones de hacer esto. Y porque los otros iban embelesados y, a mi parecer, diciendo: —«¿Quién será este tagarote[25] escuderón?»—, porque el uno llevaba un hábito[26] en los pechos, y el otro una cadena de diamantes, que era hábito y encomienda[27] todo junto—, dije yo que andaba en busca de buenos caballos para mí y a otro primo mío, que entrábamos en unas fiestas.

Llegamos al Prado y, en entrando, saqué el pie del estribo,[28] y puse el talón por defuera y empecé a pasear. Llevaba la capa echada sobre el hombro y el sombrero en la mano. Mirábanme todos; cuál decía: —«Este yo le he visto a pie»; otro: —«Hola, lindo va el buscón.» Yo hacía como que no oía nada, y paseaba.

Llegáronse a un coche de damas los dos, y pidiéronme que picardease un rato. Dejéles la parte de las mozas, y tomé el estribo de madre y tía. Eran las vejezuelas alegres, la una de cincuenta y la otra punto menos. Díjelas mil ternezas, y oíanme; que no hay mujer, por vieja que sea, que tenga tantos años como presunción. Prometílas regalos y preguntélas del estado de aquellas señoras, y respondieron que doncellas, y se les echaba de ver en la plática. Yo dije lo ordinario: que las viesen colocadas como merecían; y agradóles mucho la palabra *colocadas.* Preguntáronme tras esto que en qué me entretenía en la corte. Yo les dije que en huir de un padre y madre, que me querían casar contra mi voluntad con mujer fea y necia y mal nacida, por el mucho dote. —«Y yo, señoras, quiero más una mujer limpia en cueros, que una judía poderosa, que, por la bondad de Dios, mi mayorazgo vale al pie de[29] cuatro mil ducados de renta. Y, si salgo con un pleito que traigo en buenos puntos, no habré menester

---

[24] *roldanejo:* variedad de caballo.   [25] *tagarote:* hidalgo pobre que se pega a donde pueda comer.   [26] *hábito:* insignia de orden militar.   [27] *encomienda:* dignidad dotada de renta.   [28] *estribo:* véase nota 22 de II, 6.   [29] *al pie de:* alrededor de, aproximadamente.

nada.» Saltó tan presto la tía: —«¡Ay, señor, y cómo le quiero bien! No se case sino con su gusto y mujer de casta, que le prometo que, con ser yo no muy rica, no he querido casar mi sobrina, con haberle salido ricos casamientos, por no ser de calidad. Ella pobre es, que no tiene sino seis mil ducados de dote, pero no debe nada a nadie en sangre.»[30] —«Eso creo yo muy bien», dije yo.

En esto, las doncellitas[(47)] remataron la conversación con pedir algo de merendar a mis amigos:

Mirábase el uno al otro,
y a todos tiembla la barba.[31]

Yo, que vi ocasión, dije que echaba menos[32] mis pajes, por no tener con quien enviar a casa por unas cajas[33] que tenía. Agradeciéronmelo, y yo las supliqué se fuesen a la Casa del Campo al otro día, y que yo las enviaría algo fiambre. Acetaron luego;[34] dijéronme su casa y preguntaron la mía. Y, con tanto, se apartó el coche, y yo y los compañeros comenzamos a caminar a casa.

Ellos, que me vieron largo en lo de la merienda, aficionáronse, y, por obligarme, me suplicaron cenase con ellos aquella noche. Híceme algo de rogar, aunque poco, y cené con ellos, haciendo bajar a buscar mis criados, y jurando de echarlos de casa. Dieron las diez, y yo dije que era plazo de cierto martelo[35] y que, así, me diesen licencia. Fuime, quedando concertados de vernos a la tarde, en la Casa del Campo.

---

[30] *no debe nada a nadie en sangre:* es tan limpia de sangre como el que más; pero también puede indicar maliciosamente que «no debe nada a nadie en sangre» (porque ya la ha pagado), aludiendo a la habitual compra de cartas de hidalguía por los conversos (Rey Hazas). Y, aunque ningún editor del *Buscón* lo anota, tratándose de Quevedo y de su capacidad de fecundación de las palabras, creo que puede encontrarse, además, otro sentido, igualmente malicioso: no le debe nada a nadie en sangre, porque no es doncella (ha perdido ya su virginidad). [31] Versos del romance fronterizo «A la muerte de don Alonso de Aguilar». [32] *echaba menos:* echaba de menos [33] *cajas:* cajas de mercaderías. [34] *acetaron luego:* aceptaron inmediatamente. [35] *martelo:* aventura amorosa.

(47) Véase 3.

Fui a dar el caballo al alquilador, y desde allí a mi casa. Hallé a los compañeros jugando quinolicas.[36] Contéles el caso y el concierto hecho, y determinamos enviar la merienda sin falta, y gastar docientos reales en ella.

Acostámonos con estas determinaciones. Yo confieso que no pude dormir en toda la noche, con el cuidado de lo que había de hacer con el dote. Y lo que más me tenía en duda era el hacer dél una casa o darlo a censo,[37] que no sabía yo cuál sería mejor y de más provecho.

CAPÍTULO VII

En que se prosigue lo mismo, con otros sucesos y desgracias que me sucedieron.

Amaneció, y despertamos a dar traza[1] en los criados, plata[2] y merienda. En fin, como el dinero ha dado en mandarlo todo, y no hay quien le pierda el respeto, pagándoselo a un repostero[3] de un señor, me dio plata, y la sirvió él y tres criados.

Pasóse la mañana en aderezar lo necesario, y a la tarde ya yo tenía alquilado mi caballito. Tomé el camino, a la hora señalada, para la Casa del Campo. Llevaba toda la pretina llena de papeles, como memoriales, y desabotonados seis botones de la ropilla, y asomados unos papeles. Llegué, y ya estaban allá las dichas y los caballeros y todo.[4] Recibiéronme ellas con mucho amor, y ellos llamándome de vos,[5] en señal de familiaridad. Había dicho que me llamaba don Felipe Tristán, y en todo el día había otra cosa sino don Felipe acá y don Felipe allá. Yo comencé a decir que me había visto tan ocupado con negocios de Su Majestad y cuentas de mi mayorazgo,[6] que había temido el

---

[36] *quinolicas:* juego de la quínola o primera (juego de naipes).   [37] *censo:* renta recibida con aval de hipoteca.

[1] *despertamos a dar traza:* espabilamos en darnos maña.   [2] *plata:* vajilla de plata.   [3] *repostero:* oficial que sirve en casas de señores y se encarga de los cuidados de la mesa.   [4] *y todo:* también.   [5] El trato de *vos* se empleaba con los inferiores (o con iguales con mucha familiaridad); entre iguales se empleaba *vuestra merced.*   [6] *mayorazgo:* herencia del primogénito de familias nobles.

no poder cumplir; y que, así, las apercibía[7] a merienda de repente.

En esto, llegó el repostero con su jarcia,[8] plata y mozos; los otros y ellas no hacían sino mirarme y callar. Mandéle que fuese al cenador[9] y aderezase allí, que entre tanto nos íbamos a los estanques. Llegáronse a mí las viejas a hacerme regalos, y holguéme de ver descubiertas las niñas, porque no he visto, desde que Dios me crió, tan linda cosa como aquella en quien yo tenía asestado[10] el matrimonio: blanca, rubia, colorada, boca pequeña, dientes menudos y espesos, buena nariz,[11] ojos rasgados y verdes, alta de cuerpo, lindas manazas y zazosita.[12] La otra no era mala, pero tenía más desenvoltura, y dábame sospechas de hocicada.[13]

Fuimos a los estanques, vímoslo todo y, en el discurso, conocí que la mi desposada[14] corría peligro en tiempo de Herodes,[15] por inocente. No sabía; pero como yo no quiero las mujeres para consejeras ni bufonas, sino para acostarme con ellas, y si son feas y discretas es lo mismo que acostarse con Aristóteles o Séneca o con un libro, procúrolas de buenas partes para el arte de las ofensas;[16]que, cuando[17] sea boba, harto sabe si me sabe bien. Esto me consoló. Llegamos cerca del cenador, y, al pasar una enramada, prendióseme en un árbol la guarnición del cuello y desgarróse un poco. Llegó la niña, y prendiómelo con un alfiler de plata, y dijo la madre que enviase el cuello a su casa al otro día, que allá lo aderezaría doña Ana, que así se llamaba la niña.

Estaba todo cumplidísimo; mucho que merendar, caliente y fiambre, frutas y dulces. Levantaron los manteles y, estando en esto, vi venir un caballero con dos criados, por la güerta[18] ade-

---

[7] *apercibía:* invitaba.   [8] *jarcia:* conjunto de cachivaches.   [9] *cenador:* espacio redondo, rodeado de árboles, de un jardín.   [10] *asestado:* planeado.   [11] El escueto retrato de la joven responde a los tópicos de la belleza femenina en la época; pero lo de *buena nariz* puede ser también una alusión a su ascendencia judía, pues era famoso el tamaño de las narices de los judíos. Véase nota 30 del capítulo anterior.   [12] *zazosita:* que ceceaba (ceceosita).   [13] *hocicada:* besuqueada, experimentada.   [14] *desposada:* prometida.   [15] Porque era inocente (boba) y judía.   [16] *de buenas partes para el arte de las ofensas:* de hermoso sexo para la fornicación.   [17] *cuando:* aunque.   [18] *güerta:* huerta.

lante. Y cuando no me cato, [19] conozco a mi buen don Diego Coronel. Acercóse a mí, y como estaba en aquel hábito, no hacía sino mirarme. Habló a las mujeres y tratólas de primas; y, a todo esto, no hacía sino volver y mirarme. Yo me estaba hablando con el repostero, y los otros dos, que eran sus amigos, estaban en gran conversación con él.

Preguntóles, según se echó de ver después, mi nombre, y ellos dijeron: —«Don Felipe Tristán, un caballero muy honrado y rico.» Veíale yo santiguarse. Al fin, delante dellas y de todos, se llegó a mí y dijo: —«V. m. me perdone, que por Dios que le tenía, hasta que supe su nombre, por bien diferente de lo que es; que no he visto cosa tan parecida a un criado que yo tuve en Segovia, que se llamaba Pablillos, hijo de un barbero del mismo lugar.» Riéronse todos mucho, y yo me esforcé para que no me desmintiese la color, y díjele que tenía deseo de ver aquel hombre, porque me habían dicho infinitos que le era parecidísimo. —«¡Jesús!» —decía el Don Diego—. «¿Cómo parecido? El talle, la habla, los meneos... ¡no he visto tal cosa! Digo, señor, que es admiración grande, y que no he visto cosa tan parecida.» Entonces las viejas, tía y madre, dijeron que cómo era posible que a un caballero tan principal se pareciese un pícaro tan bajo como aquél. Y porque no sospechase nada dellas, dijo la una: —«Yo le conozco muy bien al señor don Felipe, que es el que nos hospedó por orden de mi marido, que fue gran amigo suyo, en Ocaña.» Yo entendí la letra, [20] y dije que mi voluntad era y sería de servirlas con mi poca posibilidad en todas partes.

El don Diego se me ofreció, y me pidió perdón del agravio que me había hecho en tenerme por el hijo del barbero. Y añadía: —«No creerá v. m.: su madre era hechicera, su padre ladrón y su tío verdugo, y él el más ruin hombre y más mal inclinado que Dios tiene en el mundo.» ¿Qué sentiría yo oyendo decir de mí, en mi cara, tan afrentosas cosas? Estaba, aunque lo disimulaba, como en brasas.

Tratamos de venirnos al lugar. Yo y los otros dos nos despedimos, y don Diego se entró con ellas en el coche. Preguntólas

---

[19] *cuando no me cato:* cuando menos lo pienso.   [20] *la letra:* la intención.

que qué era la merienda y el estar conmigo, y la madre y tía dijeron cómo yo era un mayorazgo de tantos ducados de renta, y que me quería casar con Anica; que se informase y vería si era cosa, no sólo acertada, sino de mucha honra para todo su linaje.

En esto pasaron el camino hasta su casa, que era en la calle del Arenal,[21] a San Felipe.[22] Nosotros nos fuimos a casa juntos, como la otra noche. Pidiéronme que jugase, cudiciosos de pelarme.[23] Yo entendíles la flor[24] y sentéme. Sacaron naipes: estaban hechos.[25] Perdí una mano. Di en irme por abajo,[26] y ganéles cosa de trecientos reales; y con tanto, me despedí y vine a mi casa.

Topé a mis compañeros, licenciado Brandalagas y Pero López, los cuales estaban estudiando en unos dados tretas flamantes. En viéndome lo dejaron, cudiciosos de preguntarme lo que me había sucedido. Yo venía cariacontecido y encapotado; no les dije más de que me había visto en un grande aprieto. Contéles cómo me había topado con don Diego, y lo que me había sucedido. Consoláronme, aconsejando que disimulase y no desistiese de la pretensión por ningún camino ni manera.

En esto, supimos que se jugaba, en casa de un vecino boticario, juego de parar.[27] Entendíalo yo entonces razonablemente, porque tenía más flores[28] que un mayo, y barajas hechas, lindas. Determinámonos de ir a darles un muerto —que así se llama el enterrar una bolsa—; envié los amigos delante, entraron en la pieza, y dijeron si gustarían de jugar con un fraile benito que acababa de llegar a curarse en casa de unas primas suyas, que venía enfermo y traía mucho del real de a ocho y escudo. Crecióles a todos el ojo,[29] y clamaron: —«¡Venga el fraile enhorabuena!» —«Es hombre grave en la orden» —replicó Pero López— «y, como ha salido, se quiere entretener, que él más lo

---

[21] La madrileña calle del Arenal se encuentra entre la Puerta del Sol y la plaza de Ópera. [22] *San Felipe:* Iglesia madrileña en la entrada de la calle Mayor. Sus gradas eran el mentidero de Madrid. [23] *pelarme:* dejarme sin blanca. [24] *la flor:* el engaño. [25] *hechos:* marcados, trucados. [26] *irme por abajo:* hacer trampas (llamadas *idas*). [27] *parar:* juego de naipes. [28] *flores:* además de la acepción usual (que remite a *mayo*), también en la germanesca de «trampas». [29] *crecióles a todos el ojo:* avivóseles a todos la codicia.

hace por la conversación».[30] —«Venga, y sea por lo que fuere.»
—«No ha de entrar nadie de fuera, por el recato», dijo Brandalagas. —«No hay tratar de más», respondió el huésped. Con esto,
ellos quedaron ciertos del caso, y creída la mentira.

Vinieron los acólitos, y ya yo estaba con un tocador[31] en la
cabeza, mi hábito de fraile benito, unos antojos[32] y mi barba,
que por ser atusada[33] no desayudaba. Entré muy humilde, sentéme, comenzóse el juego. Ellos levantaban[34] bien; iban tres al
mohíno,[35] pero quedaron mohínos[36] los tres, porque yo, que sabía más que ellos, les di tal gatada[37] que, en espacio de tres horas, me llevé más de mil y trecientos reales. Di baratos[38] y, con
mi «loado sea Nuestro Señor», me despedí, encargándoles que
no recibiesen escándalo de verme jugar, que era entretenimiento
y no otra cosa. Los otros, que habían perdido cuanto tenían, dá-
banse a mil diablos. Despedíme, y salímonos fuera.

Venimos[39] a casa a la una y media, y acostámonos después de
haber partido la ganancia. Consoléme con esto algo de lo sucedido, y, a la mañana, me levanté a buscar mi caballo, y no hallé
por alquilar ninguno; en lo cual conocí que había otros muchos como yo. Pues andar a pie pareciera mal, y más entonces,
fuime a San Felipe, y topéme con un lacayo de un letrado, que
tenía un caballo y le aguardaba, que se había acabado de apear
a oír misa. Metíle cuatro reales en la mano, porque, mientras su
amo estaba en la iglesia, me dejase dar dos vueltas en el caballo
por la calle del Arenal, que era la de mi señora.

Consintió, subí en el caballo, y di dos vueltas calle arriba y
calle abajo, sin ver nada; y, al dar la tercera, asomóse doña Ana.
Yo que la vi, y no sabía las mañas del caballo ni era buen jinete, quise hacer galantería. Dile dos varazos, tiréle de la rienda;
empínase y, tirando dos coces, aprieta a correr y da conmigo por
las orejas en un charco.

Yo que me vi así, y rodeado de niños que se habían llegado,

---

[30] *conversación:* en el doble sentido de «plática» y de «juego».   [31] *tocador:* gorro.   [32] *antojos:* anteojos.   [33] *atusada:* compuesta, artificial.   [34] *levantaban:*
aumentaban las apuestas.   [35] *tres al mohíno:* tres contra uno (compinchados para
ganarle).   [36] *mohínos:* tristes.   [37] *gatada:* robo con engaño.   [38] *baratos:* propi-
nas.   [39] *venimos:* vinimos.

y delante de mi señora, empecé a decir: —«¡Oh, hi de puta! ¡No
fuérades vos valenzuela!⁴⁰ Estas temeridades me han de acabar.
Habíanme dicho las mañas, y quise porfiar con él.» Traía el lacayo ya el caballo, que se paró luego. Yo torné a subir; y, al ruido, se había asomado don Diego Coronel, que vivía en la misma casa de sus primas. Yo que le vi, me demudé. Preguntóme
si había sido algo; dije que no, aunque tenía estropeada una
pierna. Dábame el lacayo priesa, porque no saliese su amo y lo
viese, que había de ir a palacio.

Y soy tan desgraciado, que, estándome diciendo el lacayo que
nos fuésemos, llega por detrás el letradillo, y, conociendo su rocín, arremete al lacayo y empieza a darle de puñadas, diciendo
en altas voces que qué bellaquería era dar su caballo a nadie. Y
lo peor fue que, volviéndose a mí, dijo que me apease con Dios,
muy enojado. Todo pasaba a vista de mi dama y de don Diego:
no se ha visto en tanta vergüenza ningún azotado. Estaba tris-
tísimo de ver dos desgracias tan grandes en un palmo de tierra.
Al fin, me hube de apear; subió el letrado y fuese. Y yo, por hacer la deshecha,⁴¹ quedéme hablando desde la calle con don Diego, y dije: —«En mi vida subí en tan mala bestia. Está ahí mi
caballo overo⁴² en San Felipe, y es desbocado en la carrera y tro-
tón. Dije como yo le corría y hacía parar; dijeron que allí estaba
uno en que no lo haría, y era éste deste licenciado. Quise probarlo. No se puede creer qué duro es de caderas; y con mala si-
lla, fue milagro no matarme.» —«Sí fue» —dijo don Diego—;
«y, con todo, parece que se siente v. m. de esa pierna». —«Sí sien-
to» —dije yo—; «y me querría ir a tomar mi caballo y a casa».

La muchacha quedó satisfecha y con lástima de mi caída, mas
el don Diego cobró mala sospecha de lo del letrado, y fue totalmente causa de mi desdicha, fuera de otras muchas que me sucedieron. Y la mayor y fundamento de las otras fue que, cuando
llegué a casa, y fui a ver una arca, adonde tenía en una maleta
todo el dinero que me había quedado de mi herencia y lo que

---

⁴⁰ *valenzuela:* casta de caballos muy apreciada entonces por su planta y ligereza
(llamada así por don Juan de Valenzuela, caballerizo mayor del duque de Sesa).
⁴¹ *hacer la deshecha:* disimular (arreglar el desaguisado). ⁴² *overo:* véase nota 59
de III, 4.

había ganado —menos cien reales que yo traía conmigo—, hallé que el buen licenciado Brandalagas y Pero López habían cargado con ello, y no parecían.[43] Quedé como muerto, sin saber qué consejo tomar de mi remedio. Decía entre mí: —«¡Malhaya quien fía en hacienda mal ganada, que se va como se viene! ¡Triste de mí! ¿Qué haré?» No sabía si irme a buscarlos, si dar parte a la justicia. Esto no me parecía bien, porque, si los prendían, habían de aclarar lo del hábito y otras cosas, y era morir en la horca. Pues seguirlos, no sabía por dónde. Al fin, por no perder también el casamiento, que ya yo me consideraba remediado con el dote, determiné de quedarme y apretarlo[44] sumamente.

Comí, y a la tarde alquilé mi caballico, y fuime hacia la calle; y como no llevaba lacayo, por no pasar sin él, aguardaba a la esquina, antes de entrar, a que pasase algún hombre que lo pareciese, y, en pasando, partía detrás dél, haciéndole lacayo sin serlo; y en llegando al fin de la calle, metíame detrás de la esquina, hasta que volviese otro que lo pareciese; metíame detrás, y daba otra vuelta.

Yo no sé si fue la fuerza de la verdad de ser yo el mismo pícaro que sospechaba don Diego, o si fue la sospecha del caballo del letrado, u qué se fue, que don Diego se puso a inquirir quién era y de qué vivía, y me espiaba. En fin, tanto hizo, que por el más extraordinario camino del mundo supo la verdad; porque yo apretaba en lo del casamiento, por papeles, bravamente, y él, acosado de ellas, que tenían deseo de acabarlo, andando en mi busca, topó con el licenciado Flechilla, que fue el que me convidó a comer cuando yo estaba con los caballeros. Y éste, enojado de cómo yo no le había vuelto a ver, hablando con don Diego, y sabiendo cómo yo había sido su criado, le dijo de la suerte que me encontró cuando me llevó a comer, y que no había dos días que me había topado a caballo muy bien puesto, y le había contado cómo me casaba riquísimamente.

No aguardó más don Diego, y, volviéndose a su casa, encontró con los dos caballeros del hábito y la cadena amigos míos,

[43] *parecían:* aparecían. [44] *apretarlo:* apurarlo, avivarlo.

junto a la Puerta del Sol, y contóles lo que pasaba, y díjoles que
se aparejasen y, en viéndome a la noche en la calle, que me magulasen los cascos;[45] y que me conocerían en la capa que él traía,
que la llevaría yo. Concertáronse, y, en entrando en la calle, to-
páronme; y disimularon de suerte los tres que jamás pensé que
eran tan amigos míos como entonces. Estuvímonos en conversación, tratando de lo que sería bien hacer a la noche, hasta el
avemaría.[46] Entonces despidiéronse los dos; echaron hacia abajo, y yo y don Diego quedamos solos y echamos a San Felipe.[48]

Llegando a la entrada de la calle de la Paz, dijo don Diego:
—«Por vida de don Felipe, que troquemos[47] capas, que me importa pasar por aquí y que no me conozcan» —«Sea en buen
hora», dije yo. Tomé la suya inocentemente, y dile la mía. Ofre-
cíle mi persona para hacerle espaldas,[48] mas él, que tenía traza-
do el deshacerme las mías, dijo que le importaba ir solo, que
me fuese.

No bien me aparté dél con su capa, cuando ordena el diablo
que dos que lo aguardaban para cintarearlo[49] por una mujercilla, entendiendo por la capa que yo era don Diego, levantan y
empiezan una lluvia de espaldarazos[50] sobre mí. Yo di voces, y
en ellas y la cara conocieron que no era yo. Huyeron, y yo quedéme en la calle con los cintarazos. Disimulé tres o cuatro chi-

---

[45] *magulasen los cascos:* magullasen la cabeza, golpeasen...   [46] *el avemaría:* el
toque del Angelus, al anochecer.   [47] *troquemos:* cambiemos.   [48] *hacerle espaldas:*
protegerle, ocultarle.   [49] *cintarearlo:* golpearlo con una correa.   [50] *espaldarazos:*
golpes, cintarazos.

---

(48) Obsérvese que en estos dos últimos párrafos Pablos recoge infor-
maciones que le era imposible conocer, o cuyo conocimiento no justifica con verosimilitud. Ya antes informó de la conversación que don Diego mantuvo con sus primas. ¿Cómo pudo conocerla? Ahora, como ha
explicado F. Rico, Quevedo vuelve a violentar el punto de vista de Pablos, haciéndole caer en la inverosimilitud (igual que cuando hace gala
del portentoso arte verbal, poseído por Quevedo, y no por Pablos narrador) al contar cosas que no puede conocer: «así, el pícaro —sin haber
estado él presente, que a estarlo jamás hubiera caído en el enredo— refiere cuanto traman su antiguo amo y sus amigos, e incluso indica donde se encuentran los confabulados, *junto a la Puerta del Sol*».

chones que tenía, y detúveme un rato, que no osé entrar en la calle, de miedo. En fin, a las doce, que era a la hora que solía hablar con ella, llegué a la puerta; y, emparejando, cierra[51] uno de los dos que me aguardaban por don Diego, con un garrote conmigo, y dame dos palos en las piernas y derríbame en el suelo; y llega el otro, y dame un trasquilón[52] de oreja a oreja, y quítanme la capa, y déjanme en el suelo, diciendo: —«Así pagan los pícaros embustidores mal nacidos!»

Comencé a dar gritos y a pedir confesión; y como no sabía lo que era —aunque sospechaba por las palabras que acaso era el huésped de quien me había salido con la traza de la Inquisición, o el carcelero burlado, o mis compañeros huidos...; y, al fin, yo esperaba de tantas partes la cuchillada, que no sabía a quién echársela; pero nunca sospeché en don Diego ni en lo que era—, daba voces: —«¡A los capeadores!»[53] A ellas vino la justicia; levantáronme, y, viendo mi cara con una zanja de un palmo, y sin capa ni saber lo que era, asiéronme para llevarme a curar. Metiéronme en casa de un barbero, curóme, preguntáronme dónde vivía, y lleváronme allá.

Acostáronme, y quedé aquella noche confuso, viendo mi cara de dos pedazos, y tan lisiadas las piernas de los palos, que no me podía tener en ellas ni las sentía, robado, y de manera que ni podía seguir a los amigos, ni tratar del casamiento, ni estar en la corte, ni ir fuera.[(49)]

---

[51] *cierra:* acomete, embiste.   [52] *trasquilón:* cuchillada.   [53] *capeadores:* ladrones (de capas).

(49) Nótese que Pablos ve frustrado su intento de medrar y ennoblecerse mediante el matrimonio, por culpa de quien ha sido su único amo (otro elemento de la novela picaresca que abandona Quevedo, el sistema del servicio del pícaro a varios amos), don Diego Coronel, noble converso, que así resulta ser el mayor obstáculo que se opone a su encumbramiento, como explican M. Molho y A. Rey Hazas. Con lo cual Quevedo, defensor de la nobleza y enemigo acérrimo del histórico ennoblecimiento de conversos, ataca la injustificable intentona de Pablos, cuyos «altos pensamientos» vienen ridiculizados desde el comienzo de la novela, y, en general, de los conversos. Además, al ser el obstáculo último

CAPÍTULO VIII

De mi cura y otros sucesos peregrinos.

He aquí a la mañana amanece a mi cabecera la huéspeda de casa, vieja de bien, edad de marzo[1] —cincuenta y cinco— con su rosario grande y su cara hecha en orejón o cáscara de nuez,[2] según estaba arada. Tenía buena fama en el lugar, y echábase a dormir con ella y con cuantos querían;[(50)] templaba gustos y careaba placeres. Llamábase tal de la Guía; alquilaba su casa, y era corredora para alquilar otras. En todo el año no se vaciaba la posada de gente.

Era de ver cómo ensayaba una muchacha en el taparse,[3] lo primero enseñándola cuáles cosas había de descubrir de su cara. A la de buenos dientes, que riese siempre, hasta en los pésames; a la de buenas manos, se las enseñaba a esgrimir; a la rubia, un bamboleo de cabellos y un asomo de vedijas[4] por el manto y la toca estremado; a buenos ojos, lindos bailes con las niñas y dormidillos, cerrándolos, y elevaciones mirando arriba. Pues tratada en materia de afeites, cuervos entraban y les corregía las caras de manera que, al entrar en sus casas, de puro blancas no

---

[1] *edad de marzo:* cincuenta y cinco años (por juego verbal *marzo-mazo,* jugada de la primera, en el juego de naipes, formada por la reunión del seis, el siete y el as de un mismo palo, y cuyo valor era de cincuenta y cinco puntos). [2] *en orejón o cáscara de nuez:* con muchas arrugas *(orejón:* trozo de melocotón seco y lleno de arrugas). [3] *en el taparse:* en taparse «de medio ojo» (arte de las busconas para aparentar condición de damas). [4] *vedijas:* mechones.

~~~~~~

un noble que es converso, el tema del ascenso social, del linaje, queda planteado de forma grotesca y paródica con respecto a las otras novelas picarescas, la mayor parte de las cuales fueron escritas precisamente por conversos. Quizás con tal objeto, como apunta Rey Hazas, eligió Quevedo el modelo formal de la novela picaresca, que, cumplida su finalidad paródica, no respeta en sus elementos estructurales, porque ya no lo necesita.

(50) Véase 35.

las conocían sus maridos. Y en lo que ella era más estremada era en arremedar virgos y adobar doncellas. En solos ocho
días que yo estuve en casa, la vi hacer todo esto. Y, para remate
de lo que era, enseñaba a pelar,[5] y refranes que dijesen, a las mujeres. Allí les decía como habían de encajar la joya:[6] las niñas
por gracia, las mozas por deuda, y las viejas por respeto y obli-
gación. Enseñaba pediduras[7] para dinero seco, y pediduras para
cadenas y sortijas. Citaba a la Vidaña, su concurrente en Alcalá,
y a la Plañosa, en Burgos, mujeres de todo embustir.[8]

Esto he dicho para que se me tenga lástima de ver a las manos que vine, y se ponderen mejor las razones que me dijo; y
empezó por estas palabras, que siempre hablaba por refranes:
—«De do sacan y no pon, hijo don Felipe, presto llegan al hon-
dón; de tales polvos, tales lodos; de tales bodas, tales tortas. Yo
no te entiendo, ni sé tu manera de vivir. Mozo eres; no me espanto que hagas algunas travesuras, sin mirar que, durmiendo,
caminamos a la güesa:[9] yo, como montón de tierra,[10] te lo puedo decir. ¡Qué cosa es que me digan a mí que has desperdiciado
mucha hacienda sin saber cómo, y que te han visto aquí ya estudiante, ya pícaro, ya caballero, y todo por las compañías! Dime
con quién andas, hijo, y diréte quién eres; cada oveja con su pareja; sábete, hijo, que de la mano a la boca se pierde la sopa.[(51)]
Anda, bobillo, que si te inquietaban mujeres, bien sabes tú que
soy yo fiel[11] perpetuo, en esta tierra, de esa mercaduría, y que
me sustento de las posturas,[12] así que enseño como que pongo,

---

[5] *pelar:* dejar a alguien sin dinero. [6] *encajar la joya:* coger la joya pedida en
el momento oportuno. [7] *pediduras:* peticiones. [8] *embustir:* decir embustes. [9] *güesa:* huesa, fosa, tumba. [10] *montón de tierra:* vieja. [11] *fiel:* funciona-
rio encargado de vigilar pesos y precios en el mercado. [12] *posturas:* en la múlti-
ple acepción de «trato carnal», «actitudes provocativas, de lujuria» y «precio esti-
pulado de la venta carnal».

---

(51) El uso de abundantes refranes en el habla era característica ya tradicional de la alcahueta. Esta enumeración de refranes y expresiones proverbiales coloca a la vieja alcahueta en la línea literaria de Celestina, al
tiempo que constituye una sátira de tales hábitos lingüísticos, tema frecuente en otras obras de Quevedo.

y que nos damos con ellas[13] en casa; y no andarte con un pícaro
y otro pícaro, tras una alcorzada[14] y otra redomada,[15] que gasta
las faldas con quien hace sus mangas.[16] Yo te juro que hubieras
ahorrado muchos ducados si te hubieras encomendado a mí, porque no soy nada amiga de dineros. Y por mis entenados[17] y difuntos, y así yo haya buen acabamiento, que aun lo que me de-
bes de la posada no te lo pidiera agora, a no haberlo menester
para unas candelicas y hierbas»; que trataba en botes[18] sin ser
boticaria, y si la untaban las manos, se untaba y salía de noche
por la puerta del humo.[19]

Yo que vi que había acabado la plática y sermón en pedirme
—que, con ser su tema,[20] acabó en él, y no comenzó, como todos hacen—, no me espanté de la visita, que no me la había hecho otra vez mientras había sido su huésped, si no fue un día
que me vino a dar satisfaciones[21] de que había oído que me habían dicho no sé qué de hechizos, y que la quisieron prender y
escondió la calle; vínome a desengañar y a decir que era otra
Guía; y no es de espantar que, con tales guías, vamos todos
desencaminados.

Yo la conté su dinero y, estándosele dando, la desventura, que
nunca me olvida, y el diablo, que se acuerda de mí, trazó que
la venían a prender por amancebada, y sabían que estaba el amigo en casa. Entraron en mi aposento y, como me vieron en la
cama, y a ella conmigo, cerraron[22] con ella y conmigo, y diéronme cuatro o seis empellones muy grandes, y arrastráronme
fuera de la cama. A ella la tenían asida otros dos, tratándola de
alcagüeta y bruja. ¡Quién tal pensara de una mujer que hacía
la vida referida!

---

[13] *nos damos con ellas:* las abaratamos, las damos a bajo precio.   [14] *alcorzada:*
llena de afeites.   [15] *redomada:* astuta.   [16] *que gasta las faldas con quien hace sus
mangas:* que se entrega a relaciones con quien le hace regalos. También: «que ofrece su cuerpo y el dinero ganado a quien la engaña y prostituye». E incluso: «que
concede sus favores carnales a quien la satisface sexualmente» (Rey Hazas).   [17] *entenados:* antepasados.   [18] *botes:* redomas en que las brujas guardan sus pócimas
para hechizos.   [19] *y si la untaban las manos, se untaba y salía de noche por la
puerta del humo:* y si la sobornaban, se untaba con ungüentos de hechicera y salía
de noche por la chimenea.   [20] *tema:* obsesión.   [21] *satisfaciones:* satisfacciones.
Véase nota 23 de I, 5.   [22] *cerraron:* acometieron.

A las voces del alguacil y a mis quejas, el amigo, que era un frutero que estaba en el aposento de adentro, dio a correr. Ellos que lo vieron, y supieron por lo que decía otro güésped de casa que yo lo era, arrancaron tras el pícaro, y asiéronle, y dejáronme a mí repelado y apuñeado; y con todo mi trabajo,[23] me reía de lo que los picarones decían a la Guía. Porque uno la miraba y decía: —«¡Qué bien os estará una mitra,[24] madre, y lo que me holgaré de veros consagrar tres mil nabos[25] a vuestro servicio!» Otro: —«Ya tienen escogidas plumas[26] los señores alcaldes, para que entréis bizarra.» Al fin, trujeron el picarón, y atáronlos a entrambos. Pidiéronme perdón, y dejáronme solo.

Yo quedé algo aliviado de ver a mi buen huéspeda en el estado que tenía sus negocios; y así, no tenía otro cuidado sino el de levantarme a tiempo que la tirase mi naranja.[27] Aunque, según las cosas que contaba una criada que quedó en casa, yo desconfié de su prisión, porque me dijo no sé qué de volar,[28] y otras cosas que no me sonaron bien.

Estuve en la casa curándome ocho días, y apenas podía salir; diéronme doce puntos en la cara, y hube de ponerme muletas. Halléme sin dinero, porque los cien reales se consumieron en la cura, comida y posada; y así, por no hacer más gasto no teniendo dinero, determiné de salirme con dos muletas de la casa, y vender mi vestido, cuellos y jubones, que era todo muy bueno. Hícelo, y compré con lo que me dieron un coleto de cordobán[29] viejo y un jubonazo de estopa famoso, mi gabán de pobre, remendado y largo, mis polainas y zapatos grandes, la capilla del gabán en la cabeza; un Cristo de bronce traía colgando del cuello, y un rosario.

Impúsome[30] en la voz y frases doloridas de pedir un pobre que entendía de la arte mucho; y así, comencé luego a ejercitallo por

---

[23] *trabajo:* padecimiento.   [24] *mitra:* coroza o capirote de bruja, semejante a la mitra de obispo. Véase nota 11 de I, 2.   [25] *nabos:* además de la posible (y degradante) connotación sexual, se refiere a las verduras y hortalizas que la gente arrojaba a las alcahuetas condenadas por la justicia.   [26] *plumas:* véase nota 15 de I, 1.   [27] Quizás haya alguna alusión erótica en la cual *mi naranja* designaría, irónicamente, a «mi enamorada» (D. Ynduráin).   [28] *volar:* véase nota 15 de I, 1.   [29] *coleto de cordobán:* casaca, chaleco de piel curtida.   [30] *Impúsome:* educóme, inicióme.

las calles. Cosíme sesenta reales que me sobraron, en el jubón; y, con esto, me metí a pobre, fiado en mi buena prosa. Anduve ocho días por las calles, aullando en esta forma, con voz dolorida y realzamiento de plegarias: —«¡Dalde,[31] buen cristiano, siervo del Señor, al pobre lisiado y llagado; que me veo y me deseo!» Esto decía los días de trabajo, pero los días de fiesta comenzaba con diferente voz, y decía: —«¡Fieles cristianos y devotos del Señor! ¡Por tan alta princesa como la Reina de los Ángeles, madre de Dios, dadle una limosna al pobre tullido y lastimado de la mano del Señor!» Y paraba un poco —que es de grandes importancia—, y luego añadía: —«¡Un aire corruto, en hora menguada,[32] trabajando en una viña, me trabó mis miembros, que me vi sano y bueno como se ven y se vean, loado sea el Señor!»

Venían con esto los ochavos[33] trompicando, y ganaba mucho dinero. Y ganara más, si no se me atravesara un mocetón mal encarado, manco de los brazos y con una pierna menos, que me rondaba las mismas calles en un carretón, y cogía más limosna con pedir mal criado. Decía con voz ronca, rematando en chillido: —«¡Acordaos, siervos de Jesucristo, del castigado del Señor por sus pecados! ¡Dalde al pobre lo que Dios reciba!» Y añadía: —«¡Por el buen Jesú!»; y ganaba que era un juicio.[34] Yo advertí, y no dije más *Jesús*, sino quitábale la *s*, y movía a más devoción. Al fin, yo mudé de frasecicas, y cogía maravillosa mosca.[35]

Llevaba metidas entrambas piernas en una bolsa de cuero, y liadas, y mis dos muletas. Dormía en un portal de un cirujano, con un pobre de cantón,[36] uno de los mayores bellacos que Dios crió. Estaba riquísimo, y era como nuestro retor; ganaba más que todos; tenía una potra[37] muy grande, y atábase con un cordel el brazo por arriba, y parecía que tenía hinchada la mano y manca, y calentura, todo junto. Poníase echado boca arriba en su puesto, y con la potra defuera, tan grande como una bola de

---

[31] *Dalde:* dadle (metátesis).   [32] Para *aire corruto* y *hora menguada*, véase nota 31 de I, 6.   [33] *ochavos:* monedas fraccionadas, de vellón (cada uno valía dos maravedís).   [34] *que era un juicio:* que era de admirar.   [35] *mosca:* dinero.   [36] *cantón:* esquina.   [37] *potra:* hernia.

puente, y decía: —«¡Miren la pobreza y el regalo que hace el Señor al cristiano!» Si pasaba mujer, decía: —«¡Ah, señora hermosa, sea Dios en su ánima!»; y las más, porque las llamase así,
le daban limosna, y pasaban por allí aunque no fuese camino
para sus visitas. Si pasaba un soldadico: —«¡Ah, señor capitán!»,
decía; y si otro hombre cualquiera: —«¡ah, señor caballero!» Si
iba alguno en coche, luego le llamaba *señoría,* y si clérigo en
mula, *señor arcediano.*[38] En fin, él adulaba terriblemente. Tenía modo diferente para pedir los días de los santos; y vine a tener tanta amistad con él, que me descubrió un secreto con que,
en dos días, estuvimos ricos. Y era que este tal pobre tenía tres
muchachos pequeños, que recogían limosna por las calles y hur-
taban lo que podían; dábanle cuenta a él, y todo lo guardaba.
iba a la parte con dos niños de cajuela[39] en las sangrías[40] que
hacían dellas. Yo tomé el mismo arbitrio, y él me encaminó la
gentecica a propósito.

Halléme en menos de un mes con más de docientos reales horros. Y últimamente me declaró, con intento que nos fuésemos
juntos, el mayor secreto y la más alta industria que cupo en mendigo, y la hicimos entrambos. Y era que hurtábamos niños, cada
día, entre los dos, cuatro o cinco; pregonábanlos, y salíamos nosotros a preguntar las señas, y decíamos: —«Por cierto, señor,
que le topé a tal hora, y que si no llego, que le mata un carro;
en casa está.» Dábannos el hallazgo,[41] y veníamos a enriquecer
de manera que me hallé yo con cincuenta escudos, y ya sano de
las piernas, aunque las traía entrapajadas.[42]

Determiné de salirme de la corte, y tomar mi camino para Toledo, donde ni conocía ni me conocía nadie. Al fin, yo me determiné. Compré un vestido pardo,[43] cuello y espada, y despedíme de Valcázar, que era el pobre que dije, y busqué por los
mesones en qué ir a Toledo.

---

[38] *arcediano:* dignidad eclesiástica en las catedrales.   [39] *niños de cajuela:* niños
que pedían limosna con una cajita con fines religiosos.   [40] *sangrías:* robos.   [41] *Dábannos el hallazgo:* pagábannos recompensa.   [42] *entrapajadas:* en-
vueltas en trapos.   [43] *vestido pardo:* era propio de gentes humildes (la gente elevada lo usaba negro).

CAPÍTULO IX

En que me hago representante, poeta y galán de monjas.[52]

Topé en un paraje[1] una compañía de farsantes[2] que iban a Toledo. Llevaban tres carros, y quiso Dios que, entre los compañeros, iba uno que lo había sido mío del estudio en Alcalá, y había renegado y metídose al oficio. Díjele lo que me importaba ir allá y salir de la corte; y apenas el hombre me conocía con la cuchillada, y no hacía sino santiguarse de mi *per signum crucis*.[3] Al fin, me hizo amistad, por mi dinero, de alcanzar de los demás lugar para que yo fuese con ellos.

Ibamos barajados[4] hombres y mujeres, y una entre ellas, la bailarina, que también hacía las reinas y papeles graves en la comedia, me pareció estremada sabandija.[5] Acertó a estar su marido a mi lado y yo, sin pensar a quien hablaba, llevado del deseo de amor y gozarla, díjele: —«A esta mujer, ¿por qué orden la podremos hablar, para gastar con su merced unos veinte escudos, que me ha parecido hermosa?» —«No me está bien a mí

---

[1] *paraje:* parador, mesón. [2] *farsantes:* cómicos; gentes de la farsa, del teatro. [3] *per signum crucis:* véase nota 36 de II, 1. [4] *barajados:* mezclados. [5] *estremada sabandija:* persona extremadamente despreciable.

(52) Obsérvense una vez más las inconexiones y dispersiones constructivas de la novela. Mientras en los siete primeros capítulo del libro III se mantiene la articulación narrativa en las intentonas de ascenso social de Pablos (como falso hidalgo con los caballeros chanflones; como falso mercader ennoblecido, don Ramiro de Guzmán; y como falso noble, don Felipe Tristán) hasta el definitivo descalabro de sus *pensamientos de caballero*, en el capítulo 7, ahora, en los tres últimos capítulos vuelven a sucederse episodios deshilvanados y sin justificación alguna en su distribución. Algo parecido a lo ya visto en el libro II, aunque ahora Pablos es protagonista, no espectador simplemente. Véase **23** y documento número 12.

el decirlo, que soy su marido» —dijo el hombre—, «ni tratar deso; pero sin pasión, que no me mueve ninguna, se puede gastar con ella cualquier dinero, porque tales carnes no tiene el suelo,[6] ni tal juguetoncita». Y diciendo esto, saltó del carro y fuese al otro, según pareció, por darme lugar a que la hablase.

Cayóme en gracia la respuesta del hombre, y eché de ver que éstos son de los que dijera algún bellaco que cumplen el preceto[7] de San Pablo de tener mujeres como si no las tuviesen, torciendo la sentencia en malicia. Yo gocé de la ocasión, habléla, y preguntóme que adónde iba, y algo de mi vida. Al fin, tras muchas palabras, dejamos concertadas para Toledo las obras. Ibamonos holgando por el camino mucho.

Yo, acaso,[8] comencé a representar un pedazo de la comedia de San Alejo, que me acordaba de cuando muchacho, y represéntelo de suerte que les di cudicia. Y sabiendo, por lo que yo le dije a mi amigo que iba en la compañía, mis desgracias y descomodidades, díjome que si quería entrar en la danza con ellos. Encareciéronme tanto la vida de la farándula; y yo, que tenía necesidad de arrimo, y me había parecido bien la moza, concertéme por dos años con el autor.[9] Hícele escritura de estar con él, y diome mi ración y representaciones. Y con tanto, llegamos a Toledo.

Diéronme que estudiase tres o cuatro loas,[10] y papeles de barba,[11] que los acomodaba bien con mi voz. Yo puse cuidado en todo, y eché la primera loa en el lugar. Era de una nave —de lo que son todas— que venía destrozada y sin provisión; decía lo de «este es el puerto», llamaba a la gente «senado», pedía perdón de las faltas y silencio, y entréme. Hubo un víctor de rezado,[12] y al fin parecí bien en el teatro.

Representamos una comedia de un representante[13] nuestro,

---

[6] *suelo:* fondo de la escudilla; también, «toda la superficie de la tierra».   [7] *preceto:* precepto (la sentencia de San Pablo dice: «el tiempo es corto; lo que resta es que los que tienen mujeres sean como los que no las tienen»).   [8] *acaso:* por casualidad.   [9] *autor:* empresario y director de compañía teatral.   [10] *loas:* composiciones cortas que se recitaban generalmente antes de comenzar la comedia en alabanza de la ciudad o refiriendo algún suceso.   [11] *papeles de barba:* papeles de viejo.   [12] *víctor de rezado:* aprobación (aplauso) de cortesía.   [13] *representante:* actor.

que yo me admiré de que fuesen poetas, porque pensaba que el serlo era de hombres muy doctos y sabios, y no de gente tan sumamente lega.[14] Y está ya de manera esto, que no hay autor que no escriba comedias, ni representante que no haga su farsa de moros y cristianos; que me acuerdo yo antes, que si no eran comedias del buen Lope de Vega, y Ramón,[15] no había otra cosa.

Al fin, hízose la comedia el primer día, y no la entendió nadie; al segundo, empezámosla, y quiso Dios que empezaba por una guerra, y salía yo armado y con rodela,[16] que, si no, a manos de mal membrillo, tronchos y badeas,[17] acabo. No se ha visto tal torbellino, y ello merecíalo la comedia; porque traía un rey de Normandía, sin propósito, en hábito de ermitaño, y metía dos lacayos por hacer reír; y al desatar de la maraña, no había más de casarse todos, y allá vas. Al fin, tuvimos nuestro merecido.

Tratamos todos muy mal al compañero poeta, y yo principalmente, diciéndole que mirase de la que nos habíamos escapado y escarmentase. Díjome que jurado a Dios, que no era suyo nada de la comedia, sino que de un paso[18] tomado de uno, y otro de otro, había hecho aquella capa de pobre, de remiendo, y que el daño no había estado sino en lo mal zurcido. Confesóme que los farsantes que hacían comedias todo les obligaba a restitución, porque se aprovechaban de cuanto habían representado, y que era muy fácil, y que el interés de sacar trecientos o cuatrocientos reales, les ponía a aquellos riesgos; lo otro, que como andaban por esos lugares, les leen unos y otros comedias: —«Tomámoslas para verlas, llevámonoslas y, con añadir una necedad y quitar una cosa bien dicha, decimos que es nuestra.» Y declaróme como no había habido farsante jamás que supiese hacer una copla de otra manera.

No me pareció mal la traza, y yo confieso que me incliné a ella, por hallarme con algún natural a la poesía; y más, que tenía yo conocimiento con algunos poetas, y había leído a Garcilaso; y así, determiné de dar en el arte. Y con esto y la farsanta

———
[14] *lega*: falta de letras.   [15] Se refiere al dramaturgo Fray Alonso Ramón o Remón (1561-1632), elogiado en su época por Cervantes y Lope de Vega.   [16] *rodela*: escudo redondo que cubría el pecho.   [17] *badeas*: pepinos o melones de baja calidad.   [18] *paso*: pasaje.

y representar, pasaba la vida; que pasado un mes que había que
estábamos en Toledo, haciendo comedias buenas y enmendan-
do el yerro pasado, ya yo tenía nombre, y habían llegado a llamarme Alonsete, que yo había dicho llamarme Alonso; y por
otro nombre me llamaban *el Cruel,* por serlo una figura que había hecho con gran aceptación de los mosqueteros[19] y chusma
vulgar. Tenía ya tres pares de vestidos, y autores que me pre-
tendían sonsacar de la compañía. Hablaba ya de entender de la
comedia, murmuraba de los famosos, reprehendía los gestos a
Pinedo, daba mi voto en el reposo natural de Sánchez, llamaba
bonico a Morales,[20] pedíanme el parecer en el adorno de los tea-
tros y trazar las apariencias.[21] Si alguno venía a leer comedia,
yo era el que la oía.

Al fin, animado con este aplauso, me desvirgué de poeta en
un romancico, y luego hice un entremés, y no pareció mal. Atre-
víme a una comedia, y porque no escapase de ser divina cosa,
la hice de Nuestra Señora del Rosario. Comenzaba con chirimías, había sus ánimas de Purgatorio y sus demonios, que se
usaban entonces, con su «bu, bu» al salir, y «ri, ri» al entrar; caía-
le muy en gracia al lugar el nombre de Satán en las coplas, y el
tratar luego de si cayó del cielo, y tal.[22] En fin, mi comedia se
hizo, y pareció muy bien.

No me daba manos[23] a trabajar, porque acudían a mí enamorados, unos por coplas de cejas, y otros de ojos, cuál soneto de
manos, y cuál romancico para cabellos.[24] Para cada cosa tenía
su precio, aunque, como había otras tiendas, porque acudiesen
a la mía, hacía barato.[25]

¿Pues villancicos? Hervía en sacristanes y demandaderas de
monjas; ciegos me sustentaban a pura oración[26] —ocho reales

---

[19] *los mosqueteros:* el populacho que asistía de pie al fondo del patio del corral
de comedias (eran las localidades más baratas, y de sus ocupantes dependía el éxito o el fracaso de la comedia).   [20] Baltasar de Pinedo, Hernán Sánchez de Vargas
y Juan Morales Medrano fueron tres famosos actores en el teatro de la época.   [21] *a-
pariencias:* decorados y tramoyas.   [22] Todos estos motivos aluden a la estructura
propia de la llamada comedia de santos.   [23] *no me daba manos:* no daba abas-
to.   [24] Se refiere a la popular demanda de poemas amorosos en alabanza de las
partes del cuerpo de las mujeres amadas.   [25] *hacía barato:* hacía rebaja.   [26] *a pura
oración:* a fuerza de oraciones solicitadas.

de cada una—; y me acuerdo que hice entonces la del Justo Juez,
grave y sonorosa, que provocaba a gestos. [27] Escribí para un ciego, que las sacó en su nombre, las famosas que empiezan:

> Madre del Verbo humanal,
> Hija del Padre divino,
> dame gracia virginal, etc.

Fui el primero que introdujo acabar las coplas como los ser-
mones, con «aquí gracia y después gloria», en esta copla de un
cautivo de Tetuán:

> Pidámosle sin falacia
> al alto Rey sin escoria,
> pues ve nuestra pertinacia,
> que nos quiera dar su gracia,
> y después allá la gloria. Amén. [53]

Estaba viento en popa con estas cosas, rico y próspero, y tal,
que casi aspiraba ya a ser autor. Tenía mi casa muy bien ade-
rezada, porque había dado, para tener tapicería barata, en un arbitrio del diablo, y fue de comprar reposteros [28] de tabernas, y col-
garlos. Costáronme veinte y cinco o treinta reales, y eran más
para ver que cuantos tiene el Rey, pues por éstos se veía de puro
rotos, y por esotros no se verá nada.

Sucedióme un día la mejor cosa del mundo, que, aunque es
en mi afrenta, la he de contar. Yo me recogía en mi posada, el
día que escribía comedia, al desván, y allí me estaba y allí comía; subía una moza con la vianda, y dejábamela allí. Yo tenía

---

[27] *gestos:* mudanzas del rostro.   [28] *reposteros:* paños o tapices que se colgaban
en las puertas de las tabernas.

<hr>

(53) Se manifiesta en estos párrafos la sátira de Quevedo contra poe-
tastros mercantilizados, a encargo de solicitudes banales; y sobre todo
contra la banalidad y el lenguaje estereotipado de los poemas de ciego.
Recuérdese, en el *Buscón* mismo, la *Premática contra los poeta güeros,
chirles y hebenes.*

por costumbre escribir representando recio, como si lo hiciera en el tablado. Ordena el diablo que, a la hora y punto que la moza iba subiendo por la escalera, que era angosta y escura, con los platos y olla, yo estaba en un paso de una montería, y daba grandes gritos componiendo mi comedia; y decía:

> Guarda el oso, guarda el oso,
> que me deja hecho pedazos,
> y baja tras ti furioso;

que entendió la moza —que era gallega—, como oyó decir «baja tras ti» y «me deja», que era verdad, y que la avisaba. Va a huir y, con la turbación, písase la saya, y rueda toda la escalera, derrama la olla y quiebra los platos, y sale dando gritos a la calle, diciendo que mataba un oso a un hombre. Y, por presto que yo acudí, ya estaba toda la vecindad conmigo preguntando por el oso; y aun contándoles yo como había sido ignorancia de la moza, porque era lo que he referido de la comedia, aun no lo querían creer; no comí aquel día. Supiéronlo los compañeros, y fue celebrado el cuento en la ciudad. Y destas cosas me sucedieron muchas mientras perseveré en el oficio de poeta y no salí del mal estado.

Sucedió, pues, que a mi autor —que siempre paran en esto—, sabiendo que en Toledo le había ido bien, le ejecutaron[29] no sé por qué deudas, y le pusieron en la cárcel, con lo cual nos desmembramos todos, y echó cada uno por su parte. Yo, si va a decir verdad, aunque los compañeros me querían guiar a otras compañías, como no aspiraba a semejantes oficios y el andar en ellos era por necesidad, ya que me veía con dineros y bien puesto, no traté de más que de holgarme.

Despedíme de todos; fuéronse, y yo, que entendí salir de mala vida con no ser farsante, si no lo ha v. m. por enojo,[(54)] di en

---

[29] *ejecutaron:* embargaron.

(54) Nótese que han transcurrido muchas páginas sin una sola referencia al destinatario, *vuestra merced,* elemento básico en la estructura narrativa de la picaresca. Es éste un indicio más de que Quevedo apro-

amante de red,[30] como cofia,[31] y por hablar más claro, en pretendiente de Antecristo,[32] que es lo mismo que galán de monjas. Tuve ocasión para dar en esto porque una, a cuya petición había yo hecho muchos villancicos, se aficionó en un auto del Corpus de mí, viéndome representar un San Juan Evangelista, que lo era ella.[33] Regalábame la mujer con cuidado, y habíame dicho que sólo sentía que fuese farsante, porque yo había fingido que era hijo de un gran caballero, y dábala compasión. Al fin, me determiné de escribirla lo siguiente:

CARTA

«Más por agradar a v. m. que por hacer lo que me importaba, he dejado la compañía; que, para mí, cualquiera sin la suya es soledad. Ya seré tanto más suyo, cuanto soy más mío. Avíseme cuándo habrá locutorio,[34] y sabré juntamente cuándo tendré gusto», etc.

Llevó el billetico la andadera;[35] no se podrá creer el contento de la buena monja sabiendo mi nuevo estado. Respondióme desta manera:

RESPUESTA

«De sus buenos sucesos, antes aguardo los parabienes que los doy, y me pesara dello a no saber que mi voluntad y su provecho es todo uno. Podemos decir que ha vuelto en sí; no resta agora sino perseverancia que se mida con la que yo tendré. El locutorio dudo por hoy, pero no deje de venirse v. m. a vísperas,[36]

---

[30] *amante de red:* amante de monja (de la red de la celosía).   [31] *cofia:* red o hilo de seda que se ajusta a la cabeza con una cinta.   [32] Alude maliciosamente a la creencia de que el Anticristo nacería de las relaciones entre un clérigo y una monja.   [33] *que lo era ella:* que ella era de la facción de San Juan Evangelista (frente a la facción de San Juan Bautista).   [34] *locutorio:* habitación de convento dividida por una reja y en la cual las visitas podían hablar con las monjas.   [35] *andadera:* recadera.   [36] *vísperas:* hora del oficio divino que solía cantarse hacia el anochecer.

vecha el molde picaresco sin respetarlo ni dar cuerpo a alguno de sus elementos. Véase 1.

que allí nos veremos, y luego por las vistas, y quizá podré yo hacer alguna pandilla[37] a la abadesa. Y adiós.»

Contentóme el papel, que realmente la monja tenía buen entendimiento y era hermosa. Comí y púseme el vestido con que solía hacer los galanes[38] en las comedias. Fuime derecho a la iglesia, recé, y luego empecé a repasar todos los lazos y agujeros de la red[39] con los ojos, para ver si parecía; cuando Dios y enhorabuena —que más era diablo y en hora mala—, oigo la seña antigua: empieza a toser, y yo a toser; y andaba una tosidura de Barrabás. Arremedábamos un catarro, y parecía que habían echado pimiento en la iglesia. Al fin, yo estaba cansado de toser, cuando se me asoma a la red una vieja tosiendo, y echo de ver mi desventura, que es peligrosísima seña en los conventos; porque como es seña a las mozas, es costumbre en las viejas, y hay hombre que piensa que es reclamo de ruiseñor, y le sale después graznido de cuervo.

Estuve gran rato en la iglesia, hasta que empezaron vísperas. Oílas todas, que por esto llaman a los enamorados de monjas «solenes[40] enamorados», por lo que tienen de vísperas, y tienen también que nunca salen de vísperas del contento, porque no se les llega el día jamás.

No se creerá los pares de vísperas que yo oí. Estaba con dos varas de gaznate[41] más del que tenía cuando entré en los amores —a puro estirarme para ver—, gran compañero del sacristán y monacillo,[42] y muy bien recibido del vicario, que era hombre de humor. Andaba tan tieso, que parecía que almorzaba asadores y que comía virotes.[43]

Fuime a las vistas, y allá, con ser una plazuela bien grande, era menester enviar a tomar lugar a las doce, como para comedia nueva: hervía en devotos.[44] Al fin, me puse en donde pude; y podíanse ir a ver, por cosas raras, las diferentes posturas de los amantes. Cuál, sin pestañear, mirando, con su mano puesta en

---

[37] *pandilla:* engaño, trampa.   [38] *hacer los galanes:* representar los papeles de galán.   [39] *red:* celosía.   [40] *solenes:* solemnes. Véase nota 23 de I, 5.   [41] *gaznate:* garguero, parte superior de la tráquea.   [42] *monacillo:* monaguillo.   [43] *virotes:* saetas con casquillo en la punta (se usaban en la caza menor).   [44] *devotos:* galanes de monjas.

la espada y la otra con el rosario, estaba como figura de piedra sobre sepulcro; otro, alzadas las manos y estendidos los brazos a lo seráfico,[45] recibiendo las llagas; cuál, con la boca más abierta que la de mujer pedigüeña, sin hablar palabra, la enseñaba a su querida[46] las entrañas por el gaznate; otro, pegado a la pared, dando pesadumbre a los ladrillos, parecía medirse con la esquina; cuál se paseaba como si le hubieran de querer por el portante,[47] como a macho; otro, con una cartica en la mano, a uso de cazador con carne, parecía que llamaba halcón. Los celosos era otra banda; éstos, unos estaban en corrillos riéndose y mirando a ellas; otros, leyendo coplas y enseñándoselas; cuál, para dar picón,[48] pasaba por el terrero[49] con una mujer de la mano; y cuál hablaba con una criada echadiza[50] que le daba un recado.

Esto era de la parte de abajo y nuestra, pero de la de arriba, adonde estaban las monjas, era cosa de ver también; porque las vistas era una torrecilla llena de redendijas[51] toda, y una pared con deshilados, que ya parecía salvadera,[52] ya pomo de olor.[53] Estaban todos los agujeros poblados de brújulas;[54] allí se veía una pepitoria,[55] una mano y acullá un pie; en otra parte había cosas de sábado:[56] cabezas y lenguas, aunque faltaban sesos; a otro lado se mostraba buhonería:[57] una enseñaba el rosario, cuál mecía el pañizuelo, en otra parte colgaba un guante, allí salía un listón[58] verde... Unas hablaban algo recio, otras tosían; cuál hacía la seña de los sombrereros, como si sacara arañas,[59] ceceando.[60]

---

    [45] *estendidos los brazos a lo seráfico:* extendidos los brazos como en estigmatizaciones (alude a la impresión de las llagas de Cristo).   [46] *querida:* amiga.   [47] *portante:* paso rápido (aplicado a las caballerías).   [48] *picón:* celos.   [49] *terrero:* espacio despejado, explanada.   [50] *echadiza:* fingida.   [51] *redendijas:* rendijas.   [52] *salvadera:* véase nota 47 de I, 3.   [53] *pomo de olor:* recipiente que contiene confecciones olorosas y se usa para perfumar aposentos.   [54] *brújulas:* atisbos, asomos (agujeros del punto de mira).   [55] *pepitoria:* guiso de pescuezos y alones de ave.   [56] *cosas de sábado:* extremos y despojos de animales que se comían los sábados, días de abstinencia atenuada.   [57] *buhonería:* baratijas que vendían los buhoneros o vendedores ambulantes.   [58] *listón:* cinta de seda.   [59] *hacia la seña de los sombrereros, como si sacara arañas:* llamaba la atención (como los sombrereros a los clientes, diciendo ¡ce, ce!) de su galán, moviendo los dedos de la mano sacados por los agujeros (así parecían arañas).   [60] *ceceando:* diciendo ¡Ce, ce!

En verano, es de ver cómo no sólo se calientan al sol, sino se chamuscan; que es gran gusto verlas a ellas tan crudas[61] y a ellos tan asados. En ivierno[62] acontece, con la humedad, nacerle a uno de nosotros berros y arboledas en el cuerpo. No hay nieve que se nos escape, ni lluvia que se nos pase por alto; y todo esto, al cabo, es para ver una mujer por red y vidrieras, como güeso de santo; es como enamorarse de un tordo en jaula, si habla, y, si calla, de un retrato. Los favores son todos toques, que nunca llegan a cabes:[63] un paloteadico con los dedos. Hincan las cabezas en las rejas, y apúntanse los requiebros por las troneras.[64] Aman al escondite. ¿Y verlos hablar quedito y de rezado? ¡Pues sufrir una vieja que riñe, una portera que manda y una tornera[65] que miente! Y lo mejor es ver cómo nos piden celos de las de acá fuera, diciendo que el verdadero amor es el suyo, y las causas tan endemoniadas que hallan para probarlo.[(55)]

---

[61] *crudas:* crueles, despiadadas.   [62] *ivierno:* invierno.   [63] *cabes:* véase nota 41 de II, 3.   [64] *troneras:* ventanas pequeñas y angostas.   [65] *tornera:* monja destinada para servir en el torno.

[(55)] Fácilmente puede apreciarse en este episodio un motivo más de incoherencia en el desarrollo de la novela, concretamente en la figura del protagonista: ¿Cómo puede justificarse que el pícaro, que en III, 7 afirmaba no querer a las mujeres *sino para acostarme con ellas,* aparezca ahora como galán de una monja sin más posibilidades para sus aspiraciones que las que pueda ofrecer *un tordo en jaula* o *un retrato,* es decir, hablar y ver apenas? En verdad, nada justifica tal mudanza en el pícaro. En otro sentido, conviene recordar también que el episodio de los galanes de monjas produjo gran escándalo (véase documento número 3). ¿Por qué irritó tanto, si arranca de un motivo social frecuente y ampliamente censurado desde los púlpitos y en los libros? Lázaro Carreter afirma que irritó «por la ausencia de crítica, por la conversión de una plaga eclesiástica en pretexto para la risa». Quevedo, que pretendía antes que nada escribir una obra de ingenio, triviliazó el motivo socialmente grave y calamitoso en pretexto para desplegar su arte verbal en este cuadro alucinante y casi onírico de enamorados monjiles. El cual acaba transformado en fenómeno plástico, de puras apariencias y matices grotescos, iniciado por los diaparatados galanes y acabado por las monjas mismas. En suma, virtuosismo literario y alarde satírico, jocosidad y plasticidad, más que denuncia moral.

Al fin, yo llamaba ya «señora» a la abadesa, «padre» al vicario y «hermano» al sacristán, cosas todas que, con el tiempo y el curso, alcanza un desesperado. Empezáronme a enfadar las torneras con despedirme y las monjas con pedirme. Consideré cuán caro me costaba el infierno, que a otros se da tan barato y en esta vida, por tan descansados caminos. Veía que me condenaba a puñados, y que me iba al infierno por sólo el sentido del tacto. Si hablaba, solía —porque no me oyesen los demás que estaban en las rejas— juntar tanto con ellas la cabeza, que por dos días siguientes traía los hierros estampados en la frente, y hablaba como sacerdote que dice las palabras de la consagración. No me veía nadie que no decía: —«¡Maldito seas, bellaco monjil!», y otras cosas peores.

Todo esto me tenía revolviendo pareceres, y casi determinado a dejar la monja, aunque perdiese mi sustento. Y determinéme el día de San Juan Evangelista, porque acabé de conocer lo que son las monjas. Y no quiera v. m. saber más de que las Bautistas[66] todas enronquecieron adrede, y sacaron tales voces, que, en vez de cantar la misa, la gimieron; no se lavaron las caras, y se vistieron de viejo. Y los devotos de las Bautistas, por desautorizar la fiesta, trujeron banquetas en lugar de sillas a la iglesia, y muchos pícaros del rastro. Cuando yo vi que las unas por el un santo, y las otras por el otro, trataban indecentemente dellos, cogiéndola a la monja mía, con título de rifárselos, cincuenta escudos de cosas de labor —medias de seda, bolsicos de ámbar y dulces—, tomé mi camino para Sevilla, temiendo que, si más aguardaba, había de ver nacer mandrágoras[67] en los locutorios.

Lo que la monja hizo de sentimiento, más por lo que la llevaba que por mí, considérelo el pío lector. [(56)]

---

[66] *las Bautistas:* monjas del bando de San Juan Bautista.   [67] *mandrágoras:* plantas —de connotaciones obscenas— que nacen en lugares sombríos y cavernosos. Sus raíces se empleaban como remedio de mujeres estériles.

---

(56) Ya queda comentado que el *Buscón* transgrede bastantes elementos estructurales de la picaresca. Esta referencia al *pío lector* viene a demostrar que la entidad formal del destinatario, *vuestra merced,* ha quedado explícitamente olvidada. Era un mero pretexto. Véase **54.**

CAPÍTULO X

De lo que me sucedió en Sevilla hasta embarcarme a Indias.

Pasé el camino de Toledo a Sevilla prósperamente, porque, como yo tenía ya mis principios de fullero, y llevaba dados cargados[1] con nueva pasta de mayor y de menor, y tenía la mano derecha encubridora de un dado —pues preñada de cuatro, paría tres—, llevaba gran provisión de cartones de lo ancho y de lo largo para hacer garrotes de morros y ballestilla;[2] y así, no se me escapaba dinero.

Dejo de referir otras muchas flores,[3] porque, a decirlas todas, me tuvieran más por ramillete que por hombre; y también, porque antes fuera dar que imitar, que referir vicios de que huyan los hombres. Mas quizá declarando yo algunas chanzas y modos de hablar, estarán más avisados los ignorantes, y los que leyeren mi libro serán engañados por su culpa.

No te fíes, hombre, en dar tú la baraja, que te la trocarán al despabilar de una vela. Guarda el naipe de tocamientos, raspados o bruñidos, cosa con que se conocen los azares.[4] Y por si fueres pícaro,[5] lector,[(57)] advierte que, en cocinas y caballerizas, pican con un alfiler o doblan los azares, para conocerlos por lo hendido. Y si tratares con gente honrada, guárdate del naipe, que desde la estampa[6] fue concebido en pecado, y que, con traer atravesado el papel, dice lo que viene. No te fíes de naipe limpio, que, al que da vista y retiene, lo más jabonado es sucio. Advierte que, a la carteta,[7] el que hace[8] los naipes que no doble

---

[1] *cargados:* trucados (no pesaban igual por sus seis caras).   [2] *garrotes de moros y ballestilla:* clase de trampas en el juego de naipes; especie de marcas en los naipes trucados.   [3] *flores:* trampas.   [4] *azares:* naipes o cartas malas para el jugador contrario.   [5] *pícaro:* criado o pinche de cocina.   [6] *estampa:* imprenta.   [7] *la carteta:* juego de naipes, llamado también *el parar.*   [8] *hace:* prepara.

más arqueadas las figuras, fuera de los reyes, que las demás cartas, porque el tal doblar[9] es por tu dinero difunto. A la primera,[10] mira no den de arriba las que descarta el que da, y procura que no se pidan cartas o por los dedos en el naipe o por las primeras letras de las palabras.

No quiero darte luz de más cosas; éstas bastan para saber que has de vivir con cautela, pues es cierto que son infinitas las maulas[11] que te callo. «Dar muerte» llaman quitar el dinero, y con propiedad; «revesa» llaman la treta contra el amigo, que de puro revesada no la entiende; «dobles» son los que acarrean sencillos para que los desuellen estos rastreros de bolsas; «blanco» llaman al sano de malicia y bueno como el pan, y «negro» al que deja en blanco sus diligencias.

Yo, pues, con este lenguaje y estas flores, llegué a Sevilla; con el dinero de las camaradas,[12] gané el alquiler de las mulas, y la comida y dineros a los huéspedes de las posadas. Fuime luego a apear al mesón del Moro, donde me topó un condiscípulo mío de Alcalá, que se llamaba Mata, y agora se decía, por parecerle nombre de poco ruido, Matorral. Trataba en vidas, y era tendero de cuchilladas, y no le iba mal. Traía la muestra dellas en su cara, y por las que le habían dado, concertaba tamaño y hondura de las que había de dar. Decía: —«No hay tal maestro como el bien acuchillado»; y tenía razón, porque la cara era una cuera,[13] y él un cuero.[14] Díjome que me había de ir a cenar con él y otros camaradas, y que ellos me volverían al mesón.

Fui; llegamos a su posada, y dijo: —«Ea, quite la capa vuacé,[15] y parezca hombre, que verá esta noche todos los buenos hijos de Jevilla. Y porque no lo tengan por maricón, ahaje[16] ese cuello y agobie de espaldas; la capa caída, que siempre nosotros andamos de capa caída; ese hocico, de tornillo: gestos a un lado y a otro; y haga vucé de las *g*, *h*, y de las *h*, *g*. Diga con-

---

[9] *doblar*: en la doble acepción de «torcer» y «tocar a difunto». [10] *la primera*: otro juego de naipes. [11] *maulas*: trampas. [12] *las camaradas*: se usaba frecuentemente como nombre femenino. [13] *cuera*: especie de chaquetilla de piel con *cuchilladas* (aberturas). [14] *un cuero*: un cuero de vino, un borracho. [15] *vuacé*: vuestra merced (vulgarismo); como *vucé*, que aparece después. [16] *ahaje*: aje, desaliñe.

migo: *gerida, mogino, jumo, pahería, mohar,*[17] *habalí* y *harro de vino.*»[(58)] Tomélo de memoria. Prestóme una daga, que en lo ancho era alfanje, y, en lo largo, de comedimiento suyo no se llamaba espada, que bien podía. —«Bébase» —me dijo— «esta media azumbre[18] de vino puro, que si no da vaharada,[19] no parecerá valiente».

Estando en esto, y yo con lo bebido atolondrado, entraron cuatro dellos, con cuatro zapatos de gotoso por caras,[20] andando a lo columpio, no cubiertos con las capas sino fajados por los lomos; los sombreros empinados sobre la frente, altas las faldillas de delante, que parecían diademas; un par de herrerías enteras por guarniciones de dagas y espadas; las conteras,[21] en conversación con el calcañar derecho; los ojos derribados, la vista fuerte; bigotes buidos[22] a lo cuerno, y barbas turcas,[23] como caballos.[(59)]

Hiciéronnos un gesto con la boca, y luego a mi amigo le dijeron, con voces mohínas, sisando palabras: —«Seidor.»[24] —«So[25] compadre», respondió mi ayo. Sentáronse; y para preguntar quién era yo, no hablaron palabra, sino el uno miró a Matorrales, y, abriendo la boca y empujando hacia mí el labio de abajo, me señaló. A lo cual mi maestro de novicios satisfizo

---

[17] *mohar:* mojar; acuchillar (en germanía). [18] *azumbre:* medida de capacidad equivalente a un octavo de arroba, algo menos de dos litros. [19] *da vaharada:* echa aliento con olor de vino. [20] *zapatos de gotoso por caras:* las caras llenas de puntos y cuchilladas como los zapatos de gotoso, de gran tamaño. [21] *conteras:* piezas metálicas del extremo inferior de la vaina de la espada. [22] *buidos:* afilados. [23] *barbas turcas:* puede ser juego de palabras basado en el doble significado de «barbas largas o postizas» y nombre de una clase de freno de las caballerías (barbas de valentones). [24] *Seidor:* servidor. [25] *So:* señor (por relajación fonética del habla hampona sevillana, como antes *Seidor,* y antes *vuacé, vucé;* o *vucedes,* que aparecerá después).

---

(58) En este amigo de Pablos, Mata o Matorral, *tendero de cuchilladas* (como el Monipodio de *Rinconete y Cortadillo)* el autor muestra una caracterización del habla del mundo del hampa sevillana por medio de los sonidos aspirados peculiares del dialecto andaluz. Con todo, obsérvese que es más Quevedo filólogo quien habla que no Pablos narrador.

(59) Véase 25.

empuñando la barba y mirando hacia abajo. Y con esto, se levantaron todos y me abrazaron, y yo a ellos, que fue lo mismo que si catara cuatro diferentes vinos.

Llegó la hora de cenar; vinieron a servir unos pícaros, que los bravos llaman «cañones».[26] Sentámonos a la mesa; aparecióse luego el alcaparrón;[27] empezaron, por bienvenido, a beber a mi honra, que yo, hasta que la vi beber, no entendí que tenía tanta. Vino pescado y carne, y todo con apetitos de sed.[28] Estaba una artesa en el suelo llena de vino, y allí se echaba de buces[29] el que quería hacer la razón;[30] contentóme la penadilla;[31] a dos veces, no hubo hombre que conociese al otro.

Empezaron pláticas de guerra; menudeábanse los juramentos; murieron, de brindis a brindis, veinte o treinta sin confesión; recetáronsele al asistente[32] mil puñaladas. Tratóse de la buena memoria de Domingo Tiznado, y Gayón; derramóse vino en cantidad al ánima de Escamilla; los que las cogieron tristes, lloraron tiernamente al mal logrado Alonso Alvarez.[33] Y a mi compañero, con estas cosas, se le desconcertó el reloj de la cabeza, y dijo, algo ronco, tomando un pan con las dos manos y mirando a la luz: —«Por ésta, que es la cara de Dios,[34] y por aquella luz que salió por la boca del ángel, que si vucedes quieren, que esta noche hemos de dar al corchete[35] que siguió al pobre Tuerto.» Levantóse entre ellos alarido disforme, y desnudando las dagas, lo juraron; poniendo las manos cada uno en un borde de la artesa, y echándose sobre ella de hocicos, dijeron: —«Así como bebemos este vino, hemos de beberle la sangre a todo acechador.»[36] —«¿Quién es este Alonso Alvarez» —pregunté— «que tanto se ha sentido su muerte»? —«Mancebito»[37] —dijo el uno— «lidia-

---

[26] *cañones:* criados de rufianes.   [27] *alcaparrón:* higo pequeño (fruto de la alcaparra) que se comía de aperitivo.   [28] *apetitos de sed:* manjares que excitan la sed.   [29] *de buces:* de bruces.   [30] *hacer la razón:* beber, correspondiendo al brindis.   [31] *penadilla:* taza *penada,* vaso con el borde vuelto hacia fuera e incómodo para beber (aquí, en sentido irónico, pues la *artesa* era lo contrario de la *penadilla*).   [32] *asistente:* corregidor.   [33] Todos ellos son nombres de históricos rufianes y valentones famosos entonces.   [34] *cara de Dios:* así se llamaba al pan caído en el suelo.   [35] *corchete:* Véase nota 38 de I, 6.   [36] *acechador:* espía o vigilante policial de delincuentes.   [37] *Mancebito:* rufián valentón (en germanía).

dor ahigadado,[38] mozo de manos[39] y buen compañero. ¡Vamos, que me retientan los demonios!» [(60)]

Con esto, salimos de casa a montería de corchetes. Yo, como iba entregado al vino y había renunciado en su poder mis sentidos, no advertí al riesgo que me ponía. Llegamos a la calle de la Mar, donde encaró con nosotros la ronda.[40] No bien la columbraron, cuando, sacando las espadas, la embistieron. Yo hice lo mismo, y limpiamos dos cuerpos de corchetes de sus malditas ánimas, al primer encuentro. El alguacil puso la justicia en sus pies, y apeló[41] por la calle arriba dando voces. No lo pudimos seguir, por haber cargado delantero.[42] Y, al fin, nos acogimos a la iglesia Mayor, donde nos amparamos del rigor de la justicia,[43] y dormimos lo necesario para espumar el vino que hervía en los cascos. Y vueltos ya en nuestro acuerdo, me espantaba yo de ver que hubiese perdido la justicia dos corchetes, y huido el alguacil de un racimo de uvas, que entonces lo éramos nosotros.

Pasábamoslo en la iglesia notablemente, porque, al olor de los retraídos,[44] vinieron ninfas,[45] desnudándose para vestirnos.[46] Aficionóseme la Grajales; vistióme de nuevo de sus colores. Súpome bien y mejor que todas esta vida; y así, propuse de nave-

---

[38] *ahigadado:* valiente, con muchos hígados.   [39] *de manos:* diestro en el robo.   [40] *la ronda:* la ronda de vigilancia nocturna de la justicia.   [41] *apeló:* huyó.   [42] *haber cargado delantero:* haber bebido excesivamente.   [43] El refugio de los delincuentes en la iglesia venía motivado por el hecho de que allí no podía entrar la justicia.   [44] *retraídos:* acogidos al refugio de la iglesia.   [45] *ninfas:* prostitutas.   [46] *para vestirnos:* para fornicar («vistiéndolos», porque estaban *en cueros* = borrachos, como explica Rey Hazas).

---

(60) La referencia al célebre Alonso Álvarez de Soria, El Tuerto, poeta y pícaro sevillano ejecutado en 1603, constituye otro dato histórico importante en la datación de la redacción de la novela. Adviértase, además, la contradicción entre la temporalidad interna del relato y la temporalidad extratextual a que éste se refiere: han pasado varios años en la vida del pícaro desde que se habló del sitio de Ostende (II, 1) y ahora, al final del relato, aparece una nueva referencia a las mismas fechas, sin tener en cuenta los años transcurridos en la vida de Pablos. Véase **24** y documento número 12.

gar en ansias[47] con la Grajal hasta morir. Estudié la jacarandi-
ba,[48] y en pocos días era rabí[49] de los otros rufianes.

La justicia no se descuidaba de buscarnos; rondábanos la
puerta, pero, con todo, de media noche abajo, rondábamos dis-
frazados. Yo que vi que duraba mucho este negocio, y más la
fortuna en perseguirme, no de escarmentado —que no soy tan
cuerdo—, sino de cansado, como obstinado pecador, determiné,
consultándolo primero con la Grajal, de pasarme a Indias con
ella, a ver si, mudando mundo y tierra, mejoraría mi suerte. Y
fueme peor, como v. m. verá en la segunda parte,[50] pues nunca
mejora su estado quien muda solamente de lugar, y no de vida
y costumbres.

---

[47] *navegar en ansias:* vivir los afanes (apuros, y también en «ansias amorosas»)
propios de rufianes.   [48] *la jacarandina:* la jerga rufianesca.   [49] *rabí:* maestro (título judío, rabino, que interpreta la Sagrada Escritura).   [50] Tal segunda parte
nunca fue publicada por el autor.

Documentos y juicios críticos

Como en otras novelas picarescas, bastantes chistes y cuentecillos del Buscón *proceden de la tradición oral y del folklore. La anécdota prota-gonizada por Pablos en 1, 2 (Poncio Pilato-Poncio de Aguirre aparece en versión casi idéntica en los* Diálogos de apacible entretenimiento *(1605), de Gaspar Lucas Hidalgo:*

Otro efecto de palabras mal entendidas me acuerdo que sucedió a unos muchachos... que dieron en perseguir a un hombre llamado Ponce Man-rique, llamándole Poncio Pilato por las calles; el cual, como se fuese a quejar al maestro en cuya escuela andaban los muchachos, el maestro los azotó muy bien, mandándoles que no dijesen más de ahí en adelante Poncio Pilato, sino Ponce Manrique. A tiempo que ya los quería soltar del escuela, comenzaron a decir en voz la doctrina cristiana, y cuando en el credo llegaban a decir: «Y padeció so el poder de Poncio Pilato», dijeron: «Y padeció so el poder de Poncio Manrique».

> Texto incluido por Américo Castro en su edición del *Buscón*, Madrid, Espasa-Calpe, 1973 («Clásicos Castellanos»; la primera edición en esta colección es de 1927), p. 26. (Se ha modernizado la ortografía.)

2.   *En la primera edición del* Buscón *en 1626 aparecía este prólogo «Al lector», que nadie considera ya de Quevedo. Posiblemente fue el librero Roberto Duport quien, imitando el estilo del autor, lo escribió para atraer a los lectores. Por ello, resulta un buen testimonio de un lector-editor de la época:*

Que deseoso te considero, lector, o oidor (que los ciegos no pueden

leer), de registrar lo gracioso de don Pablos, príncipe de la vida buscona. Aquí hallarás en todo género de picardía (de que pienso que los
más gustan), sutilezas, engaños, invenciones y modos nacidos del ocio
para vivir a la droga,[1] y no poco fruto podrás sacar dél si tienes atención al escarmiento; y cuando[2] no lo hagas, aprovéchate de los sermo-
nes, que dudo nadie compre libro de burlas para apartarse de los incen-
tivos de su natural depravado. Sea empero lo que quisieres, dale aplauso, que bien lo merece; y cuando te rías de sus chistes, alaba el ingenio
de quien sabe conocer, que tiene más deleite saber vidas de pícaros, des-
critas con gallardía, que otras invenciones de mayor ponderación. Su autor ya le sabes, el precio del libro no le ignoras, pues ya le tienes en tu
casa, si no es que en la del librero le ojeas, cosa pesada para él y que se
había de quitar con mucho rigor, que hay gorrones de libros como de
almuerzos, y hombre que saca cuento leyendo a pedazos y en diversas
veces, y luego le zurce; y es gran lástima que tal se haga, porque éste
mormura sin costarle dineros, poltronería bastarda y miseria no hallada
del Caballero de la Tenaza.[3] Dios te guarde de mal libro, de alguaciles,
y de mujer rubia, pedigüeña y carirredonda.

> Texto incluido por Fernando Lázaro Carreter: *La vida del Bus-
> cón*, Salamanca, 1980, 2.ª ed., p. 7. (Se ha modernizado la
> ortografía.)

3. *Es bien conocido que las obras de Quevedo sufrieron los rigores censorios de la Inquisición. En esta* Censura de Fray Juan Ponce de León
al Cuento de cuentos, *fechada en 1630, se desaprueban episodios del* Buscón, *como el de los galanes de monjas, y se compara la osadía de su autor con la de Rabelais y Boccaccio:*

Y cuando para mandar recoger este papel no hubiera las coincidencias hereticales que refiero, pudiera V. A.,[1] mandarle poner silencio, por
ser contra la decencia de las prelacías eclesiásticas, y ser V. A. amparo
y protección de la religión católica, y ver que en este libro de Quevedo
y en los demás que dolosamente ha impreso, son mayores sus sueños
que sus vigilias, y mucho más la ofensa de sus burlas que la edificación

---

[1] *a la droga:* de embuste.
[2] *cuando:* aunque.
[3] Se refiere a las *Cartas del Caballero de la Tenaza*, obra juvenil de Quevedo,
quien se autoadjudicó dicho nombre en algunas ocasiones.
[1] Se refiere al Consejo Supremo, que tenía tratamiento de Alteza.

de sus veras, debiendo, como religioso noble, correrse de poner por interlocutores de deshonestos desatinos a personas constituidas en dignidad de tan santa religión como la de San Francisco, dando lugar a que con ella y con sus hijos se entretenga un vulgo malicioso, teniendo por motivo de burla y mofa la santidad de sus prelados, trayendo en comprobación de sus sueños en el libro del *Buscón* la devoción fingida de una monja, representada con tanta libertad, que aun con menos era bastante para ofender a un estado menos religioso, dando con esto ocasión a que los herejes crean que aquellas vanidades que del estado religioso refiere son comunes a todo él, y que con aprobación se hacen, pues con licencia se imprimen; con lo cual la religión viene a padecer agravio en los seglares, pues estudiando arte para ser agudos, aprenden de los libros de Quevedo sus satíricos dichos y escandalosos donaires. Todo lo cual es digno de reparo (si en ello se repara), temiendo que principios como éstos, en España, no sean pronósticos de los lastimosos sucesos que se vieron en Francia, de que se originaron muchas herejías, con que se halló cuidadosa la iglesia en su remedio, pues en tiempo de Francisco primero, rey de Francia, vivió en ella un hombre de cortas obligaciones llamado Francisco de Rabeles, el cual se preciaba de ser picante y maldiciente; y para tener materia en que ejercer su malicia, recogió en un libro cantidad de cuentos, novelas y donaires, en el cual hacía burla de los clérigos, de los religiosos, al modo que entre los italianos el Bocacio.

Texto incluido por Luis Astrana Marín en *Obras Completas*, I. *Obras en prosa*, Madrid, Aguilar, 1974, 6.ª ed., p. 411 (Se ha modernizado la ortografía.)

. *Así veía, en el siglo XIX, Fernández-Guerra el* Buscón: *como obra festiva, didáctica y moralizante y con «algunas palabras y escenas que repugnan»:*

Es la novela del *Buscón* lo mejor de sus rasgos festivos, inspirada por el *Lazarillo de Tormes*, y escrita para emular con ventaja al *Pícaro Guzmán de Alfarache*. Recomiéndanla singular economía en la narración, interés en los sucesos, verdad en los retratos, viveza en las descripciones, aventuras amorosas delineadas con gallardía, sales y agudeza a manos llenas prodigadas. Aféanla algunas palabras y escenas que repugnan, como la patente y burlas que por nuevo hicieron a Pablos los estudiantes de Alcalá; pero no es cierto (como expresa M. Ticknor) que llegue en una o dos ocasiones el desatino hasta la blasfemia. Ni la religiosidad y sabiduría del autor lo hubieran consentido, ni menos la suspicacia de la censura ni el cristiano celo de los calificadores. [...]

En él, como en todo lo que de nuestro autor, resalta un objeto político de aplicación inmediata, y domina y se desprende un pensamiento filosófico y una lección provechosa a la humanidad: la de que, viciado el corazón en la niñez con fatales ejemplos, ni los estudios ni el desarrollo de un ingenio despejado alcanzan luego a enderezar sus torcidos y bastardeados instintos. [...]

En vano un descalabro y otro en cuantos reprobados medios pone en juego para medrar, le avisan que reforme su conducta y busque en el honesto y virtuoso trabajo el pan de cada día; en vano la razón le llama al buen sendero y el entendimiento le persuade para que emplee dignamente sus fuerzas: ha perdido el tino; y como el enfermo piensa encontrar alivio volviéndose de un lado a otro, así imagina el *Buscón* hallarle mudando de lugar, y no de vida y costumbres. Prueba de ingenio y habilidad poner instintos de caballero en el hijo de un ahorcado y sobrino de un verdugo y hacerle vivir de la estafa, para cargar pesadamente la mano sobre vicio tan común en la aristocracia de aquel tiempo.

Se ve, pues, en estos juegos y travesuras cómo no se oscurece el escritor político, pues que todos sus rasgos tienden a mejorar al hombre y la sociedad, poniéndole delante el espejo de sus imperfecciones y los medios prácticos de corregirlas.

> Aureliano Fernández-Guerra: «Prólogo» al tomo XIII de *Obras de don F. de Q.*, Madrid, Rivadeneyra, 1852. («Biblioteca de Autores Españoles»), pp. XXI y ss. Texto incluido por Samuel Gili Gaya en su edición del *Buscón*, Zaragoza, Ebro, 1982, 13.ª ed., pp. 128-129.

5.   *En 1927, L. Spitzer saludaba la nueva edición del* Buscón *por A. Castro con un espléndido análisis estilístico de la novela. Entre sus penetrantes indagaciones, Spitzer, que rechaza la intencionalidad ética del* Buscón *(defendida por K. Vossler), afirma la dualidad barroca en el anhelo realista (en los afanes de Pablos) y la fuga ascética del mundo (en el vacío que rodea a su autor):*

Hemos visto cómo en invención y lenguaje el buscón se alza como una especie de *sobre-pícaro*, si se me permite esta palabra calcada del alemán «Übermensch» (comp. *sobrevirgo*, etc.), sin la obstinación y el patetismo donjuanescos, más bien alegre y travieso, astuto y experimentado, y siempre superior. Queda por examinar su relación con las restantes figuras de hipócritas, ilusos, locos o violentos. Falta en el *Buscón*, como ya notó Castro, junto al ambiente bribiático[1] el contraste de un mundo ideal: sin duda el buscón tiene algo de tendencioso y unilateralmente conceptuoso, a diferencia por ejemplo de don Quijote: no viene el buscón a situarse frente a un mundo ideal, sino a ponerse al frente de un mundo picaresco (por eso la simetría servía para realzarlo). De aquí resulta que las figuras que pasan a su lado (sus amos y compañeros, los diversos estados y provincias, etc.) sólo desempeñen los papeles que tienen las figuras en la danza de la muerte: cuando no están ahí para servir al buscón de víctimas de sus picardías o para enseñarle nuevas artimañas, funcionan sólo como realce.

En un mundo de lobos el buscón quiere ser más lobo que los otros: los lobos son la justificación moral del sobre-lobo, no están ahí por sí mismos. Con Castro veo, pues, en el *Buscón* «de un modo estático el espectáculo de la insuficiencia humana», sólo que dispuesto dentro de un sistema jerárquico en el que Pablos ocupa el peldaño más alto de la escala como *príncipe de la vida buscona* y *rabí de los rufianes*. Y este abrupto erguirse y levantarse por encima, esta personalidad que desafía la justicia divina, es lo que motivó la comparación con don Juan. Sólo vemos, de consiguiente, máscaras, muecas, visajes de realidad fantástica errando en torno a la única figura viva del buscón. Concuerda con ello el hecho de que la sátira de estados se produzca en nuestra novela de un modo más bien secundario, yo diría «par ricochet».[2] Parece a menudo como si los ojos de Quevedo mirasen en dos direcciones opuestas (como si bizqueasen): mira con ironía hacia A y de pronto asesta un golpe a un B muy distante: se llega así a una sátira bilateral que cumple la función de presentar lo inmoral a doble luz, como justificado y condicionado por otra inmoralidad, y de volatilizar lo humorístico en macabro como moralidad relativa. También aquí la consideración moral viene a parar en *desengaño*. [...]

Quevedo, es cierto, quiere entretener, pero no puede evitar que a él también el aviso «salva tu alma» le altere el borrador: las sombras macabras en que continuamente se envuelve la amena historia, anuncian los truenos lejanos de un dios ofendido. «El pícaro del mundo románico», cierto también, «no tiene alma»; pero el autor la tiene por él: Quevedo no se queda en «la opaca esfera del absurdo terrenal»: hace que «se trasluzca» el más allá precisamente en esa oscuridad admonitoria que

---

[1] *bribiático:* propio de la hogazanería picaresca.

[2] *par ricochet:* por carambola, indirectamente.

una y otra vez irrumpe en la alegre atmósfera traspasada de sol; y quizá
el pavor que de repente nos asalta en medio del entretenimiento, resulte
aún más sobrecogedor que si procediese de un fondo de gravedad o
patetismo.

> Leo Spitzer: «Sobre el arte de Quevedo en el *Buscón*», en Gon-
> zalo Sobejano (ed.): *Francisco de Quevedo*, Madrid, Taurus, 1978
> («El Escritor y la Crítica»), pp. 180-181 y 183.

6.   *En 1961, Lázaro Carreter daba a la luz un estudio capital para el co-
rrecto entendimiento del* Buscón. *En su interpretación de la novela (con-
testada después por A. A. Parker; y apoyada por M. Bataillon, F. Rico
y R. Lida, entre otros) afirma la ausencia de intención didáctico-moral
y de protesta social; y la analiza como novela estetizante, con notable
inconexión y dispersión estructural, obra de juventud debida al «deseo
casi demoníaco de ostentar ingenio»:*

Quevedo no ha buscado una anécdota original, puesto que episodios
fundamentales de su novela tenían antecedentes clarísimos para cualquier contemporáneo. ¡Cuántos chistes, cuántas facecias y anécdotas,
cuántos juegos verbales, que en su época serían materia común, debe de
haber en estas páginas, refractados y apurados hasta el límite de torsión!
Evidentemente, Quevedo no ha puesto el punto de honra en lo original
de la materia. Y el *Buscón* es, a pesar de ello, inconfundible, extraño,
originalísimo.

Tampoco hallamos en él la sorda cólera, el desengaño, la queja des-
garrada que sacude, desde el *Guzmán*, a la sociedad entera (salvo, quizá,
al estamento eclesiástico; pero Alemán era judío: no podía permitirse fa-
miliaridades). Quevedo ni moraliza ni protesta. Es un joven de veintitrés años, favorecido cortesano, y sabe conducir su ambición entre los
escollos. Que en su mente está ya prefigurada su colosal aptitud de cen-
sor y moralista, nadie puede dudarlo; pero le falta aún el motor que la
ponga en marcha: están todavía lejos los desengaños. [...]

No hay intención moral que no se dispare a un objetivo concreto, que
no piense en alcanzar un centro para actuar. Y ¿puede pensar alguien
con seriedad que don Francisco aspiraba a reformar el abigarrado censo
de su *Buscón*, constituido por barberos, brujas, hidalgüelos, mendigos,
escribanos, verdugos, izas, jaques, valentones, arbitristas y dementes? Las
protestas de buena fe, de designio ético, que llenan los prólogos de las
obras picarescas o apicaradas de la época, no existen en los escritos tem-

pranos de Quevedo, cuyas frecuentes advertencias al lector son mera chacota. [...]

Estas dos últimas ausencias —protesta social y didactismo— confieren ya a la historia del tacaño una evidente originalidad, que no hallamos en el plano de la anécdota. El *Buscón* se muestra, así, charla sin objeto, dardo sin meta, fantasmagoría.

La «frialdad» de Pablos

El joven Quevedo, por instinto o por seducción del *Guzmán*, había descubierto el hampa. Instalado en un sistema social cuyas convenciones y creencias le satisfacen o le conviene respetar, todo lo que no se ajusta a él es buena presa para el sarcasmo. Desde sus principios inmutables del honor y la sangre, todos los desheredados, los desterrados de la ciudad de los hombres, son simples muñecos. El mundo de Quevedo está bien hecho y el otro mal; eso es todo. [...]

[...] Falta todo esfuerzo de construcción. Hombres y mujeres habitan en la novela un mundo lejano, extramuros, del que está ausente el sentimiento. Ni el amor ni el odio mueven allí a nadie. Los personajes no se relacionan entre sí: Pablos observa a uno o a otro, y si habla con ellos es sólo como estímulo para que ellos hablen, gesticulen y muestren todos los costados susceptibles de retorsión; una vez aprovechados, los abandona. El propio Pablos, cuando su servicio no es útil al novelista, queda ahí, en cualquier lugar, con cualquier proyecto en la cabeza, que ya no interesa.

Quevedo contempla a través de un prisma que deforma y aísla; su campo de observación aparece bañado por una fría luz de laboratorio. De los pobres no importa su hambre, sino sus tretas y sus trapos; ni interesa el dolor de una potra, sino su tamaño y su eficacia como cebo. Miseria, sufrimientos, ruindad, todas las lacras, son sólo objetos para ser contemplados y mutados en sustancia cómica. Y, claro es, cuando un objeto «normal», un caballo por ejemplo, debe penetrar en aquel recinto, inmediatamente se deforma: su cuello se alarga, sus ancas se apuntan, y todo él se hace negación del canon. No hay, en la novela, vieja que no sea boquisumida y tercera, moza que no pique en meretriz, mesonero que no robe, escribano que no delinca.

Se ha notado, muy justamente, la frialdad, la impavidez de Pablos entre los hombres —ante la muerte misma de sus padres— y los acontecimientos que lo rodean. Creemos que nace de esta organización guiñolesca del libro. Pablo no está verdaderamente ligado a sus compañeros de aventura, sino al novelista; no hay un hilo que los embaste a todos, sino cabos sueltos que paran en las manos del titiritero. De ahí que los fantoches puedan agredirse, insultarse, burlarse y matarse, pero jamás vincularse. Están aislados todos, entre sí; y por otra parte, bien lejos del novelista. La imposibilidad de que en una o en otra dirección brote una chispa de simpatía, es manifiesta. El mundo del *Buscón* yace inmerso en un bloque helado, que sólo deja ver —pero abultado, distendido— lo aparencial. [...]

El Buscón, *obra de ingenio*

La conclusión de cuanto estamos diciendo es obvia: lo que don Francisco hizo en su *Buscón*, más que un «libro de burlas», fue un libro de ingenio. Ambas cosas existen: hay burla de aquella humanidad extravagante fuera de los límites de la convención, la ley y la norma que el autor respeta. Pero esto ocurre en mínima proporción. Domina en el *Buscón*, sobre todo, una burla de segundo grado, una burla por la burla misma, reflexivamente lograda, que no se dirige al objeto —con todas sus consecuencias sentimentales—, sino que parte de él en busca del concepto. El perfil novelesco del libro es sólo el marco, dentro del cual el ingenio de Quevedo —«¡las fuerzas de mi ingenio!»— alumbra una densa red de conceptos. Para ello desnutre, desvitaliza de toda intención no ingeniosa el campo de operaciones, para aplicar en seguida sobre todos sus puntos los recursos de la agudeza. Desbridado el tejido, cortadas sus conexiones, hinca el bisturí a fondo, sin emoción. Esta existe, claro, pero no en el camino que media entre el espectáculo y el observador, sino en el que, desde el ojo, conduce a la mente. Aquí es, en la tarea de elaborar el dato, mutarlo y asociarlo, donde la emoción se instala. Quevedo experimenta un sentimiento puro de creador; digámoslo sin rodeos: un sentimiento estético. El *Buscón* es una novela estetizante.

Fernando Lázaro Carreter: «Originalidad del *Buscón*», en Gonzalo Sobejano (ed.): *Francisco de Quevedo*, Madrid, Taurus, 1978 («El Escritor y la Crítica»), pp. 198-202.

7. *Teniendo en cuenta que sobre la datación del* Buscón *el único dato seguro es que la novela es posterior a 1603 y anterior a 1626, estas puntualizaciones de Lázaro Carreter (indicadas ya en el ensayo de 1961) ofre-*

cen importantes observaciones sobre la redacción primitiva del texto y su parcial revisión posterior:

Pensamos que la primera redacción [...] es muy temprana. Los datos positivos que pueden apoyar esta creencia son los siguientes: *a*) Antonio Pérez, que murió en 1611, vive todavía, puesto que ha podido enviar espías (o venir él mismo) a España; *b*) No ha terminado aún el sitio de Ostende (julio de 1601-septiembre de 1604), ya que se narra un jocoso arbitrio para rendir la ciudad; *c*) La muerte del jayán poeta Alonso Álvarez, que ocurrió entre 1603 y 1604, es aludida como hecho reciente; *d*) La burla de la obra de Pacheco de Narváez, *Libro de la Grandeza de la espada,* aparecida en 1600, parece sólo justificable en fecha poco posterior: sería escasamente oportuna la sátira de un libro publicado mucho antes.

El episodio del espía de Antonio Pérez adquiere un significado más preciso cuando se sabe que, efectivamente, en 1602, el inquieto exiliado tenía agentes en España, según denuncia el embajador Juan Bautista de Tassis a Felipe III: era una de sus «postreras intrigas». [...]

En cuanto al arbitrio para rendir Ostende, chupando la mar con esponjas o hundiéndola doce estados, es lógico que poseyera fuerza cómica en la medida en que aludía a sucesos contemporáneos o muy próximos. Dicho arbitrio parece estar sugerido por las invenciones que se sucedieron ante la plaza para aislarla del mar. Así, el dique planeado, en el otoño de 1601, por el preboste del regimiento alemán, Conde de Barlaymont; y las plataformas que se alzaron, en la primavera de 1603, por consejo del arquitecto italiano Pompeyo Targone. Ambos esfuerzos carecieron de eficacia. [...]

Más arduo todavía se presenta el problema de asignar una época a la segunda versión. Sólo hemos podido descubrir un indicio aprovechable, aunque, claro es, sin fuerza resolutiva. [...]

Efectivamente, mientras *B*[1] se limita a decirnos del huésped de la casa de Alcalá que era morisco, *CSE* [2] añaden un comentario significativo: *que hay muy grande cosecha desta gente.* El pasaje posee importancia, si pensamos en el especial interés que ponía Quevedo en los asuntos de la corte. La animadversión popular y eclesiástica contra los moriscos venía de antiguo; se explica que el autor, ya en la primera redacción de la novela, hablase de aquel individuo con sumo desdén. Pero, hacia 1603

---

[1] *B:* el códice más antiguo de los conservados.

[2] *'C.S.E.:* manuscritos de Córdoba, Santander y primera edición de 1626 en Zaragoza, respectivamente.

ó 1604, no se habían tomado aún decisiones sobre la expulsión. Esta se decretó el 9 de abril de 1609. ¿Corresponderá a los alrededores de esa fecha aquella adición, y estará justificando o apoyando el decreto?

Puede matizarse aún más esta hipótesis. Sabido es como la salida de los expulsos se realizó con enorme lentitud; las quejas ante este hecho dieron por resultado la cédula real de 3 de mayo de 1611, por la cual se ordenaba la expulsión de todos los moriscos, anulando anteriores excepciones. La operación, sin embargo, tropezaba con ingentes dificultades, por lo que se hizo precisa la orden conminatoria de 16 de febrero de 1613. La parsimonia, a pesar de tantos decretos, irritaba a los que deseaban evitar al país, cuanto antes, aquella odiada convivencia. [...]

Muy bien podría ocurrir que la frase añadida por Quevedo, en la segunda redacción de la novela, obedeciese a este clima de descontento y protesta. Si así fuera, habría que fechar aquélla entre mediados de 1609 y principios de 1614: el 20 de febrero de este último año, las operaciones de expulsión se dieron oficialmente por concluidas.

> Fernando Lázaro Carreter: «Estudio preliminar» a *La vida del Buscón*, Salamanca, 1980, 2.ª ed., pp. LII-LV.

8.   *En 1970, F. Rico publicaba un estudio, ya clásico, sobre el punto de vista en la novela picaresca. He aquí algunas de sus consideraciones sobre la defectuosa autobiografía del* Buscón:

Quevedo entró a saco en el repertorio de elementos constitutivos del género, dispuesto a competir con el anónimo quinientista y con el sombrío Alemán, para vencerlos a punta de ingenio. Pero la suya era una inteligencia crítica y analítica, inventiva «sólo... al nivel del concepto y del lenguaje» [Lázaro Carreter], dada a desperdigarse en el detalle más que a demorarse en el enfrentamiento global de temas y problemas. [...] No es raro, pues, que al probar fortuna en la picaresca se le escapara casi todo cuanto la especie tenía de *novela*, de construcción; que, reconocidos los rasgos esenciales, se los incorporara como fragmentos dispersos, sin adivinar —o, en cualquier caso, sin proponerse adaptar y recrear— su enlace profundo.

El empleo del patrón autobiográfico es nuevamente revelador. Para empezar, ¿por qué escribe Pablos? No tenemos la más ligera idea. Cierto, al frente de algunos manuscritos se halla una sucinta «Carta dedicatoria» [...]. La piececilla es de autenticidad dudosa, e indiscutiblemente ajena a la primera redacción. Démosla por buena. Entonces, ¿quién es

Vuestra Merced y por qué razón le interesan las memorias de Pablos? No hay medio de averiguarlo.

Ni quizá valdría la pena plantearse la cuestión, si no existiera el *Lazarillo* y si no fuera palpable que Quevedo está calcándole un procedimiento. [...]

De hecho, en el *Buscón* no hay análogo —salvo a flor de piel— al «Vuestra merced» del pregonero o al «curioso lector» del galeote:[1] ese «señor» de Pablos no forma parte de la novela a título ninguno, es un mero nombre. Quevedo lo encontró en el vocabulario elemental de la picaresca, lo inscribió en su libro y no se ocupó en darle sentido (cuerpo o siquiera sombra). De tal forma, el destinatario, antes dato fundamental de la autobiografía, quedó reducido a una vana redundancia, suprimible con ventaja: pecado de lesa arte.

Dejemos a un lado a Vuestra Merced y sigamos con nuestra pregunta. ¿Por qué escribe Pablos? Le falta un estímulo exterior comparable al de Lázaro (o, si se prefiere, le falta dar la versión novelística de tal estímulo: no bastaba enunciarlo, había que integrarlo efectivamente en la autobiografía). [...]

Atendamos, sin embargo, a la única faceta de Pablos relativamente firme: el deseo de la honra y preeminencia social. «Su madre era hechicera, su padre ladrón y su tío verdugo, y él, el más ruin hombre y más mal inclinado que Dios tiene en el mundo.» Pero al truhán le mueve justamente el «intento de ser caballero» y escapar a la infamia familiar: una parte sustancial de su carrera consiste en el empeño de picar «más alto» y borrar las huellas de la ignominia de origen que pesa sobre él. Así, si algo hay en Pablos de consistente, ello es el propósito de «negar la sangre». Pues bien, tal propósito ¿puede acaso conciliarse con la redacción de una autobiografía pareja, toda ella testimonio inequívoco de la vileza e ignominia del supuesto autor? Entiendo que no. Porque, desde luego, nada muestra ni aun sugiere que el pícaro haya cambiado o pueda cambiar. La novela concluye precisamente advirtiendo todo lo contrario [...]. En cualquier caso, lo evidente es que en el libro, tal como quedó, no hay ni el más remoto ánimo de novelizar el ineludible tránsito de Pablos actor a Pablos autor. Y, sin él, la primera persona es cuando menos superflua, un simple tributo a la tradición.

Francisco Rico: *La novela picaresca y el punto de vista,* Barcelona, Seix-Barral, 1973, 2.ª ed. («Biblioteca Breve»), pp. 121-127.

---

[1] Se refiere al narrador del *Lazarillo* (pregonero) y del *Guzmán de Alfarache* (galeote) y a los destinatarios respectivos de sus autobiografías.

9.   *En 1972, R. Lida daba a la luz dos importantes ensayos sobre el* Buscón. *Siguiendo la interpretación de Lázaro Carreter, el autor analiza la
falta de psicologismo de los personajes de la novela, su técnica de entremés y la agudeza conceptista de la farsa narrativa:*

Entremés, agudo y a golpes, en que cada personaje se revela rápida y
bruscamente. Muy poco hay aquí del sutil despliegue del *Lazarillo:* pién-
sese en el escudero del tercer tratado, en su ir manifestándose a lo largo
de un desarrollo lento y gradual, a base de palabras y gestos mínimos
en sucesión de pequeñas sorpresas coherentes, enlazadas por dentro. En
Quevedo, la «plebeya gente» se da muy pronto en su integridad. Después, ya no puede esperarse de cada personaje sino la acumulación de
nuevas ridiculeces, chistes o pormenores macabros. No busquemos en
este libro la complejidad del *Guzmán* ni, desde luego, el tornasol de fuerzas, matices y ambigüedades que individualiza y reúne en íntima traba-
zón los personajes del *Quijote.* [...]

Quevedo, antes que desarrollar y entretejer lo ruin, lo monstruoso, lo ri-
sible, suele contentarse con empujarlos hasta el absurdo. Una mezcla de engaño, cómica afectación y dislate reina en este mundo, según lo ve Pablos
de Segovia. Mezcla que resulta a veces curiosamente parecida a la del *Sa-
tiricón* de Petronio, aunque la tonalidad normal de la burla sea en Petronio, por lo común, mucho más benévola que la de Quevedo. [...]

En el *Buscón,* farsa narrativa, no se esperen en primer término vidas
o destinos profundamente entrelazados, sino más bien, y extendidos por
el relato entero, los recelos y tensiones del pícaro entre pícaros. El lector
debe seguir a su vez con tensión recelosa la carrera del buscón, y sus en-
cuentros con los otros personajes. Personajes tan de entremés como el
propio Pablos. Los tipos humanos descritos por el buscavidas —un Cabra, un Alonso Ramplón, un don Toribio— pueden ser fascinantes y,
al mismo tiempo, no pasar de inolvidables máscaras o gárgolas. Y en
cuanto rompen a hablar, lo artificioso, el falsete, la parodia, las inter-
ferencias de la ubicua «voz del amo» se perciben al momento. Ni siquiera el matón —Mata, Matorral, Matorrales— que en Sevilla alecciona a
Pablos sobre la pronunciación y el léxico de rigor en el hampa, ni siquiera él se expresa con voz personal y autónoma, sino con la del «filólogo» Quevedo, la del entusiasta de Teofrasto y sus caracteres o tipos: la del autor de bosquejos satíricos, como los de la *Vida de la Corte,*
con aquel desfile de *figuras* y *flores,* de trampas, «chanzas y modos de
hablar», que hacen precisamente de Quevedo el «Teofrasto del hampa
cortesana». Quevedo, el gran bululú, apenas se molesta en mudar la voz
de sus personajes. [...]

En sucesivos episodios, la historia del *Buscón* va componiendo una grotesca —alucinante a veces— galería de tipos y situaciones. El *Lazarillo,* y sobre todo el inevitable *Guzmán,* sirven a Quevedo de modelos y de revulsivos. Su libro combina narración y sátira con manifiesta hostilidad al sesgo que ambas toman en la autobiografía denunciadora y predicadora del *Guzmán de Alfarache.* La profusión misma de lengua falaz e ingeniosa aleja decisivamente el relato de Quevedo de «cuantos de aquel género se han escrito», para decirlo con palabras de Ginés de Pasamonte. En boca del protagonista, la narración de sus picardías y fracasos, de su reiterado levantarse y caer, es inseparable de un frenético alarde de maestría idiomática. El narrador obedece a dos propósitos simultáneos, sin que le preocupe mucho la verosimilitud ni la unidad de su historia. Han quedado muy atrás el *Guzmán* y el *Lazarillo* (nada simples ni improvisadores, por lo demás, en esos dos respectos). Y el escritor despliega sin empacho su despreocupación, y su concepción irónica de la verosimilitud, violando las fronteras de la confesión imaginaria. La irónica antiverosimilitud suele ser parte de su juego, y debemos en esos casos tenerla en cuenta como tal.

Las memorias del pícaro conceptista buscan la complicidad de un lector que a su vez sea cuasi escritor. Lector crítico, criticón, predispuesto a gozar de toda burla al lenguaje afectado y cultista, como lo está el público de la comedia para regocijarse con las bromas de tanto gracioso a costa de las metáforas y perífrasis de tal o cual personaje. La superabundancia verbal de Quevedo, y la comicidad consiguiente, fluyen en variadas direcciones.

> Raimundo Lida: «Pablos de Segovia y su agudeza», revisado en *Prosas de Quevedo,* Barcelona, Crítica, 1981, pp. 260, 263-64 y «Sobre el arte verbal del *Buscón*», pp. 283-84 del mismo libro.

10. *Partiendo de las ideas expuestas en su* Introducción al pensamiento picaresco, *M. Molho ofrece en estas «lecciones» sobre el* Buscón *nuevas observaciones sobre la articulación narrativa de la obra:*

La *Vida del Buscón* se presenta, con su división en tres libros, como una trayectoria por la que un pícaro abyecto llega a asumir su propia abyección. Lo que equivale a decir que el libro trata de una tentativa frustrada de salirse del propio estado. Tal es, por lo menos, la lectura inmediata que se manifiesta en la triple cena colectiva, reiterada de libro en libro.

La primera cena, en el Primer Libro, es la cena fantasmática: la del hambre, en la que el Buscón participa negativamente así como los demás comensales.

La segunda cena, en el centro del Segundo Libro, es la orgía en casa de Alonso Ramplón. Sírvense los pasteles de a cuatro cuyo relleno —carne de ahorcado— podría ser la del padre. Todos participan, menos Pablos que se abstiene.

El Tercer Libro se cierra con la orgía de Sevilla, en la que Pablos participa plenamente y concluye con un doble asesinato. Se anuncia la emigración a Indias.

El Primer Libro es el de los ritos iniciáticos. Cuando termina, Pablos y Diego Coronel están en Alcalá. Allí el Buscón recibe una carta en la que su tío el verdugo le relata la muerte del padre, y anuncia que la madre será pronto protagonista de un auto de fe inquisitorial (obsérvese de paso que la muerte de la madre no se explicita).

El Segundo Libro es el de las peregrinaciones: de Alcalá a Segovia, vuelta a los orígenes, y de Segovia a Madrid, definitiva evasión. El eje de la otra está, pues, en las escenas de Segovia: la llegada a la ciudad natal, el chiste sobre el cadáver del padre, el cortejo de los condenados, la orgía en casa de Ramplón, y por fin la partida: «No pregunte por mí, ni me nombre, porque me importa negar la sangre que tenemos.»

El verdugo ha dado a Pablos posesión de su herencia: «unos trescientos ducados que mi buen padre había ganado por sus puños». ¿Cómo? La historia lo dice claramente. A partir de ese momento, el dinero será un tema mayor del libro.

El dinero del pícaro es el dinero del padre, de ese padre cuyo cadáver espera al borde del camino ser descuartizado y reducido a picadillo por los pasteleros de Segovia. Debe señalarse que el espectáculo da lugar, por parte del pícaro, es decir del hijo, a un chiste, que precisamente tiene el dinero por tema metafórico: «Llegué al pueblo y, a la entrada, vi a mi padre en el camino, aguardando ir en bolsas, hecho cuartos, a Josafad.» En efecto, al descuartizar al muerto, se le reduce a cuartos, que los pasteleros aprovecharán para confección de sus pastelitos. Pero cuartos son también moneda de vellón, de modo que el padre, convertido en cuartos monedados, se encaminará embolsado al Juicio Final. Y de hecho ese cadáver es ya dinero contante y sonante: esos trescientos ducados que, en manos del hijo que ha cobrado su herencia, no son sino su mismo padre hecho cuartos.

Ya no se habla de don Diego Coronel. El pícaro lo ha dejado tras sí, entre las sombras del período iniciático. Reaparecerá a su tiempo. De momento, entre Segovia y Madrid, don Pablos ve abrírsele otras perspectivas. Los dos últimos capítulos del Segundo Libro y los cuatro primeros del Tercero forman un conjunto que curiosamente está a caballo entre dos libros, obliterando una articulación básica de la obra. Esas articulaciones son geográficas, y por ellas el *Buscón* se presenta como un itinerario. Pero si el gozne entre el Primero y el Segundo Libros marca un doble acontecer, moral y espacial (la muerte del padre y la partida de Alcalá), el Tercer Libro se abre con la entrada en Madrid, de modo que el encuentro y discurso de don Toribio Rodríguez, al final del Segundo Libro, ocupa una posición análoga a la que se atribuye, en conclusión del Primero, a la muerte del padre y a los adioses a don Diego Coronel.

El conjunto que se abre con la entrada de don Toribio es el del llamado «Colegio de buscones» o «caballeros chanflones», o «hidalgos chirles». ¿Cómo conciliar la imagen de esa nobleza apicarada con la aristocrática condena del picarismo?

No cabe discutir el linaje de don Toribio y de sus compañeros; nada en el texto permite dudar de su autenticidad. [...]

Un noble ¿puede ser un pícaro?, ¿vivir como un pícaro, pensar, obrar como los pícaros? Eso parece, pues que al fin y al cabo don Toribio y don Pablos viven igualados en perfecta comunidad de intereses e inquietudes hasta ir a parar los dos a la cárcel. La razón es que entre don Toribio y don Pablos se instituye una relación inversiva, cuyo efecto es llevar a los dos personajes a un mismo nivel en la práctica de la existencia: don Toribio tiene nombre y linaje, pero no tiene dinero. Una nobleza desdinerada se desmiente por sí misma; cuando falta el dinero, ya no hay sangre limpia o espúrea, todas son coloradas. Don Pablos, al contrario, no tiene ni nombre ni linaje, pero sí un poco de dinero, no suficiente para hacerle acceder a nobleza. Durante todo el episodio, esconde cuidadosamente su peculio (los trescientos ducados de la herencia) entre la ropa. Pues el poseer dinero le confiere independencia y poder con relación a sus compañeros: comparte su suerte, pero no su desamparo.

Mauricio Molho: «Cinco lecciones sobre el *Buscón*», en *Semántica y Poética*, Barcelona, Crítica, 1977, pp. 109-112.

11.   *Las siguientes notas de D. Ynduráin aportan una lectura penetrante sobre una de las partes más importantes en la estructura de toda novela, su comienzo:*

Las palabras con que Pablos inicia la obra son las siguientes: «Yo, Señor, soy de Segovia»; con ellas, y desde el primer momento, trata de imponer su *yo* por encima de todo, con desvergüenza y sin atenuaciones. Frente a la humilde —quizá hipócrita— elusión de Lázaro cuando evita la primera persona («a mí llaman») y adopta la actitud subordinada que refleja la conjunción con que inicia el relato *(«Pues* sepa V. M...»), Pablos comienza con el restallante pronombre de primera persona, anteponiéndolo al *Señor* a quien escribe. Tras dejar bien sentada su afirmación personal, Pablos continúa con su lugar de origen, como si fuera un título de nobleza. [...]

El arranque del *Buscón* encierra, como en cifra, lo que será la vida del protagonista: presunción de nobleza, afán de superación social, intento de imponerse a los señores... y caída inmediata y brutal, más ridícula y violenta cuanto más alto ha llegado el intento. Seguramente a Quevedo ya le parecía una desfachatez, un motivo de burla, el hecho de que un pícaro, como Lázaro o como Guzmán, escribiera un libro y, además, lo hicieran en primera persona; como es propio de su estilo, Quevedo radicalizó y esquematizó el planteamiento. Ahora bien, es cierto que ese Señor a quien se dirige Pablos, una vez cumplida su función inicial se diluye en la obra y sólo reaparece de vez en cuando como simple recurso narrativo. Spitzer ha señalado las ocasiones en que Pablos se dirige al destinatario del escrito, al innominado *Señor.* Cuando esto sucede ya ha cumplido su función, que es doble; por una parte la que acabo de señalar; por otra, indicar al lector la perspectiva que debe adoptar en la lectura de la obra para que se produzca el efecto burlesco, esto es, una perspectiva señorial. Desde ella, el talante de Pablos resulta ridículo desde el primer momento. Es la perspectiva que se mantendrá durante toda la obra.

> Domingo Ynduráin: «Introducción» a *La vida del Buscón*, Madrid, Cátedra, 1981, 3.ª ed. («Letras Hispánicas», núm. 124), pp. 26 y 29.

12.   *En el excelente prólogo de Rey Hazas a su edición del* Buscón *pueden leerse estos dos fragmentos. El primero contiene unas observaciones sobre la construcción narrativa, y el segundo sobre su temporalidad, no siempre coherente:*

Me parece que la novela arranca mediante un núcleo más o menos trabado, que abre y cierra la fase de educación del pícaro (libro I) en torno a tres episodios, siempre con don Diego Coronel: *a)* en la escuela, *b)* en el pupilaje de Cabra, *c)* en la Universidad de Alcalá. Se rompe, a continuación, el proceso iniciado, a causa de una sarta de episodios deshilvanados (capítulos 1, 2 y 3 del libro II). Vuelve a retomarse, mal que bien, sin constituir de nuevo un verdadero proceso (capítulos 4, 5 y 6 del libro II), hasta que se inicia el libro III, que fragua otra vez una articulación lógica, a través de la puesta en práctica del afán de medro presente siempre, esto es, a través de la intentona de escalada social, por supuesto, en tres fases: *a)* vida buscona de falso hidalgo con don Toribio y sus amigos, que fracasa en la cárcel, y, tras ella, *b)* nueva tentativa, mediante su transformación en don Ramiro Guzmán, faldo mercader ennoblecido, que acaba igualmente mal, apaleado por un escribano, y *c)* última usurpación de una identidad honrada, de noble que ha heredado su alcurnia y su riqueza, esta vez, don Felipe Tristán, asimismo concluida con una doble paliza, ya definitiva, que deshace totalmente sus «pensamientos de caballero» (capítulo 1 a 7 del libro III). Y, a renglón seguido, el desenlace, que se configura de nuevo conforme al esquema de episodios deshilvanados en serie, de modo semejante a la ruptura anterior, sólo que ahora es actor quien antes únicamente era espectador (capítulos 8, 9 y 10 del libro III).

Hay, pues, según creo, un sistema ondulante que dispone la morfología del conjunto conforme a una sucesiva y reiterada alternancia de articulación y desarticulación que, obviamente, ofrece un conjunto constructivo incoherente y deslavazado, puesto que el proceso mantenido con mayor o menor fortuna en dos fases de la novela (de tres episodios cada una, curiosamente) se viene abajo por obra de las otras dos (por cierto, de tres capítulos cada una), compuestas simplemente como sartas de episodios inconexos. No hay duda de que don Francisco no quiso, no se esforzó, no se interesó por asimilar la superación de dicho esquema inorgánico que había realizado el *Lazarillo de Tormes*, y, tras sus pasos, el *Guzmán de Alfarache*.

En todo caso, pagó tributo al módulo de la sarta desorganizada de episodios; quizá voluntariamente, impulsado por sus preferencias arquitectónicas y constructivas, que le llevaban hacia un molde literario más libre, nada sujeto a imposiciones de la lógica novelesca. [...]

Desde otro punto de vista, asimismo pertinente con respecto al problema que nos ocupa, se puede notar una flagrante contradicción entre la temporalidad interna del relato y la temporalidad extratextual a que éste se refiere, ya que los hechos históricos aludidos como el sitio de Ostende, situados en la primera parte de la novela, son datables hacia 1603-1604 —episodio del arbitrista, II, 1—, no obstante lo cual, al final de la autobiografía, exactamente en el último capítulo y en el último episodio, hay una referencia a la muerte muy reciente en la horca de

Alonso Álvarez *el Tuerto*, hecho acaecido también en 1603, con lo cual resultaría que, a pesar de los —suponemos— varios años que han transcurrido en la vida del pícaro, en su imprecisa cronología interna, el tiempo externo aparece contradictoriamente detenido, fijado, inamovible en torno a 1603-1604. Se trata, pues, de una nueva prueba de la falta de interés constructivo de Quevedo.

> Antonio Rey Hazas: «Introducción» a *La vida del Buscón*, Madrid, SGEL, 1983, pp. 28-29 y 37.

Orientaciones para el estudio del *Buscón*

I. Aspectos históricos

Durante siglos la única novela escrita por Quevedo ha venido rodeada de arduos problemas que sólo en los últimos lustros han alcanzado soluciones convincentes. Muchas ediciones piratas —en realidad, todas las publicadas en vida del autor, pues nunca reconoció su novela ni autorizó su publicación— y múltiples variantes textuales en los manuscritos conservados han dado lugar a toda una constelación de problemas sobre la génesis literaria y la historia del *Buscón*.

1. *La fecha de composición*

Con razón afirma D. Ynduráin que lo único absolutamente seguro y comprobado es que la novela se escribió después de 1603 y antes de 1626. No obstante, los trabajos de Lázaro Carreter (y de otros investigadores), basados en algunos hechos históricos referidos o aludidos de pasada en la novela (y en añadidos al texto en alguno de los manuscritos conservados), ofrecen suficientes datos para considerar el *Buscón* como una obra de juventud.

— Señala y comenta los argumentos más significativos para la consideración del *Buscón* como obra juvenil, escrita cuando Quevedo tenía unos veintitrés años. Véanse **20, 24, 60** y documento número 7.

— ¿Hay en la novela algún indicio que permita creer en una revisión parcial a los pocos años de su redacción primitiva? Véase **17** y documento número 7.

2. *Localización histórica*

Estudiado el apartado anterior, todo parece indicar que la novela se localiza en los últimos años del siglo XVI y primeros del XVII. Teniendo esto en cuenta, recuérdese lo anotado en los cuadros cronológicos iniciales y lo dicho en el apartado 1 de la Introducción, y

— Relaciónese la materia novelesca del *Buscón* con la historia, la sociedad y la literatura de la época. Véanse también **18, 26, 28, 30, 37, 39, 43, 45, 49, 53, 55** y documento número 10.

— ¿Hay alguna contradicción entre la peripecia biográfica de Pablos y la temporalidad extratextual de la novela (hechos históricos recogidos en ella)? Véase **60.**

II. Argumento

Sabido es que en la peripecia biográfica del pícaro se suceden y acumulan episodios formados por anécdotas o pequeñas historias más o menos hilvanadas en sarta. Normalmente es el pícaro el protagonista de tales anécdotas; pero no siempre: ya en el *Lazarillo*, en el capítulo V, el pícaro era apenas testigo o espectador de las argucias del buldero; en el *Buscón* el protagonismo de Pablos desaparece casi por completo en el libro II, y se mantiene en los capítulos de I y III.

Muchas de estas anécdotas, cuentecillos y chistes hilvanados en sarta proceden de la tradición oral y del folklore, y perduraban con mayor o menor número de variantes en colecciones y cuentos orales de la época. Véase **7** y documento número 1.

— Sintetiza la peripecia biográfica del pícaro, atendiendo a las principales anécdotas protagonizadas por Pablos.

— ¿Cómo y en qué contexto se incluyen las anécdotas en que Pablos queda reducido a mero espectador? Resume las principales.

III. Aspectos del contenido: temas e intenciones

Con ser el *Buscón* una obra difícil por su lenguaje conceptista cuyas palabras están cargadas —fecundadas— de varios significados y diversas alusiones —que para el lector de hoy resultan aún más complicadas al no estar familiarizado con los motivos, chistes y juegos verbales de la época—, más complejo aún se ha vuelto el intento de esclarecer la intencionalidad de la obra, y, por ello, su interpretación.

Entre los mejores estudiosos se han sucedido —y simultaneado— hasta nuestros días interpretaciones diversas, debidas a enfoques dispares, sin que parezca haber posibilidad alguna de acuerdo entre los defensores de una u otra interpretación. Simplificando al máximo, por razones obvias, podemos resumir que la polémica levantada sobre esta cuestión mantiene a muy cualificados investigadores enfrentados en la interpretación de la intencionalidad ética o estética (estetizante) de la novela.

En realidad, ya en la época de Quevedo había quien creía en la eficacia didáctica del *Buscón* y quien veía en la novela motivos de burla de la religión y de las buenas costumbres. Entre los primeros, el presbítero Esteban de Peralta, quien basaba su censura favorable al libro en «la enseñanza de las costumbres sin ofensa alguna de la religión». Entre los segundos, Fray Juan

Ponce de León, en cuya censura se afirmaba que en el libro «la religión viene a padecer agravio en los seglares» (véase documento número 3); y como Ponce pensaban Luis Pacheco de Narváez y los anónimos redactores del *Tribunal de la Justa Venganza.*

Durante siglos, la polémica se ha mantenido hasta la actualidad: defensores del didactismo de la novela fueron Pedro Aldrete y Torres Villarroel en el siglo XVIII, y Fernández Guerra en el XIX (véase documento número 4); ya en el XX, después de los trabajos de K. Vossler y de L. Spitzer (éste afirma el pesimismo barroco de la novela; pero destierra la finalidad ética de la misma), entre los defensores de la orientación ética del *Buscón* se alinean destacados hispanistas anglosajones, como P. Dunn, T. E. May, C. B. Morris y, sobre todo, A. A. Parker, el máximo representante de esta interpretación. Según este enfoque, el *Buscón* sería una obra de intención ética que muestra la evolución de un desarraigado social, maleado por circunstancias ambientales, familiares y personales, aprisionado en un entorno infame del que no puede evadirse. Así, Parker presenta la historia de Pablos como un profundo estudio del delincuente, que rehúsa salvarse en su estado.

Sin embargo, en otros ámbitos del hispanismo se ha defendido con argumentos muy sólidos la intención estetizante de la novela, que, sólo en parte, sugería L. Spitzer. Es F. Lázaro Carreter el máximo inspirador de esta interpretación (véase documento número 6): el *Buscón* es un libro de ingenio, «charla sin objeto, dardo sin meta, fantasmagoría»; ni moralidad ni pesimismo, sí desenfado y «deseo casi demoníaco de ostentar ingenio» por parte de un Quevedo aún muy joven. La tesis de Lázaro Carreter ha sido secundada por F. Rico y R. Lida, entre otros.

Teniendo esto en cuenta,

— Comenta el *Buscón* como libro de ingenio, como novela estetizante. Véanse **18, 39, 55** y los documentos números 6, 8 y 9. (Si se quiere consultar la interpretación de A. Parker

y la contundente réplica de Lázaro Carreter, ambas referencias bibliográficas se encuentran indicadas en **11** y **18**.)

En su argumentación del eticismo y el afán didáctico-moral,
Parker —y otros— llega a defender la profundidad psicológica
y moral del *Buscón,* como un estudio psicológico del proceso
que lleva a Pablos a la delincuencia. Con todo, después de los
estudios de E. Cros y R. Lida, parece disparatado hablar de pro-
fundos contenidos psicológicos y morales en esta novela (véase
documento número 9). Y prueba de ello es la rápida caracterización de los personajes, sin hondura humana y unívocos desde
su misma presentación:

— Analiza la caracterización de los personajes principales:
Cabra, don Diego Coronel, Alonso Ramplón, don Toribio y
algunas de las figuras entremesiles del libro II.
— ¿Qué tipos sociales son objeto primordial de la sátira
de Quevedo?

De todos modos, aunque no haya una orientación ética en este
libro de ingenio, sí aparecen diversos motivos temáticos muy frecuentes en las prosas satírico-burlescas de Quevedo. Algunos de
ellos se concretan en la cuestión de las castas sociales, la honra
y el dinero.
Se ha dicho que el *Buscón* es una novela escrita por un señor
que defiende los privilegios de la clase a que aspira (la nobleza)
en contra del ennoblecimiento de quienes no tenían derecho a
ello, por ejemplo, los conversos, de sangre manchada:

— Estudia el afán de ascenso social y los «elevados pensamientos» de Pablos. Relaciónalo con su ascendencia familiar. Véanse **19, 21, 26, 36** y documento número 8.

Probablemente Quevedo, acérrimo antisemita e interesado en defender los intereses de la clase a que aspiraba, puso toda su energía en su acometida contra el poder del dinero, que todo lo podía comprar, hasta la limpieza de sangre y el ennoblecimiento de los conversos. Puede resultar muy ilustrativo el estudio de alguna manifestación de estas cuestiones:

— ¿Qué personajes de la novela son conversos?
— Estudia el tema del dinero en relación con la honra y el ennoblecimiento. Véanse documentos números 8 y 10.
— Analiza las relaciones que se establecen entre estos personajes: Pablos-don Diego Coronel y Pablos-don Toribio. Compara la situación social de los tres. Véanse **37, 49** y documento número 10.
— Señala y explica las manifestaciones del miedo popular a la Inquisición.

Se ha dicho también que en el *Buscón* «el mundo todo es máscaras y todo el año es carnaval». Sabido es que los motivos carnavalescos son muy frecuentes en la obra quevediana, así como lo macabro e incluso lo escatológico, lo excremental. En el *Buscón* hay episodios localizados en tiempo de carnaval; y abundan las situaciones escabrosas y los chistes procaces:

— Elabora un breve estudio de lo carnavalesco, lo macabro y lo escatológico en diversos episodios de la novela. Véanse **9, 18, 23** y **44**.

— ¿Cómo se explican las frecuentes muestras de vergüenza, tan contradictoria con la conducta del pícaro? Véase **33**.

Por último, son frecuentes en nuestra literatura las situaciones que, enraizadas seguramente en la popular desenvoltura con que tradicionalmente el español suele tratar muchos aspectos de lo religioso y lo eclesiástico, manifiestan una burla más o menos descarada de motivos relacionados con la Iglesia y el clero. Y también con el tema de la enseñanza.

— Señala y explica la función que cumplen los episodios relacionados con lo eclesiástico en la novela. Véase **55**.
— Analiza la situación de la enseñanza, reflejada de modo degradante en la novela, desde la escuela de Segovia hasta la Universidad de Alcalá.
— Comenta la crítica de Quevedo contra los malos poetas. Véanse **28** y **53**.

IV. Análisis de la estructura

En este apartado podemos seguir un esquema de acercamiento gradual a la estructura narrativa del *Buscón*, desde su misma distribución editorial y su composición (estructura externa) hasta los elementos de su estructura interna o inmanente, constituida por el modo narrativo, el punto de vista, el receptor o destinatario de la novela, el tiempo y el espacio internos del relato.

1. *El diseño editorial*

Aunque con alguna frecuencia la novela fue editada sin más división editorial que la numeración seguida de los veintitrés capítulos, el *Buscón* presenta un diseño externo dividido en tres libros, de siete, seis y diez capítulos, respectivamente.

— ¿Tiene algún fundamento, en relación con la trayectoria por la que el pícaro abyecto llega a asumir su propia abyección, el diseño editorial organizado en tres libros?

— ¿Por qué los materiales narrados en cada libro están distribuidos en capítulos?

— ¿Cómo se pasa de un capítulo a otro? ¿Y de un libro a otro?

---

2. *La composición: partes o unidades menores y situaciones más importantes*

Se ha dicho que los materiales narrados en el *Buscón* (y más aún los de otras obras del autor) responden a ejercicios de estilización y fragmentarismo que recuerdan las pinturas del Bosco y parecen anticipar los atrevidos despedazamientos novelísticos del siglo XX, del francés L. F. Céline, por ejemplo.

Dentro de la novela picaresca Quevedo rechazó la arquitectura novelesca del *Guzmán de Alfarache,* su continua y recíproca alternancia de episodios narrativos y digresiones didáctico-morales, y volvió a la composición narrativa del *Lazarillo,* con su narración lineal de episodios hilvanados en sarta. Pero Quevedo, sin mucho interés por la unidad constructiva de su obra, se despreocupó de darle un enlace interior y de seguir un proceso que aúne y justifique el orden de sus episodios y la evolución del protagonista. Por ello, no siempre se consigue la simetría en la composición de la novela, que con frecuencia cae en la inconexión y en la dispersión. Teniendo esto en cuenta, recuerda lo dicho en **23, 28** y **52,** lee los documentos números 10 y 12, y

---

— Estudia la composición de la novela en sus tres partes correspondientes a los tres libros. ¿Tiene alguna relevancia especial el protagonismo de Alonso Ramplón en los capítulos centrales de la novela, sobre todo en II, 4?

— Analiza la relación de proporcionalidad y simetría en la distribución de los episodios.

— ¿Cuáles son los núcleos en que se organizan los episodios narrados en los libros I y III?

— Explica las situaciones de mayor dispersión constructiva, especialmente en el libro II y en los tres últimos capítulos del III.

— Comenta los olvidos y contradicciones más notables en la incoherencia constructiva del relato. Véanse **10, 55** y **60**.

3, *Estructura narrativa*

3.1. *Narración autobiográfica y dispersión del punto de vista del narrador*

Como el *Lazarillo,* el *Buscón* es una novela contada en modo autobiográfico que sigue una forma epistolar y que va dirigida a un destinatario, llamado *Vuestra Merced.* Este molde estructural de la picaresca es utilizado con suma libertad por Quevedo; tanta, que resulta un molde vacío de significado, o, al menos, se acerca mucho a tal gratuidad por sus incoherencias y por las estridentes intromisiones manipuladoras del autor en la autobiografía de Pablos narrador, que, así, pierde toda credibilidad y verosimilitud poética.

Dentro de su esquema picaresco el yo autobiográfico de Pablos no justifica su narración, como sí lo hace Lazarillo. No hay, pues, caso final que justifique la confesión autobiográfica. Y detrás de la máscara de Pablos narrador se esconde el autor, que habla, satiriza y ridiculiza, provocando así la dispersión de la perspectiva de Pablos, reducido a ser «la voz de su amo». El esquema picaresco queda, pues, reducido a las apariencias, y la autobiografía de Pablos cae en contradicciones insalvables al no haber respeto alguno por su punto de vista, llegando a referir detalles que no ha podido conocer e incluso a convertirse en sujeto y objeto de esperpentización, en ejemplo de chistes del autor. No se noveliza, pues, el paso de Pablos personaje a Pablos narrador; ambos se confunden entre sí y con la voz del autor. Siguiendo estas orientaciones,

---

— Analiza el modo narrativo en primera persona autobiográfica y comenta sus contradicciones y rupturas más significativas. Véanse **1, 4, 10, 48** y documento número 8.

— Comenta esta afirmación de F. Rico: «la inconsistencia del personaje raya en el disparate» (se refiere al narrador-protagonista).

— ¿Resulta verosímil el prodigioso alarde verbal en la voz de Pablos narrador? Justifica la respuesta.

3.2. *El destinatario de la autobiografía*

Como en el *Lazarillo,* el destinatario de la confesión autobiográfica es un desconocido *Vuestra Merced,* que en el anónimo quinientista aparece integrado en el cuerpo de la novela desde el principio hasta el final. Sin embargo, en el *Buscón* se descubren las mismas dispersiones e idéntica dualidad de este elemento estructural, que no está adecuadamente integrado en la novela. A pesar de las múltiples referencias explícitas a ese destinatario, en realidad queda difuminado en mero nombre, no siempre llamado *vuestra merced* (algunas veces la referencia se dirige al *lector* en general). Apenas una sombra, como ha indicado F. Rico.

— Explica la incoherencia estructural de la forma epistolar del *Buscón*. Presta atención preferente a las referencias explícitas e implícitas al destinatario, tanto si se dirigen a *vuestra merced* como al *lector* en general. Véanse **1, 2, 54, 56, 57** y documento número 8.

Aun así, la relación epistolar, aunque no sea constante ni coherente, contribuye en este caso a realzar algunos aspectos importantes en la estructura y significado de la novela. En este sentido, dicha relación epistolar dirigida a un *vuestra merced* cumple una doble función, en su relación intertextual con otras novelas picarescas (especialmente el *Lazarillo)* y en la imposición de un enfoque de lectura (la perspectiva social del desconocido *vuestra merced):*

— ¿Puede considerarse el *Buscón* una parodia de la forma narrativa de la picaresca?

—¿En qué sentido impone la relación epistolar dirigida a *Vuestra merced* un determinado enfoque de lectura? Véanse **2** y documento número 11.

3.3. *El comienzo, el despertar del pícaro y el final del relato*

En toda novela, el comienzo y el final son especialmente importantes para la comprensión de la misma. En la picaresca, estos elementos narrativos adquieren relevancia capital, junto con el motivo del despertar del pícaro, su paso de la ingenuidad a la astucia en la lucha por la vida:

— Explica el comienzo de la autobiografía del *Buscón*. ¿Con qué actitud inicia Pablos su relato? ¿Cuáles son los aspectos más significativos en el determinismo de su conducta? Véanse **2, 4, 5** y documento número 11.

— ¿Cuándo se anuncia por primera vez el despertar del pícaro? ¿Cuándo se consuma definitivamente su independencia con respecto a su familia? ¿Por qué ambos motivos se producen tan tarde en el *Buscón?* Véanse **19** y **36.**

Teniendo en cuenta que el *Lazarillo,* principal modelo del *Buscón,* es una novela formalmente cerrada (porque desde el principio Lázaro escribe su confesión para explicar y justificar el caso final de su matrimonio), conviene examinar el final del *Buscón,* que sirvió de fácil arranque a su continuación en la *Tercera parte de la vida del Gran Tacaño,* del padre Vicente Alemany:

— ¿Es el *Buscón* una novela cerrada o abierta? Justifica la respuesta.

— ¿Aportaría alguna novedad en la conducta social y espiritual de Pablos la segunda parte prometida y nunca publicada? Razona la respuesta.

3.4. *Estudio del tiempo narrativo*

También como en el *Lazarillo,* el relato autobiográfico está escrito desde un momento temporal posterior al de los hechos que se van narrando. Pero, una vez más, en el *Buscón* resulta imposible averiguar el momento en que Pablos narrador relata las peripecias de Pablos protagonista. El presente narrativo queda, pues, en la indefinición más completa. Sabemos que desde un momento muy posterior Pablos refiere su vida pasada, pero ignoramos en qué momento lo hace y por qué lo hace. Carecemos de las circunstancias en que se encuentra Pablos cuando escribe su autobiografía, de su situación espacial, temporal y sociológica.

— Estudia la disposición temporal retrospectiva de la novela. Véanse **8, 16, 60** y el documento número 8.
— Estudia la disposición lineal seguida en dicha reconstrucción analéptica.
— ¿Se confunden a veces los planos del pasado rememorado y del presente narrativo en que Pablos escribe?

3.5. *El espacio*

Queda ya indicado que carecemos de la situación espacial en que escribe Pablos narrador. Por lo cual, también aquí se manifiesta la dispersión estructural comentada en apartados anteriores.

De cualquier modo, el tratamiento del espacio es un elemento revelador en la estructura narrativa. Fácilmente se aprecia que los libros I y III son más estáticos, bien diferenciados del II, concebido como un entremés de figuras novelizado en forma de *Sobremesa y alivio de caminantes*. Teniendo en cuenta que los libros I y III son, al menos parcialmente, más estáticos, y que el segundo es más itinerante,

---

— Señala y comenta los focos espaciales en el libro I. Explica el paso de una ciudad a otra; y el relieve que se concede al itinerario.

— Comenta el tratamiento del espacio en el libro II. ¿Adquiere mayor relieve el itinerario?

— Estudia el tratamiento del espacio en el libro III. ¿En qué se diferencian los últimos capítulos?

— Finalmente, aunque no tiene mucho que ver con la estructura interna de la novela, puede resultar ilustrativo elaborar un mapa con el itinerario completo de Pablos, desde Segovia hasta Sevilla.

V. Técnica y estilo

A pesar de todas sus imperfecciones como novela, notoriamente defectuosa en su composición y en elementos tan importantes en la estructura narrativa como son el punto de vista o la justificación de la autobiografía y del destinatario, el *Buscón* es un libro genial. Esta genialidad radica fundamentalmente en su estilo, en el prodigioso alarde verbal de su autor, que conoce y explora todos los entresijos del idioma. Cuestión, sin embargo, muy distinta es que ese virtuosismo estilístico sea suficiente para dar unidad y coherencia a la estructura de la novela.

En los apartados 4.2 y 4.3 de la Introducción hemos sintetizado ya los procedimientos técnicos y los recursos estilísticos más significativos en la prosa satírico-burlesca de Quevedo. Como es lógico, aquel esbozo sirve para el estudio del *Buscón* y resulta innecesario repetirlo ahora. Téngase presente, pues, como guía de lectura en estos últimos apartados de nuestro estudio.

1. *Procedimientos técnicos*

Conviene ahora prestar atención a algunas descripciones y a algunos episodios narrados en la obra. No abundan los retratos físicos en el *Buscón,* pero vale la pena detenerse en la presentación de los personajes y en algún retrato que siempre se ha considerado antológico:

— Analiza la presentación de los personajes en su momento de aparición en la novela. Basta centrarse en algunos: las figuras entremesiles del libro II, Alonso Ramplón, don Toribio... Véanse **22, 25** y **37**.

— Analiza el retrato del licenciado Cabra en I, 3. ¿Qué procedimientos se utilizan en la descomposición hiperbólica de su figura? Véase **11**.

— Realiza el mismo estudio de la descripción del caballo y la narración de la batalla *nabal* en I, 2. Véase **9**.

2. *Recursos estilísticos*

Con razón R. Lida habló de la «orgía de invención verbal y visional» en el estilo del *Buscón*. Tanto, que «las memorias del pícaro conceptista buscan la complicidad de un lector que a su vez sea cuasi escritor». Teniendo en cuenta lo anticipado en el apartado 4.3 de la Introducción, selecciona algunos pasajes de la novela y

— Realiza un breve estudio de estos tres recursos estilísticos: la metáfora, la hipérbole y la dilogía.

— Señala y explica algunos ejemplos de pirueta conceptista seguida de explicación de su significado. Y del esquema inverso: explicación inicial de la pirueta verbal que sigue inmediatamente. Véanse **13** y **30**.

— Busca algunos ejemplos de frases con comienzo pomposo y final desenmascarador. Explica su efecto estilístico. Véanse **35, 40, 50**.

— Reúne aquellos nombres propios en los que encuentres algún elemento caracterizador del personaje a que se refieren. Véase **15**.

— ¿Qué efecto estilístico produce el uso de diminutivos en contextos grotescos? Véase **3.**

— Por último, elabora un breve estudio del léxico marginal en el *Buscón:* habla de caballeros chanflones, rufianes, pícaros...

Índice de capítulos

SE TERMINÓ DE IMPRIMIR ESTA EDICIÓN
EL DÍA 2 DE SEPTIEMBRE DE 1989

LAUS  DEO